Prima edizione giugno 2021
Seconda edizione luglio 2021
Terza edizione luglio 2021
Quarta edizione agosto 2021

In copertina: illustrazione di Giancarlo Caligaris
Grafica: Giovanna Ferraris/*the*World*of*DOT
Progetto grafico: *the*World*of*DOT

Per essere informato sulle novità
del Gruppo editoriale Mauri Spagnol visita:
www.illibraio.it

ISBN 978-88-235-2683-9

MARCO VICHI

RAGAZZE SMARRITE

Un'avventura
del commissario Bordelli

UGO GUANDA EDITORE

Alla mia cara amica Alba de Céspedes

Quelli di voi che siete scrittori, sapete per esperienza come certi personaggi possano essere prepotenti e finire per dominare l'autore.

IGNAZIO SILONE

Un giorno senti che un tarlo ti rode l'anima, la salute, qualcosa ti opprime, ti gonfia il cuore, t'intossica finanche l'aria che respiri: allora è l'amore.

ALBA DE CÉSPEDES

Antica pena affronta ogni lontano amore
POETESSA ANONIMA DEL XIII SECOLO

Impruneta, 24 marzo 1970

Era mattina presto. Il commissario si era svegliato da almeno un'ora. Continuava a rigirarsi nel letto, e pensava... Gli mancavano nove giorni alla pensione, e ancora non riusciva a immaginare come si sarebbe sentito. Cosa avrebbe fatto la mattina del tre aprile, invece di andare in ufficio? Se non succedeva più nulla, se nessuno si prendeva la briga di uccidere, il « sano » omicidio di Novoli sarebbe stato il suo ultimo caso... La gelosia, un coltello, un impeto di rabbia, niente a che vedere con l'omicidio del Conte Alderigo, pura e inutile violenza... Be', se davvero per quegli ultimi nove giorni non accadeva nulla... Ci avrebbe messo la firma, non voleva rischiare di lasciarsi alle spalle un caso non risolto. Gli sarebbe piaciuto oltrepassare senza amarezza il compleanno dei suoi sessant'anni, anche se non lo avrebbe festeggiato con la torta e le candeline. Anzi aveva già fissato una cena con i soliti amici per il giorno successivo, il tre di aprile.

Si buttò giù dal materasso e scese in cucina. Blisk era fuori, libero di tornare quando voleva. Lo sportello magnetico di Dante era stato davvero una grande idea. Gli preparò una bella zuppa, perché non sapeva se a pranzo sarebbe rientrato a casa. Mise la Moka sul fornello e guardò il calendario appeso al muro, poi si voltò verso il teschio, che ormai considerava un caro amico.

« Caro Geremia, in pensione te ci sei già andato da un pezzo » disse con un sospiro forse un po' esagerato, ma non fece in tempo a sentire la risposta... in quel momento squillò il telefono. Erano le otto e mezzo passate, quasi certamente lo cercavano dalla questura.

« Sì? »

« Buongiorno dottore, mi scusi se la disturbo a casa, ma... »

« Rinaldi, non dirmi che c'è un altro morto. »

« Sì, dottore. Un contadino ha visto il cadavere di una ragazza. »

« Occazzo... Dove? »

« Sul greto di un fiumiciattolo, a Passo dei Pecorai. È quella strada che va da Ferrone a Grev... »

« Sì, la conosco bene, abito lì vicino... Il contadino dove lo trovo? »

« Ha chiamato dalla chiesa nuova, quella davanti al Cementificio della SACCI. »

« Ho capito... »

« Gli ho detto di aspettare alla chiesa. »

« Hai fatto bene, richiamalo e digli che arrivo tra poco... Piras è in questura? »

« L'ho visto poco fa, glielo cerco subito. »

« Grazie. » Mentre aspettava, Bordelli sentì il caffè che stava uscendo e spense il fuoco. Poi sentì la voce del sardo.

« Eccomi, dottore. »

« Rinaldi ti ha già spiegato? »

« Sì, dottore. »

« Devi andare subito a prendere Patrizia Leggiadri Della Torre... »

« Non sapevo che avesse tutti quei cognomi. »

« Chiedile se te ne regala uno... Non ho fatto in tempo a cercarla, provaci tu, prima a casa, poi casomai a Medicina Legale. »

« Bene... »

« Non t'innamorare, eh... » disse Bordelli, per alleggerire la situazione.

« Patrizia è bellissima, dottore, ma non corro alcun pericolo. Sonia mi ha stregato» dichiarò il sardo, che quando parlava della sua bella fidanzata siciliana cambiava voce.

«Lo so, scherzo... Avverti anche i ragazzi della Scientifica. Io vado avanti... Sai come arrivare?»

«Se me lo spiega è meglio.»

«Ti cerco dopo sulla radio, così mi dici se hai trovato Patrizia.»

«Bene, dottore.»

«Senti Piras, adesso siamo più o meno tutti e due commissari... Possiamo darci del tu?»

«No, dottore.»

«Come vuoi, a dopo.» Bordelli riattaccò, pensando che in quella faccenda del «lei» Piras e il Botta erano uguali, nessuno dei due voleva saperne di cambiare le proprie abitudini. Mandò giù il caffè in fretta e montò in macchina. Invece di andare verso il paese, voltò a sinistra e imboccò la stradina in discesa. Ballando sulle buche e sui sassi arrivò a passo d'uomo sulla strada sterrata che univa Impruneta a Ferrone. Scese fino alla Chiantigiana per Greve, voltò a sinistra e schiacciò sull'acceleratore. La parte alta del cementificio si scorgeva addirittura dal retro di casa sua, una specie di mostro che sbucava tra le colline più basse. Poco dopo essersi trasferito all'Impruneta, una mattina era andato laggiù per vederlo, incuriosito da quell'enorme fabbricato che cercava, senza riuscirci, di deturpare e profanare l'armonia del paesaggio. Un'armonia che era il frutto di una natura magnifica ma anche di secoli di opera dell'uomo.

Dopo pochi minuti arrivò a Passo dei Pecorai, e salì fino alla spigolosa chiesa moderna, consacrata qualche anno prima. Parcheggiò nel piazzale, accanto a un Ape arrugginito, e dalla chiesa sbucarono un vecchio contadino e il prete, anche lui piuttosto vecchio, magro, con l'aria del bevitore da osteria.

Successero le solite cose... Il contadino era agitato... Il prete, magro e un po' storto, sapeva già tutto e ascoltava

11

annuendo di continuo, come se fosse stato anche lui a scoprire il cadavere. Il contadino era imbarazzato, sembrava quasi che si vergognasse di aver visto una ragazza morta... *Ero andato a fare un po' di legna ni' bosco di' padrone...* Sembrava che volesse discolparsi... *Dick seguitava a far confusione, abbaiava a quell'oddio, un la finiva più...* Il cagnolino girellava là intorno, ancora eccitato... *Da principio m'era parso un fagotto...* Con le sue mani grandi e rosse, disegnava in aria quello che raccontava... *Sono andato più dappresso... Un ci potevo credere... Umm'era mai successo... M'è capitato di vedere qualche morto 'n guerra, ma l'era tutta un'altra faccenda... Son corso via e son venuto qua da don Gallori a telefonare alle guardie...*

« Ha toccato niente? » tagliò corto Bordelli.

« No no no no... un ci si pòle nemmeno avvicinare... poi lo capisce da sé che un si pòle... »

« E il cagnolino? »

« Nemmeno lui... abbaiava, girava torno torno, ma unn'è andato a grufolare... poi l'ho chiamato... Dick, vieni subito qua, e lui gli è tornato... Intendiamoci, l'è una peste, ma quando lo chiamo come dico io m'obbedisce... »

« Dov'è di preciso la ragazza? »

« Sarà un chilometro dopo i' Sacci, andando verso Greve. »

« Posso usare il telefono? » chiese Bordelli al prete.

« Certo, venga. » Entrarono nella chiesa e il commissario lo seguì fino in sagrestia, facendo fatica a immaginare che Dio potesse abitare in un luogo così moderno. Ma sapeva che era soltanto uno stupido pregiudizio.

« Pronto, sono Bordelli... Mi metti in contatto con Piras? »

« Subito, dottore. » Qualche secondo, poi in mezzo al fruscio della radio ecco la voce del sardo, un po' metallica, e in sottofondo il motore della Pantera.

« Eccomi, dottore. »

« Patrizia è con te? »

« Sì, certo... »

« Dove siete? »

« Viale Belfiore, sono andato a prenderla a Careggi. »

« Bene... Vai fino alla Certosa, invece di entrare in autostrada o voltare per Siena, vai dritto verso Tavarnuzze, ma non salire verso casa mia, vai sempre dritto e segui per Greve. Occhio perché a un certo punto la strada principale sale verso San Casciano, ma tu devi andare sempre verso Greve. »

« Va bene. »

« Quando arrivi a Passo dei Pecorai continua ancora avanti, poi vedrai la mia macchina, la lascerò bene in vista. »

« Capito tutto. »

« A tra poco... » Riattaccò e tornò dal contadino.

« Mi accompagna? »

« Vengo con lei o prendo i' furgoncino? »

« Prenda il furgoncino, dovrò rimanere sul posto per un bel pezzo... No, lei stia qua, padre. » Il prete si fermò, deluso.

« Dick, monta su » disse il contadino. L'Ape partì di scatto e Bordelli lo seguì restando un po' a distanza, per non respirare il fumo che sprigionava. Arrivarono sulla Chiantigiana e l'Ape voltò a sinistra, verso Greve. Passarono davanti all'immenso cementificio, una sorta di cattedrale dell'industria, e dopo un chilometro il furgoncino si fermò sulla destra, all'imboccatura di una sterrata. Il vecchio scese lasciando dentro il cagnolino, che abbaiava come un ossesso. Aspettò con ansia che il commissario scendesse.

« Che andavo troppo forte? » chiese.

« No no... Mi fa strada? »

« Venga, venga. » Là accanto si sentiva gorgogliare la Greve.

« È lontano? » chiese Bordelli, e il contadino scosse il capo. Passarono su un ponticello, si inoltrarono nel bosco e voltarono a sinistra. Andarono avanti per pochi passi lungo il fiumiciattolo, e a un tratto il contadino si fermò.

« Eccola là » disse, indicando. Dall'altra parte della Greve si vedeva una figura umana allungata sotto gli alberi, abba-

13

stanza vicina all'acqua, mezza nascosta nell'intrico delle piante selvatiche.

« Mi aspetti qui. » Bordelli scese verso il greto, rischiando di scivolare. Il fiumiciattolo era abbastanza alto, e non si poteva attraversarlo senza bagnarsi fino alle ginocchia, ma adesso il cadavere era a sei o sette metri, e si vedeva molto meglio. Era bocconi, ma il volto era girato dalla sua parte, e tra i capelli scompigliati si intravedevano gli occhi socchiusi e la bocca un po' aperta. Sembrava una ragazza piuttosto giovane. Lunghi capelli neri, poco vestita, molto truccata. A prima vista non si notava nessuna traccia di sangue, nessuna ferita. Aveva un braccio dietro la schiena e uno allungato oltre il capo, un ginocchio piegato, le gambe allargate, i piedi nudi, e le sue scarpe, con il tacco a spillo, erano a mezzo metro da lei. Quella posa scomposta faceva facilmente immaginare che la ragazza, già morta, fosse stata lasciata cadere nel burrone. Ma prima di arrivare a conclusioni affrettate, bisognava osservarla più da vicino. Bordelli tornò dal contadino, che era rimasto al suo posto.

« Bene, la ringrazio. Adesso può andare, però mi lasci il suo nome e l'indirizzo, manderò una guardia per la deposizione » disse Bordelli, tirando fuori la penna e un foglietto.

« Natale Trinci, sto a Passo de' Pecorai... Chieda di Torello, mi conoscono tutti... Di questi tempi sono a potare gli olivi della diocesi, su alla chiesa di Sant'Angelo, sopra Gabbiano... Sono quasi a fine, ma devo penare poco perché se arriva la mignola mi fa confondere. »

« Come dice?... Aspetti... *Chiesa di Sant'Angelo... Gabbiano...* Bene, ho scritto tutto. »

« Allora arrivederlo, maresciallo. »

« Arrivederci. » Il contadino riattraversò il ponticello e se ne andò con l'Ape, seguito da una scia di fumo. Anche Bordelli dopo un po' tornò sulla strada, e nell'attesa che arrivassero gli altri cercò di capire qual era il modo migliore per raggiungere il cadavere. Forse si doveva tagliare qualche ramo, legarsi con una corda al tronco di un albero e calarsi giù piano piano.

Aspettando che arrivassero Piras e Patrizia andò a sedersi nel Maggiolino. In altri tempi, in una situazione del genere avrebbe fumato un bel po' di sigarette, e se faceva freddo avrebbe aperto il deflettore. Adesso solo il pensiero di respirare in un ambiente fumoso gli dava fastidio. Non riusciva più a stare troppo tempo nel bar di Fosco, o in quelle piccole trattorie dove respiravi le sigarette degli altri. L'unico fumo che tollerava era il Toscano di Dante, che ormai faceva parte di quel magnifico visionario... Ma guarda un po' cosa si metteva a pensare, a pochi metri dal cadavere di una bella ragazza.

L'anno prima Diletta, venticinque anni, violentata e uccisa, e adesso questa ragazza, forse ancora più giovane, forse anche lei ammazzata. Sembrava quasi una vendetta, come se le sacrosante nuove libertà che le donne stavano cercando faticosamente di conquistare, in un modo o nell'altro dovessero essere pagate a caro prezzo...

I primi a calarsi nel terrapieno furono i ragazzi della Scientifica, che arrivarono pochi minuti dopo Patrizia Leggiadri Della Torre e Piras. Era meglio non toccare il cadavere prima delle consuete fotografie e della meticolosa ispezione del terreno circostante. Anche per loro, che erano giovani, la discesa fu meno semplice di quello che sembrava. Il terreno era ripido e scivoloso, la vegetazione molto fitta. Avevano legato delle corde agli alberi e si erano avventurati con la loro attrezzatura fino al greto del fiumiciattolo. Patrizia, Piras e il commissario seguivano le operazioni dall'orlo del burrone, ma non riuscivano a vedere troppo bene.

Due mezzi della Pubblica Sicurezza davano nell'occhio, e chi si trovava a passare di là si fermava per chiedere cosa stesse succedendo, anche se alcuni sembravano già saperlo. Forse Torello l'aveva raccontato in giro. Non era facile tenere la gente a distanza, e Piras ne approfittò per domandare ai curiosi se in quei giorni avessero visto qualcosa di insolito. I contadini arricciavano le labbra, allargavano le braccia... Nessuno sapeva nulla.

Ogni tanto qualcuno se ne andava, e dopo un po' arrivava qualcun altro. Dovettero mettere dei nastri per delimitare la zona, e cercarono con le buone maniere di spiegare ai contadini che se si avvicinavano troppo intralciavano il lavoro. Bordelli vide tra la gente anche don Gallori, che a quanto pareva non aveva resistito al richiamo della morte, e lo salutò con un cenno. A poco a poco la situazione diventò più calma. Piras salì in macchina e si mise in contatto con il sostituto procuratore, gli raccontò quello che era successo e disse che nel pomeriggio sarebbe stata pronta una relazione dettagliata. Intanto Patrizia e Bordelli si mordevano le labbra per l'impazienza.

« Dobbiamo incontrarci solo davanti ai cadaveri? » mormorò il commissario.

« Romantico, vero? »

« Una sera potremmo andare a cena, lei con il suo fidanzato, io con la mia donna. »

« Potrebbe essere. »

« Tra pochi giorni andrò in pensione, sarò molto più libero. »

« Ci sono due modi di reagire alla pensione... Lei è contento o triste? »

« C'è un terzo modo. »

« Ah, sì? »

« Il mistero... Non so davvero come mi sentirò e cosa farò, staremo a vedere. »

« Potrebbe viaggiare, come fa spesso il professor Diotivede. »

« Non sono mai stato un grande Marco Polo. »

« Potrebbe fare il contadino, visto che abita in campagna. »

« Ci proverò, ma non credo sia facile. »

« Oppure potrebbe mettersi a scrivere le sue memorie. »

« Non è la prima persona che me lo dice, ma bisogna esserci portati, sennò viene fuori una pappardella noiosissima » disse Bordelli. Il sardo tornò da loro.

« Tutto fatto » disse, e anche lui si mise ad aspettare di poter vedere il cadavere. A un certo punto si sentì una voce stridula che gridava dall'altra parte della Greve.

« L'è i' diavolo! L'è come l'altra volta, come ni' Trentatré! L'è i' diavolo, mammina santa, l'è tornato, l'è tornato! »

« Ma chi è? » disse il commissario, avviandosi verso il ponticello. Vide una vecchia contadina, con il capo coperto da un fazzoletto scuro legato sotto il mento e un crocifisso in mano, che si faceva di continuo il segno della croce. Si voltò un attimo all'indietro, e vide che don Gallori gli faceva dei gesti, poi si picchiettava un dito sulla tempia. Tornò sui suoi passi e si avvicinò al prete, mentre la vecchia continuava a gridare.

«La conosce?» chiese. Don Gallori annuì.

«La conoscono tutti, è la Iole, ma la chiamano tutti la Sonata.»

«Cos'è successo nel Trentatré?»

«In un bosco qua sopra, tra Giobbole e Spedaluzzo, venne trovato il corpo decapitato di una ragazzina, che dai vestiti o da altri particolari nessuno riuscì a riconoscere. Nella zona non era stata denunciata nessuna scomparsa, e nemmeno nel resto d'Italia, stando a quello che dicevano le autorità. Ma chissà, a quei tempi facevano un po' come gli pareva... comunque il capo della ragazza non fu mai ritrovato. La poverina era stata oltraggiata in modo atroce... Violentata, torturata, mutilata, poi uccisa con un crocifisso piantato nel petto.»

«Non vi fate mancare nulla, da queste parti» commentò Bordelli.

«Venne la polizia da Roma, una decina di persone comandate da un commissario capo che in Sicilia era andato a braccetto con il prefetto Mori, prima che venisse nominato senatore del regno e messo a riposo. L'ordine di risolvere la faccenda al più presto era arrivato direttamente da Mussolini, che non voleva rischiare un altro caso come quello del povero Girolimoni. Il commissario aveva il pelo sullo stomaco più folto delle erbacce di un campo abbandonato, ma alla fine riuscì a trovare i colpevoli, prima che commettessero altri orrori. La ragazzina lavorava in una casa di piacere di un'altra regione, era scappata di casa e nessuno l'avrebbe mai cercata. Era stata rapita da un gruppetto di persone malate che adoravano il demonio. Ricconi assetati di potere, che dopo aver sacrificato per anni dei poveri animali, avevano deciso di passare ai sacrifici umani. Vennero trascinati a Roma e impiccati

18

alla presenza del Duce, che poi diede ordine di bruciare i loro cadaveri e di disperderli nelle fogne. »

« Per una volta mi sento d'accordo con Mussolini » disse il commissario.

« Nonostante la faccenda sia stata risolta, qua in zona appena succede qualcosa di strano c'è chi si mette subito a nominare il demonio, come la povera Sonata. »

« E lei, padre, crede nel demonio? »

« Credo che in quanto a crudeltà, il diavolo in confronto all'uomo sia un novellino » disse don Gallori, allargando le braccia.

« Riesce a portare via la vecchia Iole? Non vorrei che restasse qui a gridare. »

« Ci penso io » disse il prete, scavalcando il nastro di sbarramento. Oltrepassò il ponticello, prese la vecchia sottobraccio e se la portò dietro borbottandole chissà cosa all'orecchio... Magari la promessa dell'indulgenza plenaria. Bordelli salutò don Gallori di lontano, ringraziandolo.

Una mezz'ora dopo i ragazzi della Scientifica si attaccarono alle corde e si tirarono su a forza di braccia.

« Noi abbiamo finito, dottore. Intorno al corpo non abbiamo trovato nulla, a parte le scarpe. Nessuna borsetta, dunque nessun documento. »

« Tanto per rendere le cose più facili... » disse Bordelli.

« Noi restiamo qua, tra poco arriva l'ambulanza e ci sarà da portare su il cadavere. »

« Bene, adesso scendiamo noi... Se la sente, Patrizia? »

« Ce la dovrei fare » disse lei, abbozzando un sorriso. Patrizia era più agile e più forte di quello che si poteva immaginare. Afferrò la corda e si calò come un pompiere.

« Accipicchia » disse Bordelli, scendendo giù a fatica.

« A casa ho gli attrezzi da palestra » disse Patrizia. Nemmeno Piras ebbe troppe difficoltà, e un minuto dopo erano tutti e tre davanti alla ragazza, che emanava già un odore sgradevole. Patrizia si mise i guanti e si abbassò, toccò il ca-

davere, lo annusò, proprio come faceva il suo maestro Diotivede. Sollevò le palpebre alla morta per guardare le pupille,
le aprì la bocca, dove stavano già entrando le formiche...

« Adesso cerco di voltarla » disse Patrizia.

« Vuole una mano? » chiese Piras.

« Non importa. » La dottoressa afferrò il cadavere per una
spalla, lo rivoltò lentamente, e il capo oscillò un paio di volte
sull'erba facendola sembrare viva. Patrizia tolse i capelli dal
viso della ragazza.

« È bellissima » mormorò, triste.

« Povera ragazzina... »

« Solo escoriazioni *post mortem*, dovute al rotolamento e
alla caduta. »

« Si riesce già a capire da quanto tempo è morta? » chiese il
commissario.

« Da una prima valutazione, direi non meno di venti-
quattr'ore, forse anche qualcosa in più. »

« Che tu sappia, Piras, abbiamo denunce di scomparsa? »

« No, dottore. »

« Vediamo se è arrivata stamattina, magari a un commissariato di provincia. Altrimenti proviamo a sentire i carabinieri. »

« Tornando a Firenze chiamo la questura e chiedo » disse
il sardo.

« Cosa sono quei piccoli lividi sul braccio? » chiese Bordelli a Patrizia.

« La conseguenza di iniezioni nella vena, difficile non pensare che sia droga. »

« Ah... »

« Ma per stabilire se è morta di overdose devo aspettare gli
esami. »

« Quando potrò avere i risultati? »

« Me ne occupo subito, forse riesco a finire entro stasera, o
al massimo domattina. »

« Nel frattempo dobbiamo cercare di identificarla » disse il commissario a Piras.

« Speriamo di farcela » mormorò il sardo.

« Sennò come al solito *La Nazione* dovrà darci una mano... Patrizia, se entro stamattina non riusciamo a identificarla, quando possiamo far venire un disegnatore a Medicina Legale? »

« Quando volete. Devo fare dei prelievi, ma anche se l'avrò già... aperta, il viso non lo tocco. »

« Grazie... »

« Per me possiamo andare » disse Patrizia, togliendosi i guanti. Si attaccarono alle corde e conquistarono la vetta. Patrizia con facilità, Piras con una certa tranquillità, Bordelli con molta volontà.

L'ambulanza era già arrivata, e Piras se ne andò con Patrizia per accompagnarla a Careggi a Medicina Legale. Bordelli rimase, per aiutare i tre della Scientifica e i due barellieri a recuperare il cadavere, e non fu per niente facile. Tutti, nessuno escluso, pronunciarono, magari sussurrando, la parola... *bellissima*. E se era bella da morta, figuriamoci da viva.

Nessuna denuncia di scomparsa, nemmeno ai carabinieri, nemmeno nelle altre questure o commissariati della Toscana. Forse la ragazza era abituata a stare via da casa per diversi giorni? O magari viveva da sola? O più semplicemente era una prostituta senza famiglia che veniva da un'altra regione, come la ragazza decapitata nel '33? Forse era una straniera arrivata da poco? Anche se dai tratti somatici sembrava decisamente italiana.

Quattro coppie di guardie erano già nella zona del ritrovamento. Andavano di casa in casa e nei campi a chiedere se qualcuno avesse visto qualcosa nella notte di domenica. Fare quel tentativo era doveroso, perché nelle indagini il verbo «tralasciare» non doveva esistere, ma in un caso del genere non c'era da sperare molto. Da quelle parti abitavano solo contadini, e dopo una giornata di lavoro cominciata all'alba, la notte la usavano per dormire... Solo un colpo di fortuna poteva fare la differenza.

«Piras, come si chiama quella guardia genovese che disegna bene?»

«Caligaris...»

«Per favore, trovalo e digli di andare subito a Medicina Legale, e avverti Patrizia che il disegnatore sta arrivando.»

«Sì, dottore.» Mentre Piras andava a cercare Caligaris, il commissario telefonò alla sede della *Nazione* per parlare con il direttore Mattei, con il quale negli anni era entrato in confidenza.

«Devo chiederti un altro favore, Enrico.»

«Dimmi pure...»

«Preferirei parlartene a voce, va bene se vengo nel pomeriggio?»

«E chi si muove? Fino a mezzanotte mi trovi qua» disse il direttore.

«Sempre in prima linea, eh?»

«Che ti devo dire? Mi diverto...»

«Anche io, ma ahimè... Sto per andare in pensione» disse Bordelli, che quel giorno era nella fase del «purtroppo».

«Mi sa che tra un paio di mesi tocca anche al sottoscritto.»

«Ti invidio, a me manca poco più di una settimana.»

«Tanto prima o poi tocca a tutti, e non solo quello.»

«Prima che ci mettiamo a parlare di tombe e di funerali ti saluto, ci vediamo più tardi.»

«A dopo» disse Mattei, sorridendo. Riattaccarono, e il commissario si mise subito a scrivere la didascalia da pubblicare sotto il disegno della ragazza morta...

A Passo dei Pecorai, vicino all'argine della Greve, è stato trovato il cadavere di questa ragazza. Alcuni indizi fanno pensare a un omicidio premeditato, e dai rilievi sono emersi elementi interessanti che potrebbero portare presto alla soluzione del caso. Ma l'assenza di documenti non ha permesso l'identificazione della ragazza, e alle forze dell'ordine non è pervenuta nessuna denuncia di scomparsa. Chiunque la riconosca è pregato di chiamare in questura e di chiedere esclusivamente del commissario Franco Bordelli.

Non voleva spiegare nulla di più, preferiva lasciare quella morte avvolta dalla nebbia. Si era anche inventato la storia dell'omicidio premeditato, senza aggiungere niente sulla vera natura delle indagini, immaginando, in questo modo, di mettere in agitazione il gentiluomo che aveva gettato il cadavere giù dal burrone. Una volta identificata la ragazza si poteva forse fare qualche passo in avanti, parlando con i suoi genitori, con i suoi amici eccetera eccetera, come si faceva sempre. Ma se non saltava fuori qualcosa, sarebbe stata davvero dura arrivare in fondo a quella storia. Bordelli era amareggiato, prima di tutto per la morte di quella bellissima ragazza, ma poi... a una settimana dalla pensione era difficile non pensare che per lui sarebbe stato l'ultimo caso, e forse non avrebbe fatto in tempo a venirne a capo.

Piras si affacciò alla porta per dire che Caligaris era già partito per andare a Medicina Legale, e che la dottoressa Leggiadri Della Torre era stata avvertita.

« Appena ho il disegno glielo porto, e se non è in ufficio le lascio una copia sulla scrivania. »

« Grazie, Piras... Mi raccomando, domani fai in modo di tenere a bada i giornalisti. Nessuna dichiarazione, nulla di nulla. »

« Certo, dottore. »

« Vado a mangiare qualcosa, ci vediamo dopo. »

Erano già quasi le due. Il commissario se ne andò a mangiare un boccone alla trattoria di Cesare, nella cucina di Totò, che come al solito aveva messo in piedi per lui un menu irresistibile, anche se finalmente non troppo pesante. Dopo pranzo fece una passeggiata lungo il Mugnone. Voleva cercare di immaginare con la dovuta calma cosa potesse essere successo alla ragazza morta, ma soprattutto non voleva rischiare di tornare in ufficio prima del disegno di Caligaris, per non ritrovarsi a camminare su e giù in un'attesa carica di impazienza.

Passo dei Pecorai... Una volta aveva chiesto a Tonio, il contadino che si occupava dei suoi olivi, come mai quel posto si chiamava così. Tonio gli aveva raccontato che era una tappa obbligata per i pastori che ogni anno si spostavano con migliaia di pecore dal mite inverno della Maremma alla frescura estiva del Casentino. Era sempre interessante la storia dei nomi delle città e dei paesi. Gli venne in mente anche Femminamorta, la minuscola frazione sopra Pistoia che doveva il suo nome al cadavere di una ragazza sconosciuta ritrovata nel Seicento sotto la neve. Sconosciuta proprio come la bella ragazza trovata quella mattina.

Camminando senza fretta arrivò fino a piazza Vieusseux, e tornando indietro passò davanti al liceo Dante, al quale aveva consacrato diversi anni della propria vita nei primi tempi del fascismo. Prima di Ponte Rosso entrò nel giardino dell'Orticoltura, e rimase per qualche minuto a osservare la grande e bellissima serra liberty, che nonostante le sue pessime condizioni e la ruggine sprigionava un grande fascino. Stava cercando di non infognarsi in congetture inutili sulla ragazza di Passo dei Pecorai. Era meglio far riposare la mente, in vista dei giorni che lo aspettavano. Sperava davvero di riuscire a risolvere la faccenda entro il due aprile, prima della pensione, appunto. Una settimana, solo una settimana, e in mezzo c'era anche la Pasqua. Doveva farcela, non avrebbe sopportato di lasciarsi alle spalle un caso insoluto.

Quando tornò in questura, si affacciò nella guardiola di Mugnai per chiedere se gli serviva aiuto per le parole crociate. Era una domanda retorica, perché Mugnai aveva sempre da parte qualche definizione che gli impediva di finire uno schema.

«Ne ho tre, dottore.»

«Spara...»

«*Alzata più che... antelucana?* Ma che vuol dire?»

«Fammi vedere dove va... Sì, ecco... *Levataccia.*»

«*Le-va-tac...* Eh sì, ci sta.»

«Poi che hai?»

«Senta questa, tre verticale... *Il freno della discrezione...* Non capisco bene...»

«Vediamo un po'... Sì, ci sta... *Ritegno...*»

«Mamma mia come la fanno complicata!» disse Mugnai allargando le braccia, e scrisse la parola.

«E poi?»

« Ecco qua... *È bello prenderlo secco...* Sembra quasi una cosa volgare » disse Mugnai, ridendo.

« Perché siamo fiorentini, un piemontese non ci penserebbe mai. »

« Lei dice? »

« Lo sai bene che nei bar di Firenze le donne non possono chiedere *un caffè lungo*, ma devono dire *un caffè alto*. »

« Invece a Milano o a Palermo possono dire *caffè lungo?* »

« Certamente... Comunque è facile, qui parla del Lotto... devi scrivere *Terno*. »

« Oddio che scemo, era facile. »

« Dopo, è sempre tutto facile » disse Bordelli, avviandosi.

« Dottore, quando le serve una mano per decifrare qualcosa di misterioso sono a disposizione. »

« Certo Mugnai, grazie. » Il commissario attraversò il cortile, pensando per l'ennesima volta che Mugnai, con la sua decennale esperienza di enigmistica, era riuscito a scovare la soluzione per risolvere uno dei casi più difficili dal dopoguerra. Entrò nell'edificio, che conosceva come le proprie tasche, e imboccò le scale osservando con altri occhi ogni cosa, i muri, le finestre, i soffitti, i gradini... Erano gli ultimi giorni in cui poteva muoversi in quei luoghi familiari. Cercava di trovare un po' di ottimismo, dicendosi di continuo che quel poco tempo gli sarebbe bastato per scoprire cos'era successo a Passo dei Pecorai, ma un secondo dopo smetteva di crederci.

Appena entrò in ufficio vide sulla scrivania il disegno a china del volto della ragazza. Senza nemmeno sedersi lo sollevò per guardarlo bene, meravigliato da quanto fosse somigliante e da come restituisse vita alla povera morta. Quel Caligaris aveva davvero una bella mano, e chissà quante altre guardie di Pubblica Sicurezza avevano un talento di cui nessuno sapeva nulla. Sulla scrivania c'era anche un appunto di Piras: *Ho fatto fotografare il disegno e tra poco avrò alcune copie.*

«Bravo Piras» disse a voce alta. Mise il disegno in una cartella insieme al foglio con la didascalia, e uscì di nuovo. Montò sul Maggiolino e andò dritto alla sede della *Nazione*.

«Vengo sempre a romperti le scatole, Enrico» disse il commissario, tirando fuori dalla cartella il disegno e il foglio.

«Lo faccio più che volentieri, lo sai... Bellissima ragazza.»

«Eh già...» disse il commissario. Mattei gli assicurò che dalla mattina seguente il disegno sarebbe uscito in prima pagina su tutte le edizioni, anche su quella del pomeriggio.

«Continuerò a pubblicarla fino a che non mi chiamerai per dirmi che non serve più» aggiunse.

«Non vedo l'ora che succeda...» Il commissario ringraziò il direttore e tornò subito in ufficio, sperando di ricevere presto una telefonata di Patrizia. Nell'attesa non riusciva a fare a meno di riflettere, pensare, immaginare... Una bellissima ragazza mezza nuda, truccata, probabilmente drogata... Faceva pensare a una festa andata storta, una festa di ricchi che si circondavano di belle ragazze, giovani prostitute che in quelle serate vivevano l'illusione di un riscatto sociale. Il Chianti era pieno di ville, di castelli, di immense tenute. Per ispezionarle tutte ci sarebbe voluto un sacco di tempo, troppo, senza contare che qualunque traccia era stata sicuramente già cancellata... E poi chi poteva sapere se quella ipotetica festa – se davvero si trattava di questo – fosse stata organizzata proprio nel Chianti o in un altro posto, magari in un'altra regione... Era un vero casino.

Le guardie incaricate di parlare con gli abitanti di Passo dei Pecorai erano tornate da poco. Non ci avevano messo molto a scambiare due parole con i pochi abitanti della minuscola frazione. Piras si era occupato di riassumere il risultato: un buco nell'acqua, come era prevedibile. I contadini la notte dormivano, e se anche qualcuno di loro nel dormiveglia aveva sentito passare una macchina nel cuore della notte, a cosa poteva servire?

Alle sette e mezzo Bordelli non riuscì più a frenare l'impazienza. Fece il numero di Medicina Legale, sperando che ci fossero già i primi risultati. Rispose Patrizia, che si aspettava quella chiamata.

« Le avrei telefonato io tra pochi minuti » disse.

« Vuole richiamarmi? »

« Non importa, volevo solo andare a prendermi un caffè, ma gli esami sono finiti... È pronto? »

« Tutto orecchi » disse Bordelli, afferrando una penna.

« Confermo che il decesso è avvenuto tra le venticinque e le trenta ore dal ritrovamento, con un margine di errore di due o tre ore. Tracce di sperma nella vagina, in bocca, e anche nel... nel *vaso indebito*, come lo chiamavano nei secoli passati. »

« Stuprata? »

« Dai rilievi direi di no, nessun segno di violenza sessuale. Ma i gruppi sanguigni rilevati dallo sperma sono due, A positivo e 0 positivo, i più comuni, dunque a 'usufruire' della ragazza potrebbero essere stati anche in dieci. »

« Ho capito. »

« A parte le abrasioni *post mortem*, di cui abbiamo già parlato, non ho rilevato nessun livido, nessuna ecchimosi, nessuna traccia di violenza fisica compatibile con percosse o simili. Leggeri segni di abrasione ai polsi e alle caviglie, compatibili con una corda di un centimetro di diametro, ma non con un disperato tentativo di liberarsi. Mi spiego meglio: se la ragazza si fosse divincolata con forza per cercare istintivamente di strappare la corda, i segni sulla pelle sarebbero stati assai più evidenti. »

« Cosa potrebbe significare? »

« O un gioco sessuale, o la ragazza era stordita e dunque incapace di opporre resistenza. »

« Tutto chiaro. »

« Passiamo al resto. Nello stomaco, a parte il filetto di manzo, aveva caviale e salmone affumicato, difficili da trovare e molto cari, e anche champagne. Nel sangue, abbondante tetraidrocannabinolo, o più semplicemente THC, il principio attivo della marijuana e dunque dell'hashish, oltre a notevoli tracce di cocaina e soprattutto di morfina. »

« Accidenti... »

« Ecco il finale: la causa della morte è appunto un'overdose di morfina, ma la quantità rilevata consente di ipotizzare che la ragazza poteva essere salvata. Se l'avessero tenuta in piedi costringendola a camminare, facendole bere molto caffè nero, probabilmente non sarebbe morta, anche se non potrei giurarlo. Invece non c'è traccia di caffè nel suo stomaco. A quanto sembra, quelli che erano con lei non hanno tentato di salvarla, forse per incompetenza, forse per mancanza di lucidità, o magari perché la credevano già morta ed erano impauriti. »

« Che tristezza... »

« Davvero una magnifica serata, per una ragazza di vent'anni » disse Patrizia, anche lei triste.

« Fa rabbia anche a me veder buttare via la vita in questo modo. »

« Bella e giovane com'era, forse poteva imboccare un'altra strada. »

« Chissà cosa voleva dalla vita, a lei non possiamo più chiederlo » disse il commissario.

Era piuttosto stanco, e ormai per quel giorno non si poteva fare più niente. Il telefono di Rosa continuava a squillare, ma lei non rispondeva. Peccato, sentiva proprio il bisogno di passare una serata tranquilla. Non voleva cercare Eleonora, non prima che fosse lei a dirgli che poteva farlo... Stava per mettere giù, rassegnato a passare la serata da solo, ma in quel momento sentì alzare il ricevitore.

« Sì? »

« Rosa, sono io... »

« Anche io sono io » disse lei, ridendo.

« Ti prendo in un momento sbagliato? Il telefono ha squillato tanto. »

« Se non squilla a casa di una squillo, dove vuoi che squilli? » E di nuovo si mise a ridere. Era allegra, proprio quello che ci voleva.

« Senti, che ne dici se andiamo a cena e poi a vedere un film? »

« Quando? »

« Be', adesso... »

« Di solito una signora perbene non accetta un invito così, da un momento all'altro. »

« Non puoi fare un'eccezione per me? »

« Vediamo un po'... Ma sì, va bene. A che ora passi? »

« Tra una mezz'ora? »

« Mi raccomando, non fare tardi » disse Rosa.

« No no. »

« Comunque sia, io ti farò aspettare. »

« Come vuoi... »

«Intanto prenoto il ristorante e scelgo il film.»

«Preferisco una trattoria alla buona» disse Bordelli.

«Il solito spilorcio.»

«Ma no, è che stasera ho voglia di un posto semplice.»

«Lascia fare a Rosina, ciccio.»

«Per il film, scegli almeno qualcosa che possa piacere anche a me.»

«Uffa, di sicuro non sarà uno di quei film dove si spara tutto il tempo.»

«Non mi piacciono mica solo quelli...»

«Scelgo io o me ne sto a casa.» Ecco la Rosa bambina che puntava i piedi. Era adorabile.

«Va bene, scegli tu... mi fido.»

«Ciao bestione» e riattaccò. Bordelli sorrise. Uscì dall'ufficio e andò a bussare alla porta del questore. Voleva metterlo al corrente dei risultati di Medicina Legale, e fargli anche vedere il disegno della ragazza che sarebbe stato pubblicato la mattina dopo sulla *Nazione*. Quando il questore era Inzipone, lui non andava mai di sua spontanea volontà a informarlo di persona, si limitava a fargli avere le relazioni e i rapporti ufficiali. Adesso invece era un piacere scambiare due parole con il suo capo.

Di Nunzio ascoltò con attenzione, guardò il disegno del volto della ragazza (anche lui mormorò... *bellissima*) e approvò l'iniziativa della pubblicazione sulla *Nazione*.

«La dinamica sembra abbastanza chiara» commentò.

«Eh già, sembra proprio un festino di gente altolocata andato a finire male» disse Bordelli.

«Wilma Montesi...» borbottò il questore.

«Sì, a prima vista sembrerebbe una faccenda simile. La dottoressa Della Torre dice che forse la ragazza poteva essere addirittura salvata. I reati sono diversi, alcuni molto gravi, ma se non salta fuori qualcosa di concreto non sarà facile trovare i responsabili.»

« Confidiamo in un po' di fortuna, come sempre... Quanto le manca alla pensione? »

« Una settimana, e spero davvero di farcela. Non sarei contento di lasciare questo caso a qualcun altro. »

« In bocca al lupo. »

« Viva il lupo » disse il commissario, e si salutarono con una bella stretta di mano. Bordelli fece un salto in ufficio a prendere il cappotto, scese in cortile e montò sul suo cavallo Volkswagen per andare a prendere Rosa. Anche il Maggiolino gli avrebbe ricordato il suo passato in questura, non poteva farci nulla.

Imboccò i viali, a quell'ora piuttosto trafficati. Passando accanto al cimitero protestante di piazzale Donatello, pensò a come doveva essere piacevole riposare su quella bella collinetta che se ne stava in mezzo alla confusione della città.

Oltrepassò piazza Beccaria e arrivò fino alla Torre della Zecca, rimasta in piedi dopo la distruzione delle mura. Nel Medioevo lì accanto si trovava il Prato della Giustizia, corredato di un simpatico patibolo per giustiziare i condannati, i quali venivano cortesemente prelevati dalle prigioni del Bargello o dal Carcere delle Stinche e portati, tra i vituperi e le randellate del gentile popolo, verso la forca, passando per la strada che poi venne chiamata via dei Malcontenti... Be', quella sera non poté fare a meno di lasciarsi andare all'immaginazione... Sarebbe stato assai contento di veder finire sul patibolo i gentiluomini che avevano gettato in un fosso il cadavere di una ragazza dopo averla usata per il proprio piacere, e avrebbe voluto essere in mezzo al popolo esultante che li accompagnava alla forca per non perdere lo spettacolo... Oddio doveva calmarsi, porca miseria... La Giustizia aveva fatto passi da gigante, lo Stato non puniva più i colpevoli con esecuzioni brutali, almeno non ufficialmente, e non certo come se fosse la cosa giusta da fare... Ci sarebbe stato un regolare processo e ovviamente una sacrosanta condanna. Ma prima bisognava trovarli, quei figli di puttana... Ecco, di nuovo si arrabbiava, ma non serviva a nulla. Era meglio non rovinarsi l'umore fino a quel punto... Adesso doveva davvero calmarsi, andare a prendere Rosa, e passare insieme a lei una piacevole serata...

Poco dopo parcheggiò in via dei Neri, suonò il campanello, spinse il portone e rimase nella penombra dell'andito. Un minuto, due minuti, tre minuti, cinque minuti... Il rumore di una porta che si apriva all'ultimo piano, un urlo da film dell'orrore nella tromba delle scale.

«Siìì! Sto arrivandooo!» Soltanto Rosa riusciva a gridare con la convinzione di aver sussurrato. Poi la porta si richiuse, e tornò il silenzio. Bordelli andò ad aspettare in macchina, e accese la radio. C'era una di quelle canzoni inglesi che piacevano tanto ai giovani, con le chitarre elettriche e la voce che sembrava un grido di accusa, e dovette ammettere che cominciavano a piacere anche a lui. Magari avrebbe comprato qualche disco, e da pensionato avrebbe dedicato un po' del suo tempo a esplorare quei nuovi orizzonti musicali...

A un tratto dal portone sbucò una reginetta sexy, vestita con varie sfumature di rosa, anche se le scarpine con il tacco a spillo erano di un rosso abbagliante. Bordelli scese di corsa, girò intorno al Maggiolino e le aprì la portiera.

«Non ti noterà nessuno» disse, con un sorriso che senza uno sforzo di volontà sarebbe diventato una gentile risata.

«So benissimo di sembrare una puttana, ma stasera mi piaceva così. A te non succede mai di aver voglia di colori?» disse Rosa, sedendosi.

«Certo, mi succede spesso... Qualche giorno fa sono andato in questura con i pantaloni gialli, la camicia viola e la giacca verde.»

«Smettila di fare il cretino... Muoviti!»

«*Jawohl mein General*» disse Bordelli facendo sbattere i tacchi, poi richiuse la portiera.

«Dai, andiamo!»

«Eccomi.» Salì in macchina e mise in moto.

« Uffa! Come al solito siamo in ritardo! »

« A me sembrava di essere arrivato presto... »

« Non si dice così a una donna, non sei cavaliere » disse Rosa, mentre con un gesto pudico cercava di coprirsi le gambe nude tirando giù una gonna che le arrivava all'inguine. Il commissario sorrise.

« Che bello smalto... »

« Mi guardi le gambe, altro che smalto! »

« Chi ha gli occhi, guarda... Dove vado? » disse lui, partendo.

« Ho prenotato in un bel posticino in piazza Santa Felicita. »

« Carino o caro? »

« Uffa... »

« Scherzavo. »

« Subito dopo la legge Merlin, prima di smettere del tutto con la professione, mi è capitato di andarci qualche volta con i clienti più esigenti. Non è troppo caro, non ti preoccupare. »

« Sei un tesoro. »

« E te sei un taccagno. »

« Parlando seriamente, Rosa... Guarda che anche se non ti vesti così sei attraente lo stesso. »

« Lo so benissimo, caro, ma mi diverto... Mi ricorda un po' i vecchi tempi. »

« Quali vecchi tempi, se fino a cinque anni fa giocavi con le bambole... »

« Sei un angelo, ma lo so di essere vecchia » disse Rosa, accarezzandogli una gamba.

« Non sai quello che dici. »

« Lascia stare, non ne voglio parlare... Ho scelto anche il film, stasera andiamo all'Eolo. »

« A vedere? »

« Un film con Tognazzi, che adoro. Un'amica mi ha detto che è molto divertente. »

«Come s'intitola?»

«*La bambolona...*»

«Non ci posso credere, ho letto il romanzo qualche mese fa, lo ha scritto una donna.»

«Allora sarà bello di sicuro, altro che i tuoi noiosi film di cowboy.»

«Dai, ogni tanto un bel western ci sta bene.»

«Se c'è il mio amico Clint posso anche fare uno sforzo» disse Rosa, storcendo la boccuccia.

«Ti pareva...» Erano sul lungarno, davanti a loro una 600 andava a passo d'uomo, e Rosa era impaziente.

«Eddai muoviti porcaccia troia!» diceva, come se il guidatore potesse davvero sentirla.

«Rosa, parli come un barrocciaio.»

«Ma perché va così piano!»

«Lascialo in pace, prima o poi arriviamo» disse Bordelli. Quella sera voleva imporsi la calma, per non farsi trascinare dal ritmo interiore che stantuffava a vuoto, mettendogli addosso una gran fretta... Una fretta non del tutto insensata, a dire il vero, visto che aveva solo una settimana per sciogliere i nodi dell'ultimo caso della sua carriera. Rosa sbuffava.

«Uffa! Uffa!»

«Dai, non ti agitare.»

«Uffa! Una lumaca con la diarrea andrebbe più veloce!» Rosa era imbufalita, allungò una mano per avventarsi sul clacson... Ma Bordelli riuscì a fermarla in tempo.

«Rosa, quando guido io non puoi suonare il MIO clacson.»

«Oddio, mi sembra di sentire quelle matte femministe che urlano in piazza... *La fica è mia e me la gestisco io.*»

«Dicono vagina. E comunque trovo che le femministe stiano combattendo una guerra giusta, anche se come tutte le guerre, a volte può essere un po' violenta.»

«Scommetti che alla fine le femminucce ci rimetteranno lo stesso? Sognano la libertà sessuale, ma quei farabutti dei maschi troveranno il modo di guadagnarci, te lo dice mamma Rosa, che di uomini se ne intende. »

« Rosa, sai che sei riuscita a dare voce a un pensiero che mi ronzava in mente da tempo? »

« Che c'è di strano? Ah già, te credi ancora che io sia una ex puttana svampita che non capisce nulla » disse Rosa, scompigliandogli i capelli.

Il loro ingresso nel ristorantino fu memorabile, e non certo per il cappotto scuro di Bordelli. Per qualche secondo tutti smisero di parlare, i camerieri si fermarono con i piatti in mano. Una donna sui cinquant'anni rimase con la forchetta sospesa sul piatto, e dopo qualche istante sulle sue labbra si allargò un sorriso estasiato. Bordelli si aspettava di vederla alzarsi per andare incontro a Rosa dicendo... *Cara, quanto tempo!* Invece sembrava pura ammirazione per Rosa e per il suo coraggioso abbigliamento. E Rosa fece qualcosa che nessuno si sarebbe mai aspettato: alzò la mano destra, e come una papessa benedì la folla adorante. Come poteva reagire la sala del ristorante, se non con un applauso? Rosa s'inchinò per ringraziare.

«Continuate pure a mangiare, cari, continuate pure» disse. Il proprietario venne a salutarla e li accompagnò a un tavolino d'angolo un po' appartato, in fondo alla sala. Era un ometto grassoccio con l'aria simpatica e le orecchie accartocciate.

«Dovrebbe venire più spesso, signora Stracuzzi» disse.

«Ci penserò... Le faccio presente che questo signore non è un mio cliente, anche perché non esercito più la professione da almeno dieci anni.»

«Non lo avevo pensato, non lo avevo pensato.»

«È un commissario di Pubblica Sicurezza, il migliore che sia mai esistito.»

«Rosa...» disse Bordelli, imbarazzato.

«Anche se a dire il vero è un po' taccagno» aggiunse Rosa,

guardandosi in giro per godersi le occhiate della gente. Il proprietario fece finta di non aver sentito.

« Vi mando subito il ragazzo per le ordinazioni » disse, e si dissolse. La signora che era rimasta estasiata da Rosa si alzò e venne al tavolo.

« Volevo ringraziarla » sussurrò. Rosa le fece un bel sorriso.

« Ah, grazie... Ma per cosa? »

« In questi tempi cupi, in cui le femmine hanno rinunciato a essere donne per fare la guerra agli uomini, con il suo abbigliamento lei afferma con polemica esagerazione la femminilità più sana, quella che non ha paura di niente perché sa di essere comunque vittoriosa... Una boccata di ossigeno! Grazie! » Volle anche darle un bacio sulla guancia.

« Oddio, sono onorata » disse Rosa, contenta.

« L'onore è mio... Grazie » mormorò ancora la donna, e tornò al tavolo, dove stava cenando con un uomo elegante che aveva certamente dieci anni più di lei.

« Hai fatto colpo » sussurrò Bordelli.

« Non ho capito bene quello che voleva dire, ma mi ha fatto piacere. Io mi sono vestita così solo per farmi notare. »

« Ci sei riuscita benissimo... Hai fame? »

« E me lo domandi? » disse Rosa, strappando il menu dalle mani del cameriere con un sorriso.

Cenarono con calma, facendo fuori una bottiglia di ottimo vino. Quando Bordelli guardò l'ora erano già le dieci passate, se volevano arrivare al cinema per l'ultimo spettacolo dovevano darsi una mossa. Al momento di pagare il conto, il proprietario alzò le mani.

« Stasera offro io » disse, sorridendo a Rosa.

« Se lo sapevo ordinavo champagne » disse lei, un po' brilla.

« Vi aspettiamo presto, signori. »

« Grazie mille » disse il commissario, rimettendo in tasca il portafogli. Sulla porta Rosa si voltò e fece un saluto alla sala, e molte mani si alzarono per ricambiare. La cena era stata un vero successo, e Rosa si era caricata di eccitazione. Prese Bordelli a braccetto e si avviarono sul marciapiedi verso il cinema Eolo. Ogni tanto le usciva un risolino, apparentemente senza motivo. Alla decima volta, il commissario cedette alla curiosità.

«Cosa ridacchi?»

«Nulla... È un po' di tempo che penso di andare in Comune per farmi cambiare il cognome.» E ridacchiava.

«Perché? Stracuzzi è un bellissimo cognome, originale e raro.»

«Non so...»

«E quale sarebbe il nuovo cognome?»

«Non so... che ne pensi di... Stracazzi?» disse lei, e dopo qualche secondo di silenzio scoppiò a ridere così forte che al primo piano di un palazzo si aprì una finestra... Si affacciò una vecchia, che li guardò con aria schifata.

«Fai piano, Rosa.»

«Perché? Ridere non ha mai fatto male a nessuno» disse Rosa, e per essere ancora più scandalosa si attaccò al collo di Bordelli e gli incollò le labbra alla bocca. La vecchia alla finestra ci mancò che sputasse.

«Poer'Italia!» disse forte, e richiuse la finestra con un tonfo. Bordelli sorrise... La quintessenza del fiorentinismo si era appena manifestata in tutta la sua malignità. Ripresero a camminare, affrettando il passo.

«Mi domando come fai a muoverti su quegli spilli senza cadere.»

«Oh figurati, ci ho anche ballato, è un po' come andare in bicicletta, una volta che impari...»

«Senti, al cinema riuscirai a stare zitta?»

«Ma se sto sempre zittissima.»

«Quando sei brilla fai una gran confusione, parli forte, ridi...»

«Oddio, ma che marito noioso saresti!»

« Rosa, se al cinema parli a voce alta o ti metti a ridere dai fastidio agli altri. »

« All'Universale non do noia a nessuno, fanno tutti un gran casino. »

« Ma che c'entra? Quello non è un cinema, è un po' come essere allo stadio. »

« E te non ci vai mai, vero? »

« Quando vado al cinema mi piace vedere il film, non sentire i commenti dei tifosi. »

« Uffa, sei un musone insopportabile! Non ti sai divertire! » disse Rosa, infilandogli un dito in un orecchio.

« Ho capito, stasera t'è venuta la bambinite. »

« Sì, m'è preso i' ruzzo, e allora? » e rideva.

« Senti, non ho voglia di fare brutte figure. Al cinema ci sediamo lontani. »

« Se ti azzardi mi metto a strillare. »

« Confido nella tua clemenza » sospirò Bordelli, rassegnato. Al cinema o a teatro stava sempre attento a non disturbare, e quando gli capitava di starnutire quasi arrossiva. L'unica cosa che invece adesso disturbava lui era il puzzo di sigarette. Per anni aveva respirato quell'aria malsana, e adesso che aveva smesso di fumare gli risultava davvero insopportabile.

Rosa al cinema si comportò meglio del previsto, ma alla fine del film, quando il galletto Tognazzi, sicuro di sé e della propria ricchezza, restava fregato, e la bella ragazza, finta ingenua e invece abilissima, ne usciva vittoriosa, non si trattenne e si alzò in piedi ad applaudire, facendo voltare tutti...

Quando uscirono dall'Eolo, la gente si girava ancora a guardare la mirabolante Rosa, che si gustava gli sguardi come una diva. Arrivarono al Maggiolino, strategicamente parcheggiato vicino a Santo Spirito, a metà strada tra il ristorante e il cinema. Mentre tornavano verso casa di Rosa lungo le strade buie, il commissario volle dire la sua sul film.

« Non era male, Tognazzi è magnifico come sempre... In confronto al libro, il film è un po' troppo... troppo divertente... È vero che alla fine... vedere quell'uomo, che per tutto il tempo è convinto di avere in pugno la situazione, rimanere come un allocco di fronte all'astuzia della ragazza, in effetti dà una certa soddisfazione... Ma a conti fatti nemmeno la ragazza ne esce bene, il finale è piuttosto amaro, e nel libro questa cosa è più evidente, diciamo che fa sorridere, sì, ma a denti stretti... Te che ne pensi? » Si voltò verso Rosa, che nel frattempo si era addormentata. Ecco perché era diventata così silenziosa. Sembrava davvero una bambina, nonostante fosse vestita in quel modo e avesse alle spalle una vita non proprio idilliaca e nemmeno da santa. Bordelli sorrideva. Se per salire a casa di Rosa non ci fossero state tutte quelle rampe di scale ripide, l'avrebbe presa in braccio, l'avrebbe spogliata e l'avrebbe messa a letto... Come faceva sua mamma con lui, quando era bambino. Appena parcheggiò in via dei Neri, lei si svegliò.

« Siamo già arrivati? » borbottò, stirandosi.

« Hai fatto una bella dormita. »

« Stamattina mi sono svegliata quasi all'alba, verso le nove e mezzo... Sali un minuto a salutare i gatti? »

« Solo un secondo, mi sento uno straccio. »

« Così mi spingi per le scale... Vedrai com'è cresciuta la Briciola. »

« L'ho vista pochi giorni fa. »

« Lo so, ma è cresciuta lo stesso, o forse è ingrassata. »

Imboccarono le scale con una certa fatica, lui dietro con una mano sulla schiena di Rosa, per alleggerirle il passo. Appena entrarono in casa, Rosa lanciò via le scarpe con un gemito di sollievo. Briciola corse miagolando verso di loro, con la codina dritta e vibrante. Rosa la raccolse e la mostrò a Bordelli.

« Guarda com'è grassa, sembra un maialino. »

« A casa tua chiunque diventerebbe grasso. »

« Che vorresti dire? »

« Ma ci vede bene? » chiese il commissario. Da quando la

gattina era cresciuta, il suo occhio malconcio si notava ancora di più, era più piccolo dell'altro e la pupilla sembrava viola.

«A quanto sembra ci vede benissimo, prende le mosche al volo» disse mamma Rosa.

«Che brava...» Bordelli passò un dito sul capo della Briciola, e lei agitò le zampine cercando di graffiarlo e di morderlo. Rosa scoppiò a ridere.

«Vuole solo giocare... Mettiti comodo, do qualcosa da mangiare a questo mostriciattolo poi ascoltiamo un disco... Se vuoi bere qualcosa sai dov'è la cambusa...»

«Solo una lacrima» disse Bordelli. Prese un bicchierino, si servì un minuscolo bicchiere di vin santo e si sdraiò sul divano. Gedeone dormiva su una poltrona, ma quando sentì Rosa che riempiva le ciotole saltò giù e corse in cucina.

«Eccomi qua... Stasera ti è andata bene, cena offerta dal ristorante e cinema di terza visione.»

«Non è vero che sono tirchio.»

«Non ho mica detto tirchio, ho detto spilorcio» disse Rosa ridendo, mettendosi a cavalcioni sulle sue ginocchia.

«Vedo che ti sei svegliata...»

«Me lo fai trotta trotta cavallino?»

«Tu uccidi un uomo morto.»

«Per così poco?»

Alle due meno un quarto era sull'Imprunetana di Pozzolatico, stanco ma contento. Era riuscito a non pensare a vuoto, si era divertito, e la sua mente si era riposata. Aveva la sensazione che ridere e scherzare facesse addirittura bene alla salute... Si ricordò di quando ai tempi del liceo Dante alcuni dei suoi compagni si erano divertiti a tradurre in una lingua classica pasticciata quella canzoncina popolare emiliana, *Con che cuore morettina tu mi lasci...* La cantavano marciando per la strada... *Cum cardia micro melania me relinque, cum cardia, cum cardia...* C'era anche un'altra versione... *Quo cum corde parva nigra me relinquis, quo cum corde, quo cum corde...* Riuscivano a ridere di quella stupidaggine ogni volta che la cantavano, e anche lui si divertiva, però non la cantava mai, e passava da musone.

A Mezzomonte si voltò a guardare la casa di Dante, e tirò dritto. Gli sarebbe piaciuto fermarsi e fare due chiacchiere con lui, ma quella sera proprio non ce la faceva. Non aveva più forze, sognava solo di mettersi a letto. La luna era enorme, quasi piena, e in quel momento gli sembrò di capire come mai i lupi ululavano.

Arrivò a Impruneta, attraversò la piazza deserta e proseguì verso il sonno. Più o meno era già sotto le coperte, al buio, con gli ultimi pensieri confusi che si muovevano senza senso nella sua mente. Scendendo giù per la strada sterrata che portava a casa, di lontano gli sembrò di vedere una macchia bianca nell'aia.

«Non dirmi che...» mormorò, con un brivido. Dopo altri cinquanta metri capì di non essersi sbagliato, era proprio una

500 bianca. Non poteva essere che lei. Spense il motore ancora prima di entrare nell'aia, per non fare troppo rumore... magari Eleonora stava dormendo. Parcheggiò il Maggiolino accanto alla 500 e s'infilò in casa silenzioso come un ladro. La luce in cucina era accesa, Blisk dormiva al suo posto. Salì le scale in punta di piedi e si affacciò in camera. La lampada sul comodino era accesa, e sul cuscino si vedevano solo delle grandi ciocche di capelli neri che spuntavano da sotto le coperte. Si avvicinò, si sdraiò piano piano sul letto...

« Dormi? » sussurrò.

« Mmmm... Che ore sono? » disse lei, sotto le lenzuola.

« Presto, sono solo le due. »

« Ah, credevo... fossero già le otto. » Sbadigliò e si voltò dall'altra parte.

« A che ora sei arrivata? »

« Non so... più o meno... alle undici... mi sono addormentata subito... » Aveva la voce piena di sonno, e non voleva fare nulla per svegliarsi.

« Se mi avvertivi tornavo a casa prima. »

« Hai lavorato fino a tardi? »

« Sono andato a cena con un'amica, e poi al cinema. »

« È bella? » chiese lei, senza muoversi.

« Molto bella. »

« E dopo... che avete fatto? »

« Abbiamo bevuto un bicchiere a casa sua. »

« Avete scopato? » Parlava sempre con la stessa voce insonnolita.

« Ovviamente sì, sennò che ci andavo a fare. »

« Scemo... Vieni a letto? »

« Il tempo di lavarmi i denti. »

« A proposito di denti... se arrivavi prima... ti facevo uno scherzo... » Tirò fuori una mano e gli fece vedere una dentiera di plastica da vampiri.

« E com'era lo scherzo? »

44

«Me ne stavo sotto i lenzuoli... e quando ti avvicinavi... saltavo su con... con la bocca aperta... i denti da vampira...»

«Allora sono contento di essere arrivato tardi» disse lui, sculacciandola dolcemente. Andò in bagno a lavarsi i denti, e quando tornò si accorse dal respiro che Eleonora si era addormentata di nuovo. Si mise a letto e spense la luce. Che bello stare insieme a una donna non avvelenata dal demone della gelosia, pensava, guardando il buio. Era bello anche stare con una donna che non seminava gelosia cercando di far innamorare ogni uomo che incontrava... Erano due bei presupposti per sperare in un lungo e piacevole legame.

Nella sua memoria, le ferite delle scene di gelosia non si rimarginavano mai, e alla fine facevano imputridire ogni cosa, anche il ricordo. Non era piacevole nemmeno ricordarsi la propria, di gelosia. Soprattutto quella provocata dalla vanità, cioè dalla debolezza, di donne che avevano un continuo bisogno di conferme, la necessità di piacere a chiunque e a qualunque costo, e cercavano di attirare l'attenzione facendo pensare a ogni uomo di essere già stata conquistata. Non immaginavano quanto fossero prede facili i maschi per una donna, e non volevano capire che quando sbavavano dietro alle femmine non era sempre per una raffinata ammirazione della loro bellezza. Ma che ci si poteva fare? Certe cose nascevano nelle profondità dell'animo umano, e ognuno era come era. L'unica cosa era andarsene, e sperare di trovare un'anima più adatta a combinarsi con la nostra... Be', questa volta gli sembrava proprio di averla trovata. Ma non voleva dirlo, non voleva nemmeno pensarci troppo, solo per scaramanzia...

Era bello anche addormentarsi accanto a una donna senza aver fatto l'amore. Gli dava una piacevole sensazione di intimità, o addirittura di famiglia. Con Eleonora era la prima volta che succedeva. Si vedevano poco, e in quelle occasioni andavano sempre fino in fondo. Provò a immaginarsi ancora più vecchio, sempre insieme a lei, e dopo pochi minuti si addormentò come un sasso.

Nel cuore della notte, quella «prima volta» che dormivano insieme senza fare l'amore dovette essere rimandata... Fu una cosa piuttosto veloce, ma bellissima, senza parole e senza che nessuno dei due uscisse del tutto dal sonno. Uno stupendo accoppiamento naturale, animale, istintivo... poi si riaddormentarono.

«Se al posto mio c'era un'altra te la saresti fatta lo stesso» gli sussurrò Eleonora la mattina dopo, appiccicata alla sua schiena.

«Certo...» mormorò lui, senza aprire gli occhi. Erano ancora a letto, e dalle stecche della persiana entrava la prima luce del giorno.

«Lo sapevi o no che ero io?»

«Non mi interessava troppo.»

«Brutto maiale...»

«Può darsi.»

«Be', io pensavo che fosse il mio primo fidanzatino» disse lei.

«Sono contento per te.»

«Che si fa? Ci alziamo?»

«Che ore sono?» chiese Bordelli. Lei si staccò dalla sua schiena, raccolse l'orologio dal comodino e lo guardò in controluce.

«Sette e ventidue.»

«Sentiti libera, io resto ancora un po' a letto.»

«Mi seduci e poi mi abbandoni, un autentico cavaliere.»

«È così che fa un vero uomo.»

«Bastardo...» mormorò Eleonora, ma la sua voce trasformava le offese in parole d'amore. Gli sfiorò l'orecchio con un bacio e scese dal letto. Lui aprì un occhio e la vide uscire nuda dalla stanza con i vestiti in mano, scossa dai brividi. Era bellissima, aveva le proporzioni che gli erano sempre piaciute, magra ma non troppo, il seno piccolo che non aveva bisogno del reggiseno... Ma tutte quelle cose non avrebbero avuto alcun valore se lei non fosse stata com'era, con il suo carattere, la sua ironia, la sua anima speciale. La sentiva muoversi in bagno, usare la doccia della vasca e canticchiare. Lui aveva ancora addosso il calore della notte, e si lasciava cullare dalla spossatezza. Gli uscì un sospiro di inquietudine. Aveva quasi paura di sentirsi contento, cercava di scacciare il brivido di piacere che gli serpeggiava nello stomaco...

Senza rendersene conto si riaddormentò, e quando aprì gli occhi capì che la casa era vuota. Guardò l'ora, le otto e dieci. Non si era nemmeno accorto che Eleonora era uscita per andare al lavoro. Chissà se era entrata in camera per salutarlo con un bacio, o se si era solo affacciata. Scese dal letto, e si sentì avvolgere da una strana malinconia... una piacevole malinconia, una specie di nostalgia del futuro, un futuro che sperava di vivere e di ricordare con nostalgia. Nonostante fosse un pensiero un po' contorto, era proprio quello che provava.

Si vestì e scese per fare il caffè. Blisk era già uscito. Chissà dove se ne andava, se aveva un'altra famiglia. La Moka era ancora tiepida. Era bello trovare le tracce della presenza di Eleonora. Magari vivere insieme a lei non sarebbe stato male. Ma forse era bello anche continuare ad avere due case, due tane separate, in modo che nessuno dei due provasse mai la sensazione di essere intrappolato, ma anzi fosse libero di andarsene in ogni momento. Quella libertà avrebbe dato più valore e più bellezza a tutti i momenti passati insieme. Del resto anche Blisk era libero di andare e venire, e sembrava molto contento.

Scendendo verso Firenze pensava che il giorno prima era cominciato davvero male, poi la serata gli aveva riservato momenti del tutto diversi, non solo divertenti, ma anche bellissimi. Prima con Rosa, poi con la sua fidan... con Eleonora. E quel giorno cosa sarebbe successo? La foto sulla *Nazione* avrebbe dato i suoi frutti? Si sarebbe fatto vivo qualcuno per dire che conosceva la ragazza di Passo dei Pecorai?

Avrebbe scoperto finalmente chi era e come si chiamava? Ci sperava davvero.

Quasi certamente non si trattava di un vero omicidio, ma era ugualmente una faccenda disgustosa. Quella ragazza, prostituta o drogata che fosse, meritava giustizia. Si fermò a comprare *La Nazione*, per vedere che effetto faceva in prima pagina il disegno della povera morta. L'avevano stampata molto grande. Chiunque la conoscesse, non poteva non riconoscerla. Se entro tre o quattro giorni non si fosse fatto vivo nessuno, avrebbe chiesto al Ministero di far trasmettere il disegno ai telegiornali... Anche se a dire il vero avrebbe preferito non sollevare troppa polvere. Sentiva puzza di grane, di ambienti ostili, di poteri forti, di depistaggi, come per la vicenda di Wilma Montesi. Comunque, per quanto lo riguardava, non si sarebbe fermato davanti a nulla.

Quando arrivò in questura cercò subito Piras. Voleva tornare con lui nella zona tra Ferrone e Greve, e magari salire anche sulle colline là intorno per far vedere il disegno della ragazza nei bar, nelle Case del Popolo, nei circoli parrocchiali.

Montarono su una Pantera, per essere sempre reperibili con la radio, nel caso avesse chiamato qualcuno. Passarono la mattina con *La Nazione* in mano, facendo vedere la ragazza a destra e a manca... Ferrone, Mercatale, Le Quattro Strade, Montefiridolfi, Valigondoli, Badia a Passignano, Panzano, Greve, Greti, Passo dei Pecorai, Gabbiano, Giobbole, Chiocchio, Cintoia, Strada in Chianti... e già che c'erano si fermarono anche a Impruneta. Molti borbottavano qualcosa che voleva dire sempre la stessa cosa... *bellissima*. Altri si limitavano a sgranare gli occhi, altri ancora dicevano di aver già comprato il giornale. Ma nessuno l'aveva mai vista. Un altro enorme buco nell'acqua, ma almeno era servito a non stare in questura ad aspettare una telefonata che non arrivava.

Mentre tornavano verso Firenze, il sardo e Bordelli si concessero un po' di congetture. Inutili o no, avevano bisogno di far girare le rotelle.

« Se non telefona nessuno potrebbe non essere toscana, o magari era una straniera arrivata da poco » cominciò il commissario.

« Forse lavorava in un bordello clandestino » continuò Piras.

« Una prostituta che nessuno vuol confessare di conoscere, per non rischiare di farlo sapere alla propria famiglia. »

« Di certo non si è buttata da sola in quel burrone, visto che le escoriazioni se le è fatte quando era già morta. »

« E a chiamare la questura non sarà certo chi ce l'ha buttata. »

« Hanno anche fatto sparire la borsetta. »

« Un gioco sessuale, la droga, l'overdose... e la soluzione? Buttarla in un fosso. Dei veri gentiluomini. » Ormai sulla ragazza morta sapevano tutto quello che era possibile sapere, e se non saltava fuori il suo nome, o altri elementi importanti...

« Li troviamo, dottore. »

« Sei sempre ottimista, Piras. »

« Non mi sono mai sbagliato » mormorò il sardo.

« È vero... ma questa volta... »

« Li troviamo » ripeté il sardo, rimuginando. Ogni volta sembrava che Piras si stesse occupando di una faccenda personale, e in questo era un po' come Bordelli.

Quando arrivarono in questura, avevano sullo stomaco molte domande senza risposta.

« Vado a mangiare un boccone, Piras. » Passando davanti alla guardiola salutò Mugnai con un cenno, e si avviò senza fretta verso la cucina di Totò. Aveva bisogno di consolarsi con un bel piatto di pasta. Si sentiva scoraggiato, ma non era soltanto per quella mattinata inutile... Che stava succedendo? Prima quattro imbecilli che avevano ucciso un vecchio omosessuale solo per disprezzo, adesso una ragazzina morta di overdose e scaraventata in un burrone... Era nauseato. Senza contare la strage di Piazza Fontana, a dicembre... e quella melma dove continuavano a germinare dei confusi tentativi di colpo di stato che puzzavano di repubblichini, di CIA, di massoneria... Forse era davvero il momento giusto per andare in pensione, cominciava a sentirsi troppo vecchio e stanco per quelle cose... Era questa la modernità? Il risultato del benessere? A pochi anni dalla fine di una guerra atroce che aveva fatto milioni di morti, costellata di crudeltà inimmaginabili, di crimini di guerra che avevano calpestato il valore della vita, sembrava proprio che questa nuova epoca di pace e di libertà, spacciata per luminosa, fosse invece ammorbata dalla mediocrità, dalla corruzione, dalla vigliaccheria, dall'ingiustizia... Nei sotterranei dell'Italia del benessere e della democrazia sentiva brulicare un disgustoso formicaio di malaffare, di volgarità, di smania di potere... enormi bugie, sudiciume, denaro sporco di sangue... omuncoli senza scrupoli, politica squallida, anime marcite... Sì, forse era meglio ritirarsi in campagna e mettersi a fare il contadino, viaggiare fino ai quattro angoli del mondo, imparare a cucinare come aveva fatto il colonnello Arcieri, e magari provare davvero a buttare giù le sue memorie, per raccontare a chi non l'aveva vissuta quanto fosse ripugnante la guerra e le dittature che l'avevano provocata.

Alle nove di sera era ancora seduto in ufficio, a guardare l'antico affresco dell'Annunciazione che aveva sempre davanti agli occhi. Nonostante i momenti di sconforto, non voleva arrendersi. Per la ragazza morta non aveva telefonato nessuno. O meglio, avevano telefonato quattro persone, ma erano segnalazioni ridicole... *Mi sembra di averla vista in televisione, ma non qui, in America... Due anni fa sulla spiaggia di Forte dei Marmi c'era una bambina che le somigliava... È uguale a una che lavora in banca, però è bionda, ha i capelli corti e ha quarant'anni... Sono sicura di averla vista sul tranvai, tre anni fa...* Aveva fatto fatica a non arrabbiarsi, anzi aveva ringraziato gentilmente e si era tenuto le imprecazioni tra i denti.

Uscendo lasciò detto dove potevano provare a cercarlo, nel caso che...

«Fino alle undici mi trovate alla trattoria *Da Cesare*, poi vado a casa.» A cena si consolò con un piatto di pasta, un secondo, un contorno e due o tre bicchieri di vino. Riuscì a non pensare troppo a quella giornata inutile, che aveva passato senza compicciare nulla. Aveva ascoltato con grande interesse le storie di sangue di Totò... Ma quanti delitti accadevano dalle sue parti? E non sempre la Giustizia riusciva a trionfare, anzi quasi mai. Sembrava che quel sangue facesse parte delle tradizioni del luogo, come l'olio e i salumi.

Prima di uscire dette un colpo di telefono in questura. Nulla di nulla. Provò a chiamare anche casa sua, non fosse mai che Eleonora... Ma non rispose nessuno.

Poco dopo mezzanotte, tornando verso casa, pensò che poteva essere la serata giusta per fare due chiacchiere con

Dante, e si fermò a Mezzomonte. Spinse la porta, che veniva lasciata sempre aperta, fece qualche passo nella penombra e scese la scala che portava nell'enorme sala sotterranea, creata abbattendo tutte le pareti delle cantine. Dante era laggiù in fondo, dalla parte opposta del laboratorio, con il solito camice bianco e il sigaro spento in bocca. Se ne stava seduto in poltrona a occhi chiusi, ad ascoltare un pianoforte che suonava una bellissima musica, una sorta di commovente costruzione geometrica. Di lontano, alla luce delle candele, la sua voluminosa criniera di capelli bianchi spiccava come una sorta di laica aureola. Bordelli si avviò verso di lui, pensando come sempre che in quel sotterraneo si sentiva a casa. Gli era successo fin dalla prima volta, sette anni prima, quando si erano conosciuti. Gli era ormai familiare il grande bancone da lavoro ingombro di alambicchi da alchimista, di meccanismi incomprensibili, di ingranaggi, provette, bottiglie, libri, taccuini, oggetti indecifrabili, attrezzi di ogni tipo...

«Salve commissario» disse Dante, senza aprire gli occhi.

«Buonasera» disse Bordelli.

«Si accomodi, torno subito.» A quanto pareva doveva tornare da un viaggio immaginario, perché non si era mosso.

«Faccia con calma.» Il commissario si lasciò cadere nella poltrona di fronte, che ormai poteva considerare sua, come lo sgabello nella cucina di Totò. Chiuse anche lui gli occhi, e si mise ad ascoltare il suono del pianoforte che continuava a vagare per il laboratorio cambiando umore e colore... A momenti correva lungo le pareti come se volesse fuggire, in altri momenti accarezzava il soffitto, oppure si spandeva sui pavimenti come fumo spinto dal vento... Quasi certamente era Bach, ma non ricordava di preciso quale opera fosse. Dopo un certo tempo, difficile da misurare in minuti e in secondi, le dita sul pianoforte rallentarono, e senza nessuna enfasi svanirono nel silenzio.

«Sublime» mormorò Dante, aprendo gli occhi come se riemergesse da un sonno profondo.

« Sono d'accordo » approvò Bordelli, tornando anche lui sulla Terra.

« Ogni tanto sento il bisogno di ascoltare questa meraviglia. »

« Bach? »

« Le *Variazioni Goldberg*, raccontate da Glenn Gould. »

« Andrò a cercare il disco » disse Bordelli, affascinato. Amava la musica, ma preso com'era dal suo lavoro e dalla stanchezza, troppo spesso se ne dimenticava. Doveva rimediare. Tra l'altro gli piaceva molto immergersi in un romanzo con un leggero sottofondo di musica, ma era tanto che non lo faceva.

Rimasero qualche minuto senza parlare, questa volta a occhi aperti, scambiandosi ogni tanto un'occhiata, e nel silenzio sembrava che il suono del pianoforte continuasse a rotolare in ogni direzione. A un certo punto Dante accese il sigaro, e si divertì come sempre a creare una nube densa intorno al suo capo.

« Come fa una musica a farmi piangere, se non ho già dentro quel pianto? » disse.

« Giusto... »

« Come fa una poesia a illuminare la mia mente, se non ho già dentro quella luce, magari spenta da sempre? »

« Platone? »

« Più o meno... Come va lo sportello magnetico? » chiese Dante, saltando mille frasche più lontano.

« Blisk è molto contento. Ha imparato subito, lo sento uscire anche di notte. »

« In questi giorni sto appunto perfezionando la progettazione di quel marchingegno » continuò Dante.

« C'è qualcosa da migliorare? »

« Piccole cose. La velocità di reazione, la dimensione dei componenti, l'aspetto estetico. Quello che ho portato a lei è un prototipo, e il suo vitello bianco sta fungendo da collaudatore. »

« Per ora è un vero successo. »

« Molto bene. Spero di poterle portare presto la nuova versione... Una grappa? »

« Volentieri » disse Bordelli. Amava l'alcol clandestino che da anni beveva in quel sotterraneo, e il fuorilegge che lo produceva avrebbe meritato una medaglia, invece della galera. Dante andò al bancone, scovò la bottiglia giusta in mezzo a liquidi velenosi. Riempì due piccoli bicchieri, li appoggiò sul tavolino e si sedette di nuovo di fronte al suo ospite.

« Non l'ho più vista fumare dall'anno scorso, è una cosa seria » disse Dante.

« Non ho fatto una gran fatica. »

« Non era un vero fumatore, dunque. »

« Non avere più in bocca quel saporaccio stantio è un sollievo. »

« Non lo metto in dubbio. »

« Non rinuncerà mai al suo Toscano? »

« Non credo... » disse Dante. Come era successo in altre occasioni, senza volerlo e senza annunciarlo si erano infilati in un gioco stupido: quella sera era la volta del NON.

« Non ha mai fumato altro? » continuò il commissario.

« Non so se ce la farei, sinceramente. »

« Non so darle torto, è molto meglio delle sigarette. »

« Non c'è paragone... »

« Non ho mai provato il Toscano, ma ormai l'odore lo conosco bene. »

« Non si preoccupi, può chiamarlo puzzo. »

« Non mi permetterei mai. »

« Non mi offendo, e non si offenderà nemmeno il Toscano » disse Dante, ridendo.

« Non mi dà nessun fastidio, comunque. »

« Non vogliamo provare a spostarci su argomenti più interessanti? »

« Non sarò io a impedirglielo » disse il commissario. Dante si alzò, andò a mettere un disco, e dopo un lungo fruscio iniziale, nell'aria si diffuse il suono di un violino, note semplici ma bellissime, poi entrava un altro violino... Dante era già tornato a sedere... Tra i due violini si insinuò un violoncello, e subito dopo una viola...

«Non mi aveva detto, ormai più di un anno fa, di non sapere che cosa sia in musica... la Fuga?»

«Non si sbaglia, in effetti.»

«Non crede dunque che sia la sera giusta per colmare questa lacuna del suo sapere?»

«Non chiedo di meglio.»

«Non posso non cominciare con una premessa: tutto ciò che dirò non è altro che una mia personalissima interpretazione, e la mia competenza si avvale soltanto di due semplici diplomi, uno in pianoforte e l'altro in composizione, conseguiti fra il '36 e il '37 al Real Conservatorio di Musica Luigi Cherubini, quando era direttore Vito Frazzi.»

«Non è poco» disse Bordelli.

«Non sono mai stato un bravo pianista, ma studiare composizione mi ha aperto le porte della matematica. E non c'è da meravigliarsi, visto che nella formazione scolastica bassomedievale, propedeutica agli studi universitari, la sezione delle arti liberali del Quadrivium comprendeva le quattro discipline attribuite alla sfera matematica: l'aritmetica, la geometria, l'astronomia e appunto la musica.»

«Non credevo di aver dimenticato ogni cosa, Dio mio...»

«Non possiamo ignorare che sia una classificazione concettualmente mutuata dall'antichità greca e romana, e che nel primo millennio dopo Cristo abbia rappresentato la base della cultura per poter accedere alla libera professione, nonché l'impalcatura di una solida istruzione per gli intellettuali e per i funzionari, prima che appunto nascessero le università, e bla bla bla... Ma non voglio dilungarmi.»

«Non sarò io a interromperla, ma un'altra grappa non ci starebbe male, così poi capisco meglio.»

«Non le verrà negata» disse Dante, e imitando gesti solenni riempì di nuovo i bicchierini.

«Non dirò più nulla fino alla fine.»

«Non chiedo di meglio che essere interrotto, se sente la necessità di un chiarimento.»

«Non ce ne sarà bisogno.»

«Non si sa mai, può sempre succedere» disse Dante.

«Non penso, non ho mai avuto un maestro migliore di lei.»

«Non ci credo, ovviamente, ma mi beo del suo elogio, come una vecchia zitella che sorride compiaciuta ai falsi complimenti sulla sua inesistente avvenenza.»

«Non mi capacito di come lei sia stato capace di trovare una simile similitudine.» Eh sì, la grappa era molto buona, e aveva quasi cinquanta gradi.

«Non è altro che un esercizio di retorica, la quale faceva parte del Trivium, una delle tre discipline che... No no, sto scherzando, non farò più nessuna digressione. Adesso veniamo finalmente alla Fuga, e qui devo fare una nuova premessa... Ma non disperi, arriverò presto alla spiegazione vera e propria. Dunque... Si può dire che la Fuga, e più in generale la musica, sia per certi versi poesia matematica, e dunque matematica poetica. Adesso però... So che non c'entra con quello che vorrei dirle sulla Fuga, ma la mente umana, soprattutto la mia, procede spesso a balzi, per associazioni e concatenazioni... Ma poi forse, ora che ci penso, c'entra anche con la Fuga, è solo una premessa della quale potremo ritrovare il senso più avanti...»

«Non mi spaventa, proceda come più le piace.»

«Non sarà una premessa troppo lunga... Volevo dire semplicemente, e lei ne converrà, che la musica scavalca la ragione, un po' come fanno gli odori, e va a colpire direttamente l'anima, o lo spirito, insomma gli anfratti più intimi e immateriali dell'essere umano. Ma se una musica riesce a commuovermi, se un dipinto mi spinge le lacrime negli occhi, se una poesia mi alza i peli sulle braccia, può succedere solo se quel che arriva *da fuori*, attraverso i sensi, va a svegliare, e dunque a scuotere, qualcosa che già è *dentro di me*, altrimenti quell'effetto profondo non sarebbe possibile... Lo dicevamo poco fa, giusto? »

« Non l'ho certo dimenticato. »

« Non crede che sia un po' come quando si colpisce un diapason e il diapason accanto si mette a vibrare? Se non ci fosse corrispondenza, se quel metallo non vibrasse sulla stessa frequenza, il fenomeno della risonanza – per simpatia appunto – non potrebbe verificarsi. La musica, che si manifesta attraverso la forma del suono, che cioè adopera il suono come mezzo sensibile, è una sorta di connessione tra due anime, è il ponte che consente di mettere in collegamento quel *qualcosa* di universale e misterioso che l'artista è riuscito a scovare dentro di sé... per l'appunto cercando il modo di tirarlo fuori dall'oscurità, sentendo che deve farlo, che non può fare a meno di farlo, senza nemmeno che sia necessario conoscerne il motivo... Dicevo: la musica è una sorta di connessione, un ponte che mette in collegamento il mistero che si nasconde nell'anima dell'artista con l'anima di chi si ciba dell'opera d'arte... E mi lasci usare questo verbo... *cibarsi*... perché è proprio questo che accade. Mi segue? »

« Non ho perso una parola. »

« Non si preoccupi, sto arrivando al dunque. La Fuga, almeno per quanto mi riguarda, è una delle espressioni musicali più sorprendenti, capace di fondere insieme, in un'unica essenza, la libertà e la regola, il molteplice e l'essenziale, la leggerezza e la solidità, la velocità e la lentezza, la complessità e la semplicità, la follia e il rigore, e se volessi spingermi a usare un'immagine azzardata, direi... le farfalle e le pietre angolari. Del resto ogni forma d'arte, generandosi, percorre sentieri assai misteriosi, lungo i quali si compenetrano in un unico amalgama l'intelletto e l'emozione, il progetto e la scoperta, la realtà e l'invenzione, e cercare di scomporre quella materia finale, quel risultato, negli elementi di cui si compone è impossibile... E anche se ci si potesse riuscire, così come scomponiamo l'acqua in ossigeno e idrogeno, otterremmo elementi che non conservano nessuna delle caratteristiche della sostanza originaria, così come l'ossigeno e l'idrogeno, quando sono separati, non sono acqua e non si comportano come l'acqua, che però contribuiscono a formare... Ma deve scusarmi, Dio mio... Sto ancora divagando e blaterando, avrebbe tutto il diritto di protestare.»

«Non immagina quanto mi stia divertendo» disse il commissario, affascinato dalla loquela di quel meraviglioso matto di Dante.

«Non farò più nessuna digressione, proseguirò dritto alla meta, lo giuro solennemente. Dunque veniamo al dunque, cioè alla Fuga: per farla semplice potrei dire che è una forma musicale polifonica, composta da molte voci che 'fuggono', legate tra loro dall'elaborazione contrappuntistica di un'idea tematica che viene esposta e più volte riaffermata nelle differenti voci... e potrei continuare dicendo che l'idea polifonica della musica è in fondo l'idea polifonica della realtà, una sorta d'immagine della complessità della vita. Ma queste parole non mi bastano, e so che nemmeno lei sarebbe soddisfatto. Allora mi segua, ci siamo, le presento la Fuga: immagini una famiglia con quattro bambini piccoli, una famigliola che vive in campagna, circondata di olivi e vigneti, di alberi da frutto di ogni genere, di piante, di cespugli e di arbusti... I quattro bambini, in estate, vivono dalla mattina alla sera quello spazio aperto come una Fuga musicale: a volte stanno fermi sotto un albero, a sgranocchiare ciliegie o albicocche, poi a un tratto si mettono a correre all'impazzata dietro a un cagnolino, ed ecco che rallentano con il respiro grosso, poi giocano ad acchiapparsi e cominciano di nuovo a correre in tutte le direzioni, scartando di lato e saltando per non farsi prendere... capita che si scontrino, che inciampino, che si mettano a litigare, poi però fanno pace, riprendono a giocare... due di loro riescono a nascondersi dietro un cespuglio e a fermarsi per riprendere fiato, ma quando stanno per essere scoperti ricominciano a correre... poi la mamma li chiama per la merenda e tutti insieme si precipitano verso di lei... Ecco, quei bambini che sgambettano, scansano, schivano, si avvicinano, si allontanano, tornano, vanno, si sottraggono, saltano, si rincorrono... quei bambini differenti l'uno dall'altro, di età diversa, con una voce diversa, eppure piuttosto simili e con timbri vocali che si somigliano, visto che sono nati dalla stessa mamma, sono le diverse voci della Fuga musicale... In altre parole, la Fuga è un intreccio di temi musicali che continuamente si aggiustano e si adattano tra di loro, correndo e rincorrendosi, ma al tempo stesso è formata anche da una regolare successione di archi, di colonne, di pilastri che si sviluppano lungo una stessa linea ideale. Infatti le regole che governano la Fuga, all'apparenza così discontinua e libera, sono assai rigorose, e hanno lo scopo di generare una composizione basata su un unico tema che sappia trasmettere all'ascoltatore, nonostante la complessità della sua articolazione, una sensazione di unità. Per concludere, la Fuga ha molto spesso un solo soggetto, anche se in alcuni casi si possono trovare Fughe complesse, a più soggetti, come ad esempio in quel capolavoro inarrivabile che è *L'Arte della Fuga* del sublime Johann Sebastian Bach, che appunto stiamo ascoltando nella versione per quartetto d'archi... Ecco qua, credo di aver finito la mia pappardella » disse Dante riaccendendo il sigaro, che si era spento da un pezzo. Bordelli allargò le braccia.

« Non sarò mai capace di ripetere a qualcun altro la sua incantevole spiegazione, ma finalmente ho capito cosa diavolo è la Fuga » disse.

« Non trova che sia meraviglioso? »

« Non immaginavo quanto... »

La mattina dopo, alle otto e venti, salendo le scale della questura si stupiva di non avere nemmeno un po' di mal di capo e di sentirsi riposato. Eppure la sera prima, con Dante, aveva bevuto quattro o cinque grappe, aveva ascoltato quella bellissima definizione della Fuga, era andato a letto alle tre e si era svegliato alle sette e un quarto... anche se in effetti aveva dormito bene. Forse era la vecchiaia, pensò sorridendo. Appena arrivò al secondo piano, nel corridoio incrociò il questore, che si fermò di fronte a lui.

«Ha notizie sulla ragazza morta, Bordelli?»

«No no, sorridevo per una stupidaggine.»

«Dunque ancora nulla...»

«Purtroppo no, capo.»

«Non ha altri tentativi da fare?» Non era una domanda inquisitoria.

«Per adesso incrocio le dita, capo. Se oggi non telefona nessuno proviamo con i telegiornali, anche se preferivo evitarlo.»

«Bene, mi tenga informato.»

«Certo.»

«Beato lei, che è un uomo d'azione. Adesso mi tocca andare a un noiosissimo pranzo con il prefetto, tre generali dei carabinieri e un paio di alti prelati della curia.»

«Non la invidio, in effetti.»

«Preferivo una bella partita a bocce... Speriamo che almeno si mangi bene.»

«Be', se ci sono gli alti prelati si mangia bene di sicuro.»

«È vero, non ci avevo pensato... Buona giornata, Bordelli.»

«A lei, capo.» Una bella stretta di mano e ognuno verso il proprio ufficio.

Bordelli andò a sedersi dietro la scrivania, poi si alzò, si affacciò a una finestra, poi all'altra, aprì i vetri, li richiuse... Si avvicinò all'Annunciazione e la osservò a lungo, in realtà senza vederla. Tornò a sedersi, sollevò il telefono per chiamare Rosa e fare due chiacchiere, poi guardò l'ora e lo rimise giù, lo riprese in mano per chiamare Diotivede, ma si ricordò che era in viaggio e tornava sabato... Magari poteva chiamare a casa di Rodrigo e scherzare un po' con sua moglie Maya, ma a dire il vero non era dell'umore giusto. Alla fine rimise giù il telefono. Era in ufficio solo da pochi minuti, ma cominciava già a smaniare sulla sedia. Non poteva fare due passi in centro, anche se ne aveva una gran voglia. Era meglio rimanere in questura, nel caso arrivasse la telefonata di qualcuno che conosceva la ragazza. Ma non riusciva nemmeno a stare in ufficio a far niente. Era la situazione che odiava di più... l'immobilità, l'attesa, il nulla.

Si mise a girellare per gli uffici, con la scusa di cominciare a salutare i colleghi in vista dell'imminente pensione. Scambiavano due parole, parlavano di qualche vecchio omicidio, si raccontavano piccole faccende personali, a volte ci scappava pure una barzelletta... *La sai quella dei due carabinieri che vanno al cinema?* Passò anche un po' di tempo nella guardiola di Mugnai, a fare le parole crociate insieme a lui... *I segreti che si scoprono: Altarini... Scambi di pettegolezzi: Ciarlate... Fu presa il 14 luglio: Bastiglia...*

Poco prima di mezzogiorno salutò Mugnai e tornò in ufficio. Gli sarebbe davvero mancato il suo lavoro. Fingeva di non saperlo, invece lo sapeva benissimo. Ma che ci poteva fare? Anche la morte era inevitabile, era solo questione di tempo. Prima o poi sarebbe giunto il momento, e anche a centoventi anni sarebbe arrivato troppo presto... Ma era meglio affrontare una cosa per volta, per adesso doveva meditare sulla pensione. Cercò di fare una lista delle prime cose che avrebbe fatto a partire dal tre di aprile... Qualche bel pranzo da Ricca' a Marina di Massa, di sicuro una volta con Rosa e un'altra con Eleonora... Poi avrebbe chiesto a Tonio di insegnargli a potare gli olivi... Si sarebbe occupato personalmente dell'orto... Avrebbe imparato le ricette del colonnello Arcieri, del Botta e di Totò... Nel bosco avrebbe affrontato sentieri nuovi e avventurosi... Sarebbe andato a visitare città e paesi italiani che non aveva mai visto... Matera... Palermo... Alba... Mantova... Trieste... Grado... Gorizia... Ischia... Capri... Ferrara... Urbino... L'Aquila... La Verna... Chieti... Tropea... Agrigento... Alghero... Carloforte... e chissà quanti altri bellissimi luoghi che non aveva mai sentito nemmeno nominare. Aveva viaggiato davvero poco, non aveva visto quasi nulla dell'Italia, sempre occupato com'era con assassini e omicidi. Il viaggio più lungo lo aveva fatto dal dicembre del '43 all'aprile del '45, da Brindisi a Colle Isarco, un doloroso tragitto disseminato di morte e di sangue. Magari dopo la pensione poteva ripercorrere quel cammino, a piedi come allora, al fianco dei suoi compagni di guerra che non erano tornati a casa, e rivedere ogni luogo, rievocare ogni momento, con il cuore piccolo come una noce...

All'una e mezzo uscì a piedi per andare a pranzo, lasciando detto che se lo cercava qualcuno dovevano chiamarlo alla trattoria *Da Cesare*. Rimase nella cucina di Totò quasi fino alle quattro. Quando se ne andò, invece di fare la bella camminata di cui sentiva il bisogno, tornò subito in ufficio, per paura che proprio durante la sua assenza chiamasse qualcuno.

Non c'era nulla da fare, in ufficio si sentiva un animale in gabbia. Per far passare il tempo si mise a rovistare nei cassetti della scrivania. Poteva cominciare a buttare via le cose inutili. Riempì il cestino di fogliacci e fogliolini, di vecchi documenti, penne rotte, ritagli di giornale, altre cose che non servivano più... una vecchia radiolina che non si poteva riparare, un paio di occhiali non suoi con una lente rotta, aspirine scadute, un paio di cioccolatini del '15-'18, qualche turacciolo, bigliettini, numeri di telefono, vecchie agendine poco usate, oggetti di cui non ricordava il significato, addirittura una molletta per i panni e uno spazzolino da denti. Le cose che invece avrebbe conservato le lasciò nei cassetti senza nemmeno guardarle troppo bene, in attesa di portarsele via dentro una scatola di cartone... Piccoli ricordi con un grande valore affettivo, qualche fotografia della guerra, altre di ex fidanzate che non ricordava di aver messo in quei cassetti... Quando arrivò in fondo a questa operazione erano già le sei e mezzo. Il sole stava tramontando, ma il cielo era ancora chiaro. Non ne poteva più... Come mai non telefonava nessuno? A parte quelli che non volevano far sapere di conoscere quella povera ragazza, era mai possibile che nessun altro l'avesse mai vista?

Alzò il telefono e chiamò Rosa. Dopo un po' di chiacchiere le chiese il numero della sua amica Amalia, o Amelia, insomma la fattucchiera.

« Si chiama Amalia... » disse lei.

« Io mi sbaglio sempre. »

« Perché ti serve il numero di Amelia? »

« Anche tu, adesso... » Rosa aveva detto Amelia, ne era sicuro.

« Io cosa? »

« Nulla, nulla... »

« Insomma, perché ti serve il suo numero? Vuoi invitarla a cena? »

« No, voglio chiederle di sposarmi. »

« Dai, dimmi perché vuoi chiamarla. »

« Devo togliermi una curiosità, ma te lo dirò dopo aver parlato con lei. »

« Giura. »

« Giuro... »

« Tanto se non me lo dici te me lo faccio dire da lei... ah ah... »

«Le fattucchiere non hanno l'obbligo del segreto professionale? »

«Non è una fattucchiera, è una strega» disse Rosa, ridendo. Gli dettò il numero, poi cacciò un urletto, doveva scappare, disse che aveva un impegno urgente con il parrucchiere e mise giù.

Fuori era già buio. Bordelli si rigirava in mano il foglietto con il numero di Amelia... o Amalia. Non voleva chiederle della ragazza morta, non ne aveva il coraggio. Temeva che i tarocchi dicessero che i responsabili non sarebbero mai stati trovati... Anche se non credeva a quelle cose, magari ci avrebbe creduto lo stesso, e il suo umore si sarebbe tinto di un nero ancora più nero... No no, voleva soltanto sapere se un giorno o l'altro poteva andare a trovarla, per chiederle un'altra cosa... Cioè di fargli di nuovo i tarocchi sulla famosa faccenda della straniera divorziata con due figli, per vedere se Eleonora aveva ragione... Fermo restando che lui – se lo ripeteva di continuo – non credeva minimamente a quelle cose, e questo doveva essere ben chiaro. Mise il numero di Amelia-Amalia sotto il portapenne. Per chiamarla doveva aspettare il momento giusto...

Intrecciò le mani dietro la nuca e chiuse gli occhi. Avrebbe aspettato ancora mezz'ora, poi sarebbe andato dritto a casa lasciando detto che potevano chiamarlo a qualunque ora. Si addormentò quasi, anche se continuava a sentire le macchine che scivolavano nella strada. Passavano i minuti, ma lui ormai era riuscito a sganciarsi dallo scorrere del tempo. Non voleva più aspettare... Era già in macchina sulla via di casa... Una bella zuppa per Blisk, un piatto di pasta, un bicchiere di vino, e dopo cena avrebbe guardato qualcosa alla televisione... magari *Rischiatutto*. E il giorno dopo si sarebbe dato da fare per chiedere di trasmettere l'immagine della ragazza ai telegiornali di tutti e due i canali... Però adesso basta, doveva andarsene. Uscì dall'ufficio, scese le scale senza fretta, sbucò nel cortile e con un sospiro deluso salì in macchina.

Passando davanti alla guardiola di Mugnai fece un colpo di clacson per salutarlo, e quando vide la guardia andargli incontro con una mano alzata, sperò che fosse per dirgli che... Sì, era per quello... Lo stavano cercando dal centralino, c'era una telefonata per lui, qualcuno che bisbigliava e non voleva dire il proprio nome.

« Fatti passare qui la chiamata » disse Bordelli, con un brivido sulle guance. Fece retromarcia, lasciò la macchina dove capitava, si tuffò nella guardiola e prese il ricevitore.

« Sì, pronto?... Come?... Chi è?... Può parlare un po' più forte? » Di certo stava chiamando dal telefono pubblico di un bar. Si sentivano delle voci, rumori di bicchieri, e sullo sfondo il rumore delle macchine che passavano nella strada.

« Adesso mi sente? » Era poco più di un sussurro tremolante, ma doveva essere una ragazza piuttosto giovane.

« Un po' meglio, mi dica. »

« Lei è il commissario Bordelli? »

« Sì, chi parla? » chiese il commissario.

« Non importa... »

« Mi dica. »

« Ieri ho visto il disegno di quella ragazza sul giornale... »

« La conosceva? »

« Si chiama Carmela, ma si fa chiamare Mélodie... » disse, parlando della morta al presente.

« E il cognome? »

« Non me lo ricordo, l'ho sentito una volta sola... Mi sembra che cominci con la T... Tatanni, Taranni... Lavora come modella, è di Bologna, ma i suoi genitori sono del Sud... Non so dirle altro... »

« Abitava con i genitori? »

« No, da due anni vive da sola... sempre a Bologna... In vic... (*passò un camion e coprì il sussurro*)... Non so altro... »

« Aspetti, non ho capito... »

« Non so altro. »

« Lei come si chiama? »

66

«No, no...»

«Quando Carmela è morta eravate insieme?»

«No, non sapevo nemmeno che fosse morta... Giuro, non lo sapevo...»

«Quand'è l'ultima volta che l'ha vista?»

«Mi scusi, non so altro» disse ancora la ragazza.

«Non riattacchi, la prego... Solo un momento...» Ma subito dopo si sentì un clic. La ragazza aveva riagganciato.

«Cazzo» disse Bordelli, sbattendo giù il telefono.

«Così lo rompe» disse Mugnai.

«Scusa... Torno in ufficio, per favore cercami Piras e digli di venire subito da me.»

«Sì, dottore» disse la guardia, con il telefono già in mano. Bordelli si era svegliato. Rientrò nell'edificio e salì le scale in fretta... Perché diavolo non avevano inventato un modo per rintracciare i numeri che avevano appena chiamato? Ma no, in quel caso non sarebbe servito a nulla, era un telefono pubblico... Perché la ragazza aveva riattaccato? Aveva paura di qualcuno? Era vero che non sapeva nulla della morte di Carmela? Porca miseria, intanto bisognava guardare il lato positivo... Almeno adesso la sconosciuta aveva un nome... Carmela Tar... forse Taranni? Nata a Bologna... Faceva la modella... Soprannome Mélodie... Peccato che il nome della strada fosse stato coperto dal rumore di un camion...

Andò a bussare alla porta del questore, ma il suo assistente disse che il dottor Di Nunzio era uscito a metà pomeriggio e non era rientrato. Il commissario raggiunse il proprio ufficio per aspettare Piras, restando in piedi e lasciando la porta aperta. Ogni tanto sbirciava l'Annunciazione, e gli tornavano in mente i Quattro dell'Ave Maria. Chissà se quegli assassini avevano cominciato a riflettere sul loro delitto. Be', avevano tutta la vita per pensarci, guardando il cielo attraverso le inferriate del carcere... Sentì dei passi nel corridoio, e appena il sardo entrò in ufficio gli disse di chiudere la porta.

«Piras, ha telefonato una ragazza... La morta era di Bologna, si chiamava Carmela, ma si faceva chiamare Mélodie, era una modella, il suo cognome dovrebbe essere simile a Taranni...»

«Perfetto, non ci vorrà molto a identificarla» disse Piras, con un lampo nello sguardo.

«Facciamo così, domattina presto Rinaldi e Tapinassi andranno alla questura di Bologna con il disegno della ragazza e delle richieste precise. Prima di tutto massima urgenza. L'indagine è nostra, loro devono soltanto identificare la ragazza, trovare i genitori, informarli della disgrazia e avvertirli che la salma non potranno averla prima di un certo tempo, nessuno può sapere quanto. La ragazza al telefono ha detto che Carmela viveva da sola, dunque dovrebbero trovare anche l'indirizzo. Però nessuna perquisizione. Dopo aver fatto cambiare la serratura devono mettere i sigilli e lasciare le chiavi in questura, poi passerò a prenderle. Voglio essere io a entrare per primo in quella casa. Devono cercare anche la sua macchina, se ne aveva una, e portarla in questura, ma anche in questo caso chiedi di non ispezionarla, ci penserò io. Ovviamente, via via che hanno informazioni sarebbe bene che mi telefonassero. Appena avrò il numero dei genitori di Carmela li chiamerò e fisserò un appuntamento, voglio andare a parlarci di persona. Poi controllerò l'appartamento e la macchina, sperando di trovare qualcosa che ci aiuti a individuare chi l'ha buttata in quel burrone... Cosa ne pensi?»

«Benissimo, ma se è d'accordo a Bologna ci vado io.»

«Come vuoi, forse è anche meglio, con il tuo grado ti daranno più retta.»

«Non è detto, ma può darsi... Dipende da chi trovo.»

«Comunque va bene, vai te e torna il prima possibile. A chi si occuperà della faccenda devi dare il mio nome e il numero di telefono diretto. Mi raccomando, fagli capire che è veramente urgente. Tra sei giorni è il due aprile, compio sessant'anni, dunque andrò in pensione, e non ho nessuna intenzione di lasciare questo caso in sospeso.»

«Farò il possibile, dottore» disse il sardo.

«Appena torni, vieni a cercarmi.»

«Parto domattina alle sette, e se tutto va bene alle otto e mezzo sarò alla questura di Bologna. Se non mi fanno perdere tempo, dovrei essere di ritorno per le undici e mezzo o al massimo a mezzogiorno.»

«Grazie Pietrino» disse Bordelli, che in certe occasioni gli scappava di chiamarlo per nome.

«Cosa fa per Pasqua, dottore?»

«Non ci ho ancora pensato. Forse la mattina andrò a farmi una camminata alla Panca con Blisk.»

«E per cena?»

«Non mi dispiacerebbe vedere la mia... ragazza» disse Bordelli, un po' impacciato. Non era abituato a parlare di Eleonora, e poi Piras non sapeva ancora che lei fosse così giovane.

«Se volete venire a cena da noi, siete i benvenuti» disse il sardo, senza battere ciglio.

«Grazie, a me farebbe molto piacere. Cerco di capire cosa vuole fare Eleonora.»

«È la prima volta che la sento nominare» disse Piras, con un vago sorriso.

«Sai com'è, noi vecchi siamo un po' riservati.»

«Comunque, anche se è da solo... Be', può venire ugualmente da noi.»

«Ti ringrazio, considerami invitato. E se viene anche Eleonora ti avvertirò per tempo.»

«Vado» disse Piras, alzandosi.

«Vado anch'io» disse il commissario. Scesero insieme in cortile, ognuno montò sul proprio cavallo e se ne andarono galoppando.

Bordelli si sentiva un po' sollevato, ma l'agitazione interiore aveva solo cambiato aspetto: fino a mezz'ora prima era ansioso per una telefonata che non sapeva se sarebbe arrivata, adesso era ansioso per le notizie che sperava sarebbero arrivate presto. Non aveva pace, soprattutto perché il due aprile era dietro l'angolo.

Appena arrivò a casa preparò la zuppa per Blisk, che la divorò in un minuto. Telefonò anche alla *Nazione*, per dire a Mattei che poteva smettere di pubblicare il disegno della ragazza, e lo ringraziò della collaborazione. Il direttore era curioso.

« Avete scoperto chi è? » chiese.

« Non ancora, ma abbiamo degli elementi per arrivarci. »

« Se ti serve qualcosa sono qua. »

« Molto gentile... »

Dopo aver mangiato una frittata con le patate guardò davvero *Rischiatutto*, e addirittura si divertì. Quello svago gli fece bene, e spegnendo il televisore sentì il bisogno di manifestare a Mike Bongiorno la propria riconoscenza.

« Grazie Mike... » disse a voce alta. Si ficcò a letto e cominciò a leggere un breve romanzo di Fenoglio, uscito postumo pochi mesi prima, *La paga del sabato*... Che inizio incredibile, che grande scrittore... Anche quel libro gli era stato suggerito da Franco, il giovane commesso della Seeber, che una volta gli disse... *Senza i romanzi, senza l'arte, che povera cosa sarebbe la vita...* Non solo aveva ragione, ma per i suoi consigli di lettura si meritava un monumento.

Andò avanti a leggere fino a che il libro non gli cadde sul petto. Spense la luce, e dopo aver ripetuto mentalmente qualche verso di sua mamma si addormentò abbracciato alla proteiforme Eleonora, che quella notte era un cuscino.

La mattina dopo Bordelli passò dal questore per avvertirlo della importante novità, e Di Nunzio, contento, disse che non bisognava mai disperare.

«Stasera parto con mia sorella per Lanciano, andiamo a passare la Pasqua con la famiglia, siamo una tribù di settanta persone. Rientro la notte di Pasquetta, se ci sono altre novità le tenga in caldo, ci vediamo martedì.»

«Va bene, capo.»

«Buona Pasqua, Bordelli.»

«Buona Pasqua a lei e famiglia» disse il commissario. Invece di andare in ufficio uscì per fare due passi in centro, tanto Piras non sarebbe stato di ritorno prima delle undici e mezzo, a essere ottimisti. Era una bella giornata tiepida, e le donne avevano già cominciato a vestirsi più leggere. Guardando quelle che più gli piacevano, cominciò a riflettere sull'attrazione che gli suscitavano le donne... Si rese conto per la prima volta che innanzitutto ammirava la bellezza femminile per la pura gioia degli occhi, e dunque dello spirito, o come lo si volesse chiamare. Si trattava di contemplazione: il piacere di vedere un bel viso, degli occhi belli e intelligenti, lo sguardo gentile di una donna capace di amare, ma anche una camminata elegante, un movimento, un gesto naturale... insomma ogni minimo particolare che rivelasse anche la bellezza dell'anima. Il fascino non aveva nulla di sfrontato, era la quintessenza della delicatezza, e soprattutto non si poteva creare con gli artifici, o c'era o non c'era. Gli tornava alla mente la breve e divertente dissertazione del suo amico Dante sulla bellezza. Infatti, quelle che gli piacevano erano spesso donne che guardava solo lui, donne che non sapevano di essere belle, donne non appariscenti, di una bellezza raffinata ma non sofisticata, non esuberante, anzi aggraziata, un po' nascosta, donne che nessun meccanico avrebbe appeso nella propria officina, nemmeno nude... Dietro a questo ragionamento emergeva il suo amore e anche il suo desiderio per Eleonora, che gli regalavano la pace. Chi lo avesse visto in quel momento avrebbe colto sulle sue labbra un sorriso appena accennato, o forse no... Era un sorriso solo interiore, di cui era geloso.

Fece un lungo giro in centro, passando dai vicoli quasi deserti, leggendo le lapidi antiche, alcune veramente buffe...

...che vicino a 300 braccia a qvesta chiesa dogni Santi non habitino donne di malavita con pena a chi non obbedisce dessere svbito cacciato e bvttategli le robe nella strada...

Li Sig Otto di Guardia e balia della città proibiscono qualsiasi persona il giocare a palla pallottole et ogni altro strepitoso vicino alla badia a braccia venti sotto pene rigorose

I ss 8 ano preibito no si pisci ne' faci alcuna sorte di sporcite per quao tengono le facie de la chiesa...

Tornò in questura verso le undici. Per far passare il tempo si mise a camminare su e giù nel suo ufficio, e ogni tanto ripeteva a voce alta le battute più famose di quel genio di Antonio De Curtis, sorridendo da solo.

« *Signori si nasce ed io, modestamente, lo nacqui...* » E alzava l'indice al cielo.

« *Ogni limite ha una pazienza...* »

« *Parli come badi, parli come badi!* »

« *Era un uomo così antipatico che dopo la sua morte i parenti chiesero il bis.* » Ma dove andava a pescarle?

«*Sono un uomo di mondo: ho fatto tre anni di militare a Cuneo.*»

«*La vedova è la moglie di un cadavere...*»

«*E io pago! E io paaago!*» Chissà quante volte ogni giorno veniva ripetuta questa battuta, in tutta Italia...

Poco prima di mezzogiorno sentì bussare, e la porta si aprì. Finalmente era Piras, appena tornato da Bologna. Aveva parlato a lungo con un certo commissario De Luca, un funzionario di grande esperienza entrato in servizio da giovanissimo, durante il fascismo. Il sardo lo aveva trovato molto collaborativo, e non era certo una cosa scontata. De Luca aveva subito messo in moto la ricerca, sguinzagliando i suoi uomini per trovare le generalità della ragazza e rintracciare i genitori.

«Gli ho lasciato il suo numero diretto, mi ha assicurato che la chiamerà presto.»

«Ottimo lavoro, Piras. Non resta che aspettare.»

«Bene, dottore. Mi faccia sapere, ci tengo.»

«Certo, e stasera se vuoi esci prima. Ti sarai svegliato presto.»

«Alle sei, ma non sono stanco.»

«Beato te» disse Bordelli.

«Nemmeno lei a venticinque anni si sarebbe sentito stanco.»

«Eh già, cerco di non pensarci.»

«Ma un caffè lo prendo» disse il sardo, avviandosi alla porta.

«Ciao, Pietrino...» Bordelli non stava nella pelle. Cercava di calcolare quanto tempo ci avrebbe messo questo De Luca a... Piras doveva essere uscito dalla questura di Bologna verso le dieci. Forse sarebbe bastata qualche ora, ma era difficile che le prime informazioni arrivassero entro la mattina. Uscì a fare un'altra lunga camminata nelle vie del centro, e dopo un passaggio in questura andò dritto a pranzo. Si sentiva un po' più tranquillo del giorno precedente, anche se non riusciva a liberarsi del tutto dell'impazienza. Parlando con Totò si distrasse quanto bastava per godersi le cose buone che il cuoco gli metteva nel piatto.

«Commissario, va tutto bene? Sembra che siete nelle nuvole...»

Alle cinque, quando si era appena infilato il cappotto per andare a fare un'altra camminata, squillò il telefono.

« Sì? »

« Bordelli, sei tu? »

« Sì, chi parla? »

« Ciao, sono De Luca dalla questura di Bologna. »

« Ah, non dirmi che... »

« Siamo stati fortunati, non ti sto a raccontare... » De Luca disse che avevano già trovato il nome della ragazza e l'indirizzo dei suoi genitori. Carmela Tataranni, nata a Bologna il 18 luglio 1949. I genitori erano arrivati nell'immediato dopoguerra da Montescaglioso, un piccolo paese in provincia di Matera. Lavoravano tutti e due a Borgo Panigale, alla fabbrica della Ducati, e vivevano in quella zona, in via Marco Emilio Lepido.

« Sono già stati informati » disse De Luca.

« Ti ringrazio. Sono vecchio e certe cose cominciano a pesarmi. »

« Ti capisco... »

« L'anno scorso ho dovuto farlo, per una ragazza violentata e uccisa. L'angoscia dei genitori mi è rimasta appiccicata addosso per parecchio tempo. »

« Succede anche a me. Questa volta a cercarli alla Ducati ho mandato uno dei miei, che in queste faccende ci sa fare. »

« Ti ha detto come hanno reagito? » chiese Bordelli.

« Sì, mi ha raccontato tutto. Ovviamente sono straziati, ma per fortuna hanno altre due figlie, una più grande di Carmela e una più piccola. Pare che quasi si aspettassero una disgrazia del genere. Vedevano poco Carmela, e ogni volta litigavano. Sua mamma ha detto che si vestiva come una prostituta, e aveva la sensazione che si drogasse.»

«Aveva ragione» commentò il commissario.

«I giovani sono convinti che la loro libertà passi anche dalla droga.»

«Eh già... Li avete avvertiti che la salma...?»

«Sì, certo.»

«E l'appartamento? L'avete trovato?»

«Tre stanze in affitto in vicolo Ranocchi, a cinquecento metri dalla questura. Dobbiamo ancora cambiare la serratura e mettere i sigilli.»

«Aveva anche una macchina?»

«Sì, una 500 rossa. La stiamo cercando, appena la troviamo la portiamo qua... Non preoccuparti, non tocchiamo nulla, l'indagine è vostra.»

«Ti ringrazio. Non posso dire a buon rendere perché tra qualche giorno vado in pensione.»

«Tra un po' toccherà anche a me» disse De Luca.

«Ma non è che ci siamo incrociati da qualche parte?» chiese il commissario.

«Non credo, il tuo cognome me lo ricorderei bene. Ma se fosse come dici, sarebbe certamente prima del '52, perché da quell'anno fino a pochi mesi fa ho percorso altri corridoi, e non mi è nemmeno piaciuto troppo.»

«Forse ho capito...»

«Lasciamo perdere... Quand'è che vieni a Bologna per parlare con i genitori della ragazza?»

«Il prima possibile.»

«Se vuoi fare un viaggio solo, per l'appartamento e la macchina ho bisogno di un po' di tempo, c'è di mezzo anche la Pasqua.»

«Nessun problema, casomai vengo due volte. Ma vorrei parlare presto con i genitori, appena riattacchiamo provo a chiamarli.»

«Adesso dovresti trovarli a casa» disse De Luca.

«Facciamo così, provo subito e ti richiamo. Mi lasci un diretto?»

«Certo, hai da scrivere?»

«Dimmi...» Bordelli si segnò il numero e riattaccò. Aspettò un minuto, poi alzò di nuovo il telefono e chiamò Bologna. Rispose una ragazza, con la voce rotta.

«Mi passi tuo padre, per favore?»

«Sì... Sì...»

«Grazie...» Qualche secondo di confuso silenzio.

«Pronto?»

«Buongiorno, sono il commissario Bordelli da Firenze...»

«È già venuta una guardia, mi ha detto poco e nulla.» Il padre di Carmela Tataranni aveva una voce da morto che cammina.

«Lo so, l'indagine dipende da Firenze... Non voglio disturbarla adesso, mi dica lei quando posso venire a trovarvi.»

«Carmela è stata ammazzata o è morta di droga?»

«È ancora tutto da capire, anche per questo volevo parlare con voi... Potrebbe andare bene domani?»

«Domani non siamo qua. Partiamo stasera per passare la Pasqua al paese, non ce la sentiamo di restare a casa a pensare a Carmela... Ho saputo che per il momento non ce la ridanno e il funerale non lo possiamo fare.»

«Abbia pazienza, ci vorrà ancora qualche giorno... Posso chiederle quando tornate?»

«Se Dio non decide differente, lunedì sera siamo rientrati.»

«Sarebbe troppo disturbo se venissi da voi martedì mattina presto?»

«No, va bene... Martedì mattina va bene.»

«Mi dispiace per quello che è successo, mi creda.»

«Ce lo aspettavamo, purtroppo» disse il padre della ragazza.

« Coraggio... Ci vediamo martedì. La sera di lunedì la richiamo, se non è un disturbo. »

« Chiami pure, sì. »

« Grazie... »

« Arrivederci, arrivederci » e riattaccò. Il commissario riprese fiato. Immaginava il cadavere di Carmela mentre veniva buttato in quel fossato, immaginava il peso che i genitori si sarebbero portati dietro per tutta la vita, e giurò che avrebbe trovato i responsabili. Un altro bel respiro e richiamò De Luca.

« Pronto? »

« Sì, sono Bordelli... »

« Sei riuscito a parlarci? »

« Sì, per Pasqua vanno lo stesso giù al paese, e fanno bene. Andrò a trovarli martedì mattina. »

« Ah peccato, da lunedì per una settimana sarò fuori città, sennò ti invitavo a pranzo in una buona trattoria. »

« Intanto posso andarci da solo » disse Bordelli.

« Giusto... Prenoto io e gli dico di trattarti bene. »

« Grazie. »

« Hai da scrivere? »

« Dimmi... »

« *Trattoria Valerio*, via Avesella 10. »

« Bene. »

« La trovi facile. Uscendo dalla questura vai a sinistra, sempre dritto per meno di un chilometro, poi magari chiedi, la conoscono tutti. Parla con Renato, digli che ti mando io. »

« Adesso posso dire... a buon rendere. »

« Per martedì spero di farti trovare in questura la 500 e le chiavi dell'appartamento. »

« Sarebbe bello... »

« Ce la metto tutta » disse De Luca.

« Ci spero, ma casomai ritorno. »

« Quando arrivi in questura chiedi di Rospone, è un soprannome ma lui non si offende. »

«Benissimo.»

«In bocca al lupo per il tuo caso» disse De Luca.

«Viva il lupo.»

«Poi se ti va fammi sapere com'è andata.»

«Certo, a presto.»

«Ciao...»

«Ciao...» Bordelli mise giù, pensando che per fare un altro passo avanti doveva di nuovo aspettare, ancora aspettare, quattro lunghi giorni... E dopo altri due, la sua carriera in Pubblica Sicurezza sarebbe finita.

Il sabato Bordelli non andò in ufficio, aveva bisogno di starsene un po' in solitudine. Sperava solo che entro il due di aprile non ammazzassero ancora qualcuno.

La mattina presto uscì con Blisk per andare a fare due passi nel bosco dietro casa, e nel suo campetto trovò Tonio su una scala, che stava potando gli olivi. Rimase un po' a guardare come lavorava e a chiacchierare con lui, mentre Blisk scorrazzava là intorno. Per l'appunto si sentiva di continuo il verso di un uccello che a Bordelli era ormai familiare, anche se non aveva mai capito quale uccello cantasse in quel modo... *Uuh huuuuu... Uuh huuuuu... Uuh huuuuu...*

« Chi è che fa questo verso? » chiese.

« L'è la tortora » disse Tonio, senza smettere di potare. Quel vecchio contadino sembrava burbero, ma era solo il cipiglio difensivo che avevano da quelle parti.

« Secondo lei posso imparare a potare gli olivi? » continuò Bordelli.

« Avogliatté, unn'è miha difficile. Non guardi questi qua che son stati rifatti da poco e c'è molto cespuglio. Ma quando saranno a modo come gli altri che vede in giro, sarà più facile. Prima di tutto si devono levare i talli e i succhioni, che stanno su i' tronco, lungo i rami grossi e alla base della ceppa. »

« Bene. »

« Poi si taglia tutto quello che va all'indentro e troppo in alto, però si deve lasciare un tiraggio per ogni ramo grosso... anche un vilucchio, ma ci vòle. Poi se c'è, si leva i' secco. »

« Capito. »

« Di solito va fatto tra la fine di febbraio e i' dieci di aprile a i' massimo, ma bisogna guardare la stagione. A volte la mignola la c'è già alla fine di marzo, e allora i rami più carichi l'è meglio lasciarli in pace, anche se sarebbono da tagliare. »

« Magari il prossimo anno ci provo insieme a lei » disse il commissario, e ci mancò poco che dicesse anche a Tonio della pensione.

« Qui me ne mancano una ventina, stamattina finisco » disse Tonio, dando una sguardata agli olivi ancora da fare.

« Mi sembra che stiano ricrescendo bene. »

« Un c'è male, le piante le son belle, per anni son state curate parecchio bene, se n'occupava i' Bricca, poi l'è morto. »

« Grazie della lezione, la lascio lavorare in pace. »

« Che va a caccia d'asparagi? »

« Non ci pensavo, ma perché no... Dove li trovo? »

« Dappertutto qua intorno, anche lì sotto a quell'olivo, la vede quella pianta quasi compagna a i' finocchio sarvatico? »

« Quale? » Bordelli non sapeva com'era fatto un finocchio selvatico.

« Guardi i' mi' dito... Dritto di là, a' piedi di quell'olivo, quella matassa verde che pare laniccio sprimacciato... Intorno ci dovrebbono essere degli asparagi, o magari uno solo... Che l'ha mai visti lei, gli asparagi? »

« Sì, ma non nei campi. »

« Quelli comprati son grossi, questi son piccoli ma son di molto più boni » disse il contadino. Bordelli si avvicinò alla pianta, e vide un piccolo asparago... Anzi due... Tre...

« Come si colgono? »

« Li prenda dalla base, tiri su stringendo un po' le dita, e quando si spezza, quello che le resta in mano è bono da mangiare. » Tonio rimase a guardare se il suo allievo avesse capito la lezione. Bordelli seguì le istruzioni e gli asparagi si spezzarono più o meno a metà.

« Così va bene? »

« Ha bell'e 'mparato. »

« Li trovo anche nel bosco? »

« Li trova, li trova. »

« Mille grazie, allora vado a caccia. »

« Arriedéllo » disse Tonio, e riprese a potare. Il commissario si allontanò chiamando Blisk. Arrivò in fondo all'oliveto, saltò il ruscello e s'infilò nel bosco. In pochi minuti aveva capito, almeno in teoria, come si potava un olivo, aveva imparato a cercare gli asparagi selvatici, aveva scoperto che in campagna si trovava il finocchio selvatico, e che a fare il verso *uuh huuuuu* era la tortora. Chissà quante altre cose avrebbe imparato, dal due di aprile in poi. In campagna c'erano un sacco di cose nuove da scoprire, doveva approfittarne. In quel momento riguardo alla pensione era nella fase positiva, quella del « finalmente », ma non durò molto. Da orso com'era, sperava di non isolarsi, di non incupirsi. I momenti di solitudine gli erano sempre piaciuti, anzi ne aveva bisogno. Ma se non ci fosse stata Eleonora a tenerlo in contatto con gli umani, magari rischiava di diventare un vecchio solitario che accumulava la spazzatura in cucina, che passava le giornate in mezzo ai boschi a borbottare da solo, e sparava dalla finestra con la doppietta a chi si avvicinava alla sua spelonca... Sorrise... Si era divertito a immaginare se stesso in quel modo un po' per gioco, ma anche per esorcizzare la paura che quell'abbrutimento si potesse avverare... Stava esagerando, lo sapeva. Ma nella vita l'immaginazione aveva il suo ruolo.

Ormai era deciso: avrebbe passato la mattina a cercare asparagi, anche perché ne trovava parecchi. Era la prima volta, ma con il passare del tempo si sentiva sempre più esperto. Soprattutto si divertiva, si distraeva. La ricerca era di per sé sempre appassionante, e ogni volta che ne trovava uno provava una grande soddisfazione, forse un po' spropositata.

Tornò a casa all'una carico di asparagi, che teneva stretti in mano come un mazzo di fiori. Si mise subito a cucinare. Penne con olio e asparagi, frittata di asparagi con le uova del contadino... Era davvero bello mangiare quello che si era appena raccolto, come le verdure dell'orto. In città non sarebbe stato possibile. Si sentiva contento. Era riuscito anche a non pensare troppo a Carmela Tataranni e al fossato lungo la Greve dov'era stata gettata, che distava appena quattro o cinque chilometri in linea d'aria da casa sua. Poveri genitori, partiti dal Sud per lasciarsi alle spalle la povertà, strappando via le radici, affrontando mille sacrifici, sperando di dare ai figli una vita meno difficile.

Dopo pranzo accese un bel fuoco e si mise a leggere in poltrona. Un'abitudine che ormai gli era entrata nel sangue, come le camminate nei boschi. Quando finì il breve romanzo di Fenoglio lo chiuse e ci appoggiò una mano sopra, come faceva sempre con i libri che gli erano piaciuti molto.

« Bravo Beppe » disse a voce alta. Dopo qualche minuto di silenzio, per « digerire » il libro, andò a prenderne un altro. Ancora non era arrivato il momento di affrontare *Dalla parte di lei*, della sua amica Alba. Scelse un altro libro, sempre suggerito dal commesso della Seeber. Era un romanzo molto breve, di Natalia Ginzburg, con un titolo secco: *È stato così*. Preferiva lasciarsi il massimo della sorpresa, e come sempre non lesse il retro della copertina. Aprì il libro senza immaginare minimamente cosa lo aspettava, e lesse:

Gli ho detto: – Dimmi la verità – e ha detto: – Quale verità – e disegnava in fretta qualcosa sul suo taccuino e m'ha mostrato cos'era, era un treno lungo lungo con una grossa nuvola di fumo nero e lui che si sporgeva dal finestrino e salutava col fazzoletto. Gli ho sparato negli occhi.

Magnifico... era già dentro la storia... lo aspettava un viaggio nella mente e nei sentimenti di una donna che soffriva.

La mattina di Pasqua c'era un bel sole, come aveva sperato. Alle otto partì da casa con Blisk e se ne andò alla Panca. Sicuramente non avrebbe incontrato nessuno, il bosco era tutto suo. Del resto, soltanto raramente aveva incrociato un cacciatore o un cercatore di funghi.

Passando sotto i rami della quercia dalle cento braccia intravide di lontano l'antica abbazia di Monte Scalari. Da quando, per gentile concessione di Lucrezia, la giovane e bella proprietaria, era riuscito a visitare l'abbazia, ogni volta che ci passava davanti rivedeva nella mente le decine di stanze mezze diroccate, saliva e scendeva scale, attraversava chiostri e giardinetti, visitava cantine e stalle, si affacciava dentro alla grande chiesa...

La macchina di Lucrezia non c'era. Anche lei doveva essere da qualche parte a festeggiare la Pasqua con la sua famiglia. Prima o poi gli sarebbe piaciuto rivederla, scambiare con lei qualche parola. Dopo il due di aprile sarebbe venuto più spesso a camminare su quelle colline, e le probabilità di incontrarla sarebbero aumentate... Ecco, stava facendo progressi, cominciava a coltivare anche i lati buoni della pensione, invece di elencare solo gli svantaggi.

Rimase un po' a osservare la lunga facciata di pietra dell'abbazia, poi se la lasciò alle spalle. Per cambiare, decise di fare l'anello al contrario. Dopo il tabernacolo voltò a destra e imboccò il lungo sentiero che scendeva fino al ruscello. Sarebbe passato da Celle, avrebbe proseguito fino al piccolo cimitero di Ponte agli Stolli e avrebbe affrontato la salita per arrivare a Pian d'Albero.

«Blisk, non cacciarti nei guai...» Camminare gli piaceva, ma quel giorno aveva un motivo in più per fare movimento. Quella sera lo aspettava una cena da Sonia e Pietrino, e la scarpinata serviva anche a farlo sentire meno in colpa per tutto quel che avrebbe mangiato. Sarebbe andato da solo, purtroppo. Eleonora era dispiaciuta, ma da tempo aveva promesso ai suoi di andare insieme a loro dai parenti...

A un tratto, mentre avanzava lungo il sentiero, chissà come mai sentì nell'aria l'odore... del presepio, quello che faceva da bambino insieme a suo padre. Erano solo loro due a occuparsi del presepio. In quella faccenda sua madre non c'entrava, era roba da uomini. Ogni anno, i primi di dicembre, prendevano dallo sgabuzzino gli scatoloni che contenevano le casette, l'erba finta, i ponticelli, i pastori, le pastorelle, i contadini, le pecore, le galline, i cani, il bue e l'asinello, la Madonna e San Giuseppe, il bambino Gesù... che veniva messo nella sua culla di paglia solo la notte del ventiquattro, e i Re magi, per il giorno della Befana. E mentre lavorava con suo babbo per organizzare il presepio, sentiva nel naso un odore particolare, che non sentiva in nessun'altra occasione, un odore indefinibile, frutto di molti odori mescolati insieme... Per lui quello era diventato l'odore del presepio, l'odore delle feste, del Natale, l'odore di quei giorni avvolti da una magia difficile da raccontare con le parole. Quando era molto piccolo, passava interi pomeriggi a guardare il presepio, e immaginava di veder camminare i pastori, di sentir abbaiare i cani, belare le pecore, a volte gli sembrava che stesse succedendo davvero... e nel naso sentiva quell'odore unico, l'odore del presepio...

Pensare a quel passato lontano era bello e doloroso. Si ricordava bene di quando a casa, nelle feste comandate, venivano organizzate bellissime cene con i parenti. Grandi tavolate che mettevano a sedere almeno tre generazioni, chiasso a volontà, portate da mille e una notte, vino buono per gli adulti, canti e chiacchiere, e alla fine i più vecchi si mettevano a raccontare. Era proprio in quelle occasioni che aveva scoperto la bellezza di ascoltare vecchie storie. Quelle cene finivano tardi, e anche se lui aveva un gran sonno e non riusciva a tenere gli occhi aperti, cercava di resistere per non perdere il finale della storia che stava ascoltando. Erano racconti della Grande Guerra, appena finita, oppure aneddoti di famiglia, tragici o divertenti, accaduti nel periodo che andava da prima dell'Unità d'Italia fino al tempo di Firenze capitale e anche dopo, quando venne distrutto il centro medievale di Firenze per farne il «salotto buono» della città, a dispetto di molti cittadini e intellettuali e artisti che soffrivano nel veder polverizzare un pezzo importante dei loro ricordi e della loro anima.

Quelle lunghe cene facevano ormai parte della mitologia di famiglia, sembravano appartenere a un'altra era geologica, quando suo padre e sua madre erano giovani, e lui pensava che ci fosse nel cielo una stella che proteggeva lui e tutti i suoi familiari. Adesso era un orfano di sessant'anni. Molti dei parenti che nella sua memoria vedeva ancora seduti a tavola erano scomparsi, e quelli che restavano erano ormai da tempo confluiti in altre abitudini...

Si fermò a Pian d'Albero per mangiare un panino davanti alla vallata, seduto sulla grande pietra scaldata dal tepore del sole. Respirava l'aria buona, si muoveva tra i fantasmi del passato, e ogni tanto scambiava una battuta con uno dei suoi morti. Nonostante tutto, quella pace gli faceva bene. Visto che il passato non poteva tornare, si doveva almeno cercare di portarselo dietro come fosse un caro amico. Ma che poteva farci se ogni tanto la potenza dei ricordi gli chiudeva la gola? Era così assurdo e doloroso poter rivivere sensazioni provate molti anni prima, con la stessa forza di allora... anzi, sembrava addirittura che ogni cosa vissuta nella memoria fosse più intensa.

Quella sera, dopo aver passato il pomeriggio a leggere e a sonnecchiare davanti al fuoco, scese a Firenze, e dopo piazza

San Gallo imboccò via Bolognese per andare a casa della fidanzata di Piras, all'inizio di via Trieste. Passando davanti a Villa Triste non poté fare a meno di pensare alle atrocità che quei muri avevano visto, ma si impose di lasciare quella brutta pagina della storia di Firenze fuori dalla porta di Sonia. Voleva passare una bella serata con i due innamorati. Suonò il campanello, e quando Piras aprì, Bordelli lo guardò con aria d'intesa.

« Stasera non parliamo di lavoro, che ne dici? »

« Volevo dirglielo io, dottore » sussurrò il sardo. Sonia era bellissima, e accolse Bordelli con un calore da vera sicula. Si accomodarono subito a tavola. Avevano cucinato tutti e due. Bordelli propose un brindisi alla nuova carriera di Pietrino.

« Allora Sonia, che ne pensi del tuo nuragico vice commissario? »

« Gli sto insegnando a cucinare e a lavare i piatti, poi me lo sposo » disse lei, e Piras arrossì di piacere.

La mattina dopo Bordelli si svegliò verso le dieci. Da Sonia e Pietrino era stato benissimo, si era sentito in famiglia, ed era rimasto da loro fino a tardi. Aveva sentito Eleonora al telefono. Lei stava per andare al mare con un'amica, rientrava la sera dopo cena, ma se a lui stava bene, invece di tornare a casa poteva passare a trovarlo. Lui le aveva detto che non sapeva che farsene di una come lei, ma quella sera si sentiva magnanimo e poteva fare un'eccezione.

« Proprio perché sei te... Ma non posso addormentarmi troppo tardi, domattina ho svegliaccia » le aveva detto.

« Sarò una santa, giuro » aveva detto lei, con la boccuccia da moine che si vedeva anche attraverso il telefono.

« Non ci riuscirai, hai l'anima della ragazzaccia. » E avevano riso.

Blisk aveva fame, glielo faceva capire con molta chiarezza. Mentre gli cucinava la zuppa, pensò che poteva approfittare del viaggio a Bologna per andare a trovare zia Costanza, che non vedeva da un sacco di tempo. Doveva avere almeno ottant'anni. Di sicuro era ancora viva, altrimenti lo avrebbe saputo da zia Camilla, la mamma di Rodrigo, che sapeva sempre tutto dei parenti, anche dei più lontani. Ogni tanto, negli anni, lo aveva chiamato per aggiornarlo...

Ti ricordi la cognata del cugino di tua nonna? Come no, Adelina Traccoli... È morta ieri sera, poveretta, aveva centodue anni... Un colpo apoplettico... Non se n'è nemmeno accorta...

Sai chi se n'è andato? Costante Malavvisi... Dai che te lo ricordi! Era il marito della mamma della moglie del cugino di tua madre... Ma sì... Veniva spesso a cena da voi in viale Volta... Con quel faccione simpatico... Raccontava barzellette su Mussolini... Ottantadue anni... Mentre giocava a carte si è piegato in due e fine del discorso... Pace all'anima sua...

Tre giorni fa è morta zia Bettina... Forse non te la ricordi... Ah sì? Strano, non veniva spesso a Firenze... Ricca e taccagna come pochi... A Messa tutte le mattine... A novantasette anni, tutti i giorni prima di cena beveva un cordiale... La sera è andata a letto e chi s'è visto s'è visto... Pare abbia lasciato tutto al Convento delle Suore Contemplative di Gesù Crocifisso...

Gli avrebbe fatto piacere rivedere zia Costanza, gli era sempre stata simpatica. Chissà se aveva ancora il suo telefono. Doveva cercare nella rubrica, che non usava quasi mai.

«Blisk, ecco qua la zuppa» disse, appoggiando in terra la grande ciotola di ferro. Quel bestione ci aveva messo meno di un minuto a vuotarla, e dopo gli aveva fatto capire che stava per uscire. Quando lui aveva detto che per il momento restava a casa, Blisk aveva abbaiato un paio di volte e si era avviato verso il retro della casa, dove avrebbe trovato il magico sportello magnetico di Dante.

Il commissario aprì la rubrica e cercò la lettera C. Trovò una Costanza, ma sul nome e sul numero c'era una riga rossa, come quella degli insegnanti. Non era la zia, era una sua ex fidanzata di molti anni prima. Stava per chiamare zia Camilla, poi fece un tentativo alla lettera Z, e infatti la trovò... *Zia Costanza...* Chissà se il numero era ancora quello. Provò subito a chiamare, anche se era un po' in ansia. Non riusciva a immaginare come poteva essere accolto.

«Pronto?»

«Zia, sei tu?»

«Zia di chi? Con chi parlo?» Era lei, aveva la stessa voce giovanile e lo stesso tono frettoloso di tanti anni prima.

«Sono Franco...»

«Franco chi?»

«Tuo nipote...»

«Oooh, Franchino! Ma che sorpresa! Come stai? Come stai?» Era davvero contenta.

«Non c'è male zia, e tu?»

«Oh, benissimo, benissimo! Che bello sentirti! Però per gli auguri di Pasqua sei in ritardo.»

«Buona Pasquetta, zia» disse Bordelli, che solo in quel momento si rese conto di che giorno era.

«Dio mio, dio mio... Chissà quanto sei cresciuto, dopo tutti questi anni!» disse la zia, e scoppiò in una risata piena di fischiolini. Non era cambiata per nulla, anche solo parlare con lei al telefono era un salto nel tempo.

«Zia, devi perdonarmi se non ti chiamo, sono sempre indaffarato!»

«Pensavo di non vederti mai più, Franchino.»

«Hai ragione zia, ho molto da lavorare, ma tra poco vado in pensione.» Lo diceva a tutti, ci pensava sempre.

«Ah, che bravo, che bravo... E che lavoro fai?»

«Il solito, non te lo ricordi?»

«Sei marinaio?»

«Durante la guerra, sì. Poi ho cambiato.»

«Sì, sei insegnante di matematica.»

«No, quello è Rodrigo, insegna chimica.»

«Ah sì, che stupida, che stupida! Hai messo su un ristorante...»

«No, zia... Sono commissario di Pubblica Sicurezza.»

«Oh che bravo! Che bravo! Allora devi arrestare quelli del palazzo di fronte.»

«Che hanno fatto?»

«Sono antipatici, cafoni e irriguardosi.»

« Zia, se mi mettessi ad arrestare tutte le persone così, ci vorrebbe una galera grande come la Toscana. »

« Ah, non si può fare? »

« Temo di no. »

« Oh che peccato, che peccato... » E poi le solite cose... Mi ricordo di quando eri appena uno scricciolo... Mi sembra ieri che ti tenevo sulle ginocchia... Avevi dei capelli bellissimi, biondi e lisci... Eri un ragazzino tanto carino, forse un po' malinconico... Ma a volte eri una peste... E il tuo povero babbo, la tua povera mamma... E quella volta che andammo... E quell'altra volta che eravamo tutti insieme in quel di... Bordelli si immergeva nei ricordi come un pesce nell'acqua, rivedeva volti e luoghi, riviveva antiche sensazioni... Una telefonata che lo portava nei territori più lontani della sua memoria...

« Allora, Franchino... Prima che mi portino al camposanto verrai a trovarmi? »

« Ti chiamavo per quello, domani per l'appunto sono a Bologna per via di un'indagine... Ti trovo a casa? »

« La mattina no, che devo uscire. A pranzo sono con monsignor Bortolotti, e alle quattro ho la canasta con le mie amiche... Verso le tre ti va bene? Abbiamo un'oretta tutta per noi, tutta per noi. »

« Va benissimo... Abiti sempre in piazza Cavour? »

« Ci sono nata e ci voglio morire. » Era un bellissimo appartamento, molto grande, a poche centinaia di metri dalle torri del centro.

« Bene, ci vediamo alle tre in punto... Sono contento, sai? »

« Macché, macché... Contento devi essere quando vai a trovare una bella donna, non una povera vecchia avvizzita » disse lei, e di nuovo scoppiò a ridere.

« Zia, ma che dici? »

« Su su, basta basta, niente stupidaggini, ci vediamo domani... Ciao Franchino, ciao Franchino. »

«Ciao zia...» Ma lei aveva già riattaccato. Che donna... Non solo aveva ancora la stessa voce, ma non aveva nemmeno perso l'abitudine di ripetere le parole, forse una fretta interiore che non la abbandonava mai, se non quando pregava. Era diventata molto religiosa, diceva lei, per allontanare gli spiritelli maligni che la tormentavano. Era stata una medium assai rinomata, poi aveva dato una direzione diversa alla propria vita. Senza contare che era stata amica intima di Mussolini e aveva vissuto in prima persona l'ascesa del fascismo e la sua caduta, prima appoggiandolo e poi ripudiandolo... Una vita a dir poco avventurosa.

Dopo pranzo si sistemò come sempre davanti al fuoco per leggere, ma si addormentò quasi subito, non perché il libro della Ginzburg non gli piacesse, anzi lo appassionava moltissimo, ma sentiva dentro una strana agitazione che poteva domare soltanto chiudendo gli occhi.

Si svegliò sentendo un respiro affannato, e quando aprì gli occhi vide Blisk seduto davanti a lui che lo guardava scodinzolando, con la lingua penzoloni. Aveva le zampe e la pancia intrise di fango ancora fresco, chissà dov'era andato a cacciarsi.

«Oddio, guarda che sudiciume.» Quel bestione aveva lasciato una scia di sporco sul pavimento, e sembrava proprio che gli stesse chiedendo di dargli una lavata. Fuori il sole si stava abbassando sull'orizzonte. Uscì seguito da Blisk e girò sul retro della casa. Con il tubo dell'acqua per annaffiare l'orto lavò il cane da cima a fondo, poi lo strofinò con un vecchio asciugamano e lo portò davanti al fuoco per farlo asciugare bene. Prese anche il secchio e lavò il pavimento. Quando finì di pulire erano quasi le sette. Non aveva voglia di stare in casa. Si preparò un bel bagno caldo, e decise di andare a cena da solo in qualche paese là intorno, magari portandosi dietro anche Blisk. Poteva cercare una locanda o un'osteria a Greve, a Panzano, o magari a Lucolena. Non era mai andato a cena nei dintorni, la sua vita era a Firenze. Quando uscì dal bagno cercò Blisk, ma se n'era andato di nuovo.

« Se torni sporco come prima sono guai » disse a voce alta, ma sapeva bene che non si sarebbe arrabbiato. La compagnia di quel cagnone valeva mille volte un pavimento infangato.

Montò sul Maggiolino e se ne andò in cerca di una bettola dove mangiare qualcosa. Senza nemmeno rendersene conto si ritrovò a Passo dei Pecorai, e proseguì verso Greve. Poco dopo riconobbe il posto dove era stata trovata Carmela. Ormai la chiamava per nome, anche se per diversi giorni aveva detto e pensato... *la ragazza morta*. Rallentò appena, e nella sua mente apparve l'immagine del momento in cui l'aveva vista, accompagnato dal contadino. Accelerò mordendosi le labbra. Era impaziente di mettere le mani su quei galantuomini che l'avevano lasciata morire.

Arrivò a Greve, ma preferì andare ancora avanti, salire sulle colline. Parcheggiò a Panzano e s'incamminò su per la ripida salita che porta alla chiesa, in cerca di una locanda adatta al suo umore. Ne trovò una quasi in cima, con il soffitto basso e un bel bancone di legno. Quando spinse la porta si voltarono tutti a guardare lo sconosciuto, ma dopo qualche secondo di silenzio ripresero a parlare. L'oste gli fece un cenno con il capo per indicargli un tavolo libero, e lui andò a sedersi. La stanza proseguiva dietro l'angolo, sette o otto tavoli, soltanto tre liberi.

« Cos'avete da mangiare? »

« È scritto là » disse l'oste. Una lavagna, due primi, due secondi, due contorni, un dolce, vino rosso della casa.

« Penne al pomodoro e un piatto di fagioli » disse Bordelli.

« Da bere? »

« Mezzo litro, grazie. »

« Bene... » L'oste si affacciò oltre una tenda, ripeté l'ordinazione, riempì una caraffa di rosso e la portò al tavolo insieme a un bicchiere. Tornò dietro il bancone e ci appoggiò sopra i gomiti, scambiando ogni tanto qualche parola con quattro vecchi contadini che giocavano a briscola, seduti poco distante.

Bordelli si mise a guardare con curiosità gli altri tavoli. Oltre ai quattro vecchietti, c'era una coppia sui cinquant'anni quasi elegante, forse i proprietari di una tenuta della zona, poi tre amici che ridacchiavano davanti a un fiasco di vino. E infine un ragazzo sui vent'anni con lo sguardo intenso, un po' tozzo, con dei baffoni antichi e piuttosto curati, come di solito si potevano vedere in città. Aveva già finito mezzo litro di vino, e sorrideva beffardo a qualcosa che vedeva solo lui. A parte i giocatori, stavano tutti aspettando da mangiare.

Bordelli era incuriosito soprattutto dal baffone, e lo sbirciava. Il ragazzo era seduto nell'angolo opposto al suo, continuava a bere e a sorridere, sembrava rimuginare qualcosa, muoveva le labbra come le vecchiette in chiesa. Il commissario pensò che magari, dopo il due aprile, di uno così poteva addirittura diventare amico. Non sapeva di preciso come mai avesse pensato una cosa del genere, ma gli sembrava di avere una qualche affinità con quel ragazzo, che aveva tutta l'aria di essere un orso.

Si sentì una voce chiamare dalla cucina. L'oste sparì dietro la tenda, poco dopo riapparve carico di piatti e li portò ai tavoli. Per un minuto calò il silenzio della fame, poi le voci ricominciarono a conquistare la locanda. Il baffuto ordinò un altro mezzo litro di rosso e iniziò a mangiare tranquillo, anche se ogni tanto si fermava con la forchetta in mano e si rimetteva a pregare. A un certo punto tirò fuori dalla tasca un taccuino e una matita, e cominciò a scrivere qualcosa. Bordelli era sempre più curioso. Pur di sapere cosa stava scrivendo gli avrebbe offerto la cena. Ma non dovette aspettare a lungo per saperlo. Il baffuto ringraziò l'oste per il vino, mandò giù un bicchiere intero, poi si alzò, rimanendo accanto al tavolo, e batté la forchetta sul bordo del piatto per richiamare l'attenzione di tutta la locanda. L'oste lo guardava tranquillo, come se fosse abituato a quelle faccende. Il baffuto aspettò che tutti si fossero chetati, fece un bel respiro...

«*Morte morte morte,*
donne nate storte,
donne torte e risorte,
donne che danno la morte,
verità con le gambe corte,
amore vile e amore forte,
imperscrutabile sorte
che chiude le porte
a donne malaccorte...»

Dopo un sospiro finale, senza curarsi di nessuno si rimise a sedere e mandò giù un lungo sorso di vino. I tre ragazzi fecero un applauso sgangherato, ridendo.

«Bravo, bis!»

«Dai, scrivine un'altra...»

«Sei un grande!» Non si capiva se lo prendessero in giro o lo stimassero per davvero. Le altre persone invece continuarono a mangiare, con aria indifferente. Baffone guardò Bordelli e alzò appena il mento.

«Lei cosa ne pensa?» disse. Di nuovo silenzio. Adesso tutti gli occhi erano puntati sullo sconosciuto che era stato interpellato. Il commissario fece finta di essere uno che se ne intendeva.

«Una filastrocca dal ritmo piuttosto divertente, amarognola nei contenuti, a tratti pessimista e violenta, scaturita da un cuore nobile, che nasconde la sua vera anima sotto un atteggiamento scorbutico» disse. Baffone sembrò un po' stupito ma soddisfatto della risposta, e riabbassò gli occhi nel piatto continuando a mangiare. Dopo un po' ricominciò anche a scrivere, e ovviamente a bere. Bordelli finì le penne al pomodoro, tra l'altro molto buone, e quando l'oste gli portò i fagioli, gli fece un cenno per chiedergli di avvicinare l'orecchio.

«Chi è quel ragazzo?» chiese sottovoce.

«L'è Amedeo... L'è un po' strano, ma l'è un bon figliolo... L'è i' figlio di' fattore della cascina de' Bondoni, su alla Cappella de' Pesci... Vorrebbe fare i' poeta, si fa chiamare Malasorte, perché dice gli garba uno con un nome quasi compagno.»

«Malaparte?»

«Ecco, sì... Mi par di sì...»

«Grazie... Le penne erano molto buone...»

«La mi' moglie l'è brava» disse l'oste, e se ne andò con la scodella vuota. Intanto il baffuto Malasorte aveva finito di mangiare e si era messo a scrivere fitto. Ogni tanto si fermava, mordeva la matita, poi continuava. Si arrotolò una sigaretta e l'accese.

«Se qualcuno mi offre un bicchiere, ve ne faccio sentire una più bella e anche più lunga» disse a voce alta, fissando il commissario senza staccare lo sguardo. Bordelli annuì, e il ragazzo si alzò di nuovo per recitare un'altra poesia, che a quanto pareva aveva scritto al volo come l'altra, tra una forchettata e un sorso.

«*Cerca il genere umano*
il disperato senso della vita
nella fasulla infinità del vincolo mortale
che l'amore illude
e trasuda in una eternità che l'arte fiuta,
ma è misero e sconfitto immaginario
per chi la resa non accetta
e verità non altro si compone
di putrescenti enigmi
e nella morte il nulla ci separa

e lo spavento ci distoglie
dall'unica bellezza che è bellezza
la vita che ci fugge tra le dita
e non si ferma e non si vuol fermare
e quando giovinezza ci ubriaca,
sangue infuocato non basta a illuminare
l'oscuro che si cela nel profondo.
Chiudendo gli occhi cerco un po' morire
e dolcemente immergermi nel buio...»

Bordelli rimase piacevolmente impressionato da quella poesia leopardiana macchiata di olio e di sugo. Il ragazzo se ne accorse, ma quando si rimise a sedere prese il foglietto con la poesia, lo accartocciò e lo lasciò cadere nel piatto sporco. L'oste gli portò il bicchiere di vino offerto da Bordelli, lui lo vuotò in tre sorsi, poi si alzò e se ne andò senza salutare nessuno. Anche il commissario aveva finito, e si avvicinò al bancone per pagare. Un'ottima cena per pochi spiccioli, una locanda accogliente. Ci sarebbe tornato di sicuro, sperando di ritrovare il giovane poeta maledettissimo.

«Faccia i complimenti a sua moglie» disse Bordelli. Uscendo passò accanto al tavolo del poeta, e senza farsi notare recuperò il foglietto con le due poesie.

Il commissario stava dormendo... Sentì un clac meccanico e attraverso le palpebre chiuse vide una specie di lampo. Si tirò su di colpo con il cuore accelerato, e nella stanza appena illuminata dalla luce del corridoio vide un'ombra... Un attimo dopo sentì Eleonora che rideva.

« Scusa, non credevo di svegliarti. »

« Ah, sei tu... Ma che diavolo era quel lampo? » disse Bordelli, lasciando andare il capo sul cuscino.

« Ti ho fatto una foto con la Polaroid. »

« Ma no, quella diavoleria... »

« È magnifica, così vedi come sei buffo quando dormi. »

« Che ore sono? »

« Non è nemmeno mezzanotte, pensavo di trovarti sveglio » disse lei, ancora in piedi davanti al letto.

« Meno male, è ancora presto... domattina devo... svegliarmi alle sei e mezzo. »

« Che devi fare? »

« Vado a Bologna, ho un appuntamento con i genitori della ragazza trovata morta qua vicino. »

« Oddio... » mormorò lei, uscendo dalla stanza. Bordelli sentì scorrere l'acqua nel bagno per diversi minuti. Quando Eleonora tornò, s'infilò di corsa sotto le coperte e gli si appiccicò alla schiena.

« Non ti preoccupare, ti faccio dormire » disse.

« E la foto? »

« Non importa, so che appena sveglio non ti va di accendere la luce. »

«Già...» Bordelli chiuse gli occhi per dormire, ma un minuto dopo era sopra di lei.

«Non è colpa mia, sei stato tu.» Si sentiva che era contenta.

«No no, la colpa è sempre delle donne... Strumento del diavolo» disse Bordelli, affondando dentro di lei. Con quella ragazza si sentiva così bene... tutto quello che lei faceva e diceva per lui era bello. Quando facevano l'amore, oltre alla sua bellezza stringeva tra le braccia anche la sua simpatia, la sua intelligenza, la sua sfacciata ironia...

«Vienimi pure dentro, sono riuscita a farmi dare la pillola» gli bisbigliò Eleonora in un orecchio. Anche quelle parole erano dolci.

«Non so se riuscirò a farti contenta... Sono a pezzi...»

«Non ci pensare... puoi fare di me quello che vuoi... stasera mi piace così... piano piano...» Era un sussurro tenerissimo... lui sentì un'onda di piacere... continuava lentamente a muoversi sopra di lei... lentamente... lentamente... era la serata della lentezza...

«Domattina lasciami dormire...» sussurrò lei, con un tono più adatto ad altre parole.

«Sì...»

«Però lasciami un po' di caffè.»

«Sì... Sì...» Intanto lui continuava, continuava...

«Cosa trovo per fare colazione?»

«In frigo... marmellata... di pesche... buonissima...»

«Cercherò di non finirla.»

«Ti consiglio di provare... anche... pane abbrustolito... con l'olio dei miei olivi...» Era incredibilmente entusiasmante parlare del più e del meno in un momento del genere.

«Mmmm, posso rubartene una bottiglia?»

«Certo... anzi... come ho fatto a non... pensarci prima? Sono... una... bestia...»

«E io che credevo di andare a letto con un gentiluomo d'altri tempi...»

«Puoi farti anche... un uovo... sono del contadino che... che si occupa... degli olivi...»

«Te la ricordi la targa della tua macchina?»

«Firenze... diciassette... sessanta... novanta...»

«Bravo... Non dirmi che ti ricordi anche il giorno in cui l'hai comprata...»

«Cinque maggio... mille e novecento... sessantadue...»

«Passiamo alla lista della spesa? Cosa ti manca?»

«Sì... devo comprare... pane... caffè... spaghetti... penne rigate... pasta d'acciughe... e poi... e poi...»

«Forse un po' di lenticchie» bisbigliò lei, ma era come se avesse detto la frase più eccitante del mondo.

«Sì... lenticchie... e poi... e poi...» Non riuscì a continuare... Si lasciò andare come un ragazzino... Lei lo stringeva, gli accarezzava la nuca, gli baciava gli occhi, il viso... Ogni volta con lei era una sorpresa...

Dopo un po' Bordelli ritrovò un respiro quasi normale, e si buttò di lato. Fece appena in tempo a borbottare... *Sei bellissima*... e pochi secondi dopo si addormentò. Un sonno profondo, come un bambino che ha giocato a pallone tutto il giorno. Non sentì nemmeno Eleonora scendere dal letto e andare in bagno.

Aprì gli occhi prima che suonasse la sveglia, come gli succedeva sempre quando doveva alzarsi molto presto. Aveva la sensazione di essersi appena addormentato, di aver chiuso gli occhi un secondo prima, però si sentiva riposato. Si voltò a guardare Eleonora, che dormiva con le labbra appena aperte. Aveva una gran voglia di dare un bacio a quelle labbra, ma si trattenne. Si alzò senza fare rumore, raccolse i vestiti e uscì accostando piano la porta. Quando entrò in bagno, trovò sul lavandino la fotografia che lei gli aveva fatto mentre dormiva... Oddio quant'era ridicolo, con la bocca mezza aperta, rannicchiato come un bambino, i capelli da pazzo. Stava quasi per strapparla, poi lasciò perdere. La infilò nella cornice dello specchio. Gli era venuta un po' di tristezza, pensando a lei che guardava quella stupida foto quando lui era già nell'aldilà. Le fotografie potevano essere davvero assai spietate, ti trovavi davanti un bellissimo momento perduto, una persona morta da molto tempo che ti guardava, magari sorridendo...

Si chiuse in bagno per una mezz'ora. Quando scese, vide che Blisk era già uscito. Gli sarebbe davvero piaciuto sapere dove andava, cosa faceva in giro tutto il giorno, quel bandito. Preparò il caffè con la Moka da tre tazze, e mentre seduto a tavola beveva la sua «razione» scrisse un biglietto per Eleonora... *A buon rendere, principessa.*

Salutò Geremia con lo sguardo. Era sotto la sua mandibola che aveva messo il foglietto con le poesie di quel ragazzo, Malasorte. Così non lo avrebbe perso.

Poco dopo salì in macchina. Ci mancava solo la pioggia, governo ladro. Scese a Firenze da Bagnolo e a Certosa imboccò l'autostrada, che a quell'ora era già molto trafficata. La sera prima aveva telefonato ai genitori di Carmela, e avevano confermato l'appuntamento.

Fu un viaggio orrendo... File interminabili di camion, la pioggia che non smise un solo minuto, gallerie su gallerie, code per lavori in corso... Quando arrivò a Bologna era stremato.

«Sono il commissario Bordelli di Firenze.»

«Venga...» disse il padre di Carmela, un uomo piccolo e magro, con le orecchie a sventola e il mento troppo grande. Sua moglie era appena un po' più alta di lui, e prima di sciuparsi doveva essere stata carina.

Andarono a sedersi in un salottino che somigliava a tanti altri, con i mobili finto antico tirati a cera, i centrini fatti a mano, una Madonnina di plastica con l'acqua di Lourdes, statuette, ninnoli, ricordini, la foto del matrimonio, delle figlie appena nate, poi a tre anni, a cinque, e anche più recenti.

Quei due genitori disgraziati non avevano perso l'aria genuina dei contadini emigrati... *Montescaglioso, un piccolo borgo in provincia di Matera...* aveva detto De Luca. Era più facile immaginarli chini sulla terra, sotto un bel cielo assolato, che prigionieri nel chiuso di una fabbrica. A guardarli bene, si poteva capire che la bellezza di Carmela era una strana combinazione di tutti e due, anche se non si potevano dire belli. A volte capitava, che in un sano terreno di campagna sbocciasse un fiore inaspettato. Ma nel terreno dei Tataranni, di fiori inaspettati ne erano cresciuti tre. Le foto parlavano chiaro, le figlie erano tutte e tre belle o perlomeno graziose, e avevano un'aria moderna e cittadina.

«Quando avete visto Carmela per l'ultima volta?»

Bordelli rimase in quella casa poco più di un'ora, e se ne andò trascinandosi dietro un carretto pieno di angoscia. Il quartiere non aiutava a scrollarsi di dosso quel dolore, e nemmeno il cielo grigio e la pioggerella fitta che continuava a cadere. Montò sul Maggiolino per andare in questura.

Erano anni che i due poveri genitori si preoccupavano per quella figlia scontrosa e ribelle, cresciuta troppo in fretta. Avevano detto anche a lui che una fine del genere se l'aspettavano da un momento all'altro. Carmela faceva una vita un po' strana. Erano sicuri che si drogasse. Avevano pensato addirittura che si prostituisse, ma non avevano mai osato dirle niente. Da quasi due anni era andata a vivere da sola, nel centro di Bologna, però non conoscevano nemmeno l'indirizzo. Avevano solo il suo telefono. Ma se era un appartamento in centro, non doveva costare poco. Avevano anche visto che si era comprata una 500 nuova. Come poteva una ragazzina avere tutto quel denaro? Era difficile credere che lavoricchiare come modella portasse tutto quel guadagno. Ogni tanto le facevano capire che secondo loro c'era qualcosa di poco chiaro, ma Carmela si arrabbiava e diceva che dovevano smettere di scocciarla... Non sapevano che nel mondo della moda i soldi scorrevano a fiumi?

I Tataranni ringraziavano il cielo per le altre due figlie, due brave ragazze. Rosanna, la più grande, aveva ventiquattro anni e stava per laurearsi in Medicina. Luisa, la piccina, aveva sedici anni, era al terzo anno dell'Istituto Alberghiero e voleva fare la pasticcera. Ogni tanto dalle altre stanze arrivava un rumore, ma per tutto il tempo le due ragazze non si erano viste.

Per Carmela non avevano fatto nessuna denuncia di scomparsa semplicemente perché la vedevano di rado. Non sapevano mai dove si trovasse, non potevano certo sapere che quella notte non era tornata a casa, e di certo non immaginavano che fosse morta. Capitava spesso che Carmela non si facesse sentire per quindici giorni o addirittura per un mese. A volte la chiamavano per tre o quattro giorni, senza trovarla, e quando riuscivano a parlarci, lei diceva che era stata a lavorare a Roma, oppure a Milano, a Torino, a Venezia... Insomma era stata via per lavoro, diceva lei, non dovevano preoccuparsi. Ma loro invece erano sempre stati molto preoccupati, e a quanto pareva avevano ragione. Le sue amiche? E chi le conosceva? Non aveva mai portato nessuno a casa, nemmeno una volta.

Bordelli aveva provato per tutto il tempo una pena infinita. A un certo punto quei due poveri genitori gli avevano chiesto se potevano sapere com'erano andate le cose: « Lela » era stata uccisa o era morta per qualche altro motivo, magari per colpa della droga? Lui aveva risposto che per il momento non poteva dire nulla, stavano ancora indagando. Sarebbero stati debitamente informati su ogni particolare alla fine delle indagini.

« Ma se l'hanno ammazzata, lo prendete l'assassino? » aveva chiesto la moglie con un sussurro tragico, un occhio più aperto dell'altro.

« Certamente, di questo potete stare sicuri, vi do la mia parola che se c'è un colpevole pagherà con la galera. » Adesso aveva un motivo in più per trovare chi aveva trattato Carmela in quel modo.

« Diceva di essere contenta, ma lo vedevo bene che non era vero » aveva borbottato la donna, prima di uscire dalla stanza.

« Mi dispiace... » aveva detto lui. Non aveva avuto il coraggio di parlare delle droghe e delle tracce di sperma trovate « dappertutto ». Il padre di Carmela lo aveva accompagnato alla porta, gli aveva stretto la mano senza dire più nulla.

Bordelli si era ritrovato in macchina con i capelli bagnati. Gli sembrava di avere accanto Carmela che lo guardava, lo fissava... I suoi bellissimi occhi erano vivi, anche se lei era morta. Quella presenza lo opprimeva. Mise in moto e partì. Non poteva permettersi di fallire, non se lo sarebbe mai perdonato. I colpevoli dovevano essere puniti, non era possibile che la facessero franca. Sentì il bisogno di dirlo a voce alta.

« Vi troverò e vi farò condannare. » Era il suo ultimo caso, questa volta davvero. Voleva chiudere la sua carriera nel modo giusto, per non avere rimorsi.

Aveva quasi smesso di piovere, ma nel cielo rotolavano ancora dei grossi nuvoloni scuri. Alle dieci e mezzo arrivò alla questura di Bologna, chiese di Rospone, e scoprì che era il capo della Mobile. Somigliava ad Aldo Fabrizi, e aveva un modo di fare gioviale. Rospone lo affidò a due guardie scelte, incaricate di occuparsi di lui.

«Ecco, dottore...» Le guardie gli consegnarono le chiavi dell'appartamento di Carmela Tataranni e un cartoncino con l'indirizzo, poi lo accompagnarono nel cortile, dove era stata portata la 500, trovata vicino alla stazione. Bordelli ringraziò, aprì la macchina e la ispezionò velocemente. Nessuna foto, nessun biglietto, nessuna agenda, solo due scatole di profilattici intonse. Insomma nulla di interessante, come del resto si aspettava. Carmela era morta a Firenze, e la macchina era rimasta a Bologna. Restituì le chiavi e si avviò verso vicolo Ranocchi, seguendo le indicazioni delle due guardie.

Dopo una decina di minuti s'infilò in una stradina strettissima e molto simpatica, piena di botteghe e di osterie, dove c'erano solo tre o quattro portoni. Carmela si era scelta un posto davvero speciale. Trovò il numero civico, entrò nella palazzina, salì al quarto piano. Tolse i sigilli e s'infilò nell'appartamento. Era piccolo, però molto carino. Manifesti di attori bellissimi... Clint con la barba trascurata e il sigaro tra i denti... Paul Newman, Sean Connery, Alain Delon, James Dean, Mastroianni... La cucina era disordinata, ma abbastanza pulita. Nell'acquaio c'era una tazzina sporca, e sicuramente Carmela era uscita di casa convinta che sarebbe stata lei a lavarla.

Si mise a frugare nei cassetti, ma non trovava nulla di importante. In una piccola rubrica telefonica erano scritti solo i numeri di alcuni parrucchieri e di agenzie di moda, cose del genere. Negli armadi e nei cassetti della camera, molte mutandine e reggiseni, vestiti sexy e anche qualcosa di più comodo. Scarpe con il tacco a spillo, scarpe basse, pantofole. Nel frigo verdure appassite, una mozzarella scaduta, mezzo litro di latte andato a male... tutte cose che di certo Carmela credeva di consumare presto.

Niente, non c'era nulla che potesse servire all'indagine. L'ennesimo buco nell'acqua. Si lasciò andare sopra una sedia, ma si rialzò subito. No, doveva esserci qualcosa, doveva insistere, cercare più attentamente, come Piras, senza tralasciare il minimo angolino. Magari la ragazza aveva nascosto qualcosa d'importante, da tenere al sicuro, che poteva aiutarlo. Voleva crederci. Fece di nuovo il giro della casa, ispezionò ogni cassetto, ogni mobile, guardò sotto il materasso, dietro lo specchio del bagno, negli sportelli della cucina, dentro i barattoli del caffè e dello zucchero, sopra gli armadi, in mezzo ai vestiti, tra le pagine dei romanzi rosa, nelle lampade e nei lampadari... Quando dietro un quadretto trovò una busta da lettere, sperò di aver scovato quello che cercava, ma erano solo dei soldi, quattrocentoventimila lire in banconote da diecimila. Era davvero una bella somma. Si mise la busta in tasca, indeciso su cosa doveva farne. Se avesse consegnato quel denaro ai genitori, cosa avrebbero pensato, se non la cosa più brutta? Portarli in questura voleva dire farli inghiottire dal mostro della burocrazia, fino a che un giorno sarebbero arrivati comunque ai genitori di Carmela. Forse poteva mandarli ai Tataranni dopo un po' di tempo, dentro una busta anonima? Doveva pensarci bene...

A quel punto non gli restava che andarsene. Era deluso, ma lo aveva messo in conto. Stava per aprire la porta, quando squillò il telefono. Ci pensò un attimo, poi tornò indietro e rispose.

«Sì, pronto?»

«Oh, be'... Credo di aver sbagliato numero» disse una donna.

«Cercava Carmela?»

«Chi è Carmela?»

«Forse cercava Mélodie?»

«Sì, ma... lei chi è?»

«Sono della questura di Firenze.»

«Oddio, è successo qualcosa?»

«Può dirmi per favore con chi sto parlando?»

«È un'agenzia per modelle, mi chiamo Fedora... Che è successo?»

«Prima vorrei farle io qualche domanda... Posso?»

«Mi dica...»

«Conosce il nome di qualche amico o amica di... Mélodie?»

«No, mi dispiace. Da noi può capitare che le ragazze si conoscano tra loro, ma non so nulla di quello che fanno fuori di qua.»

«Lavora spesso per voi?»

«Abbastanza, ma la conosco solo da un anno.»

«Cosa fa di preciso? Fotografie?»

«Sì, reggiseni, calze, a volte qualche trucco, un'acconciatura, ma quasi sempre pubblicità locali.»

«Guadagna bene?»

«Mah, potrei dire benino. C'è anche parecchia concorrenza, di ragazze belle ce n'è in giro un esercito.»

«Mi fa un esempio? Per una foto pubblicitaria quanto si guadagna?»

«Dalle tre alle cinquemila, almeno qui da noi, ma in altre agenzie più o meno è lo stesso.»

«Ho capito, grazie.»

«Adesso può dirmi cos'è successo?» chiese la donna. Bordelli era tentato di riattaccare, per evitare di sentire il prevedibile stupore della donna, poi si rassegnò.

«Una disgrazia, qualche giorno fa è morta.»

«Ma chi? Mélodie?» Era sbalordita, le tremava la voce.

«Sì...»

«Ma no! Ma che dice? Non è uno scherzo, vero?»

«Purtroppo no.» La sua voce convinse la donna, che per qualche secondo rimase in silenzio.

«Dio Santo! Non ci posso credere... Doveva venire da me

stamattina per un servizio...» Stava quasi per mettersi a piangere.

«Mi dispiace» disse il commissario.

«Ma com'è successo?»

«Non posso dirle altro, mi dispiace.»

«Dio mio, non riesco a crederci... Povera ragazza...»

«Mi scusi, devo andare» disse Bordelli, e riattaccò. Uscì e rimise i sigilli. Tornò a passo lento verso la questura pensando a cosa si poteva fare, a questo punto. La mattina dopo doveva parlare a lungo con Piras. Perquisire tutte le ville del Chianti? E se la ragazza non era morta nel Chianti? Impazziva solo all'idea di dover seguire la traccia del salmone affumicato e del caviale... Rintracciare gli importatori, poi i negozi di lusso che vendevano quella roba... A Milano? A Torino? Quanti clienti ricchi compravano caviale e salmone? Dovevano interrogarli tutti? Quanto ci avrebbero messo? Settimane? Mesi? Chi avrebbe mandato avanti l'indagine, dopo di lui? E se non l'avessero affidata a Piras? No, quella faccenda era sua, doveva risolverla lui, aveva anche dato la sua parola ai genitori di Carmela...

All'una meno un quarto entrò in questura, restituì le chiavi e chiese il favore di poter lasciare il Maggiolino nel cortile ancora per un paio d'ore. Nessun problema, gli dissero. Si fece indicare la strada per la *Trattoria Valerio*, e gli risposero più o meno come De Luca.

«Quando esce vada a sinistra, tutto dritto per un chilometro, poi chieda. Valerio lo conoscono anche i sassi.»

«Grazie, a dopo.» Nel cielo le nuvole di piombo erano ancora impegnate nelle grandi manovre, ma per il momento non aveva ricominciato a piovere. In qualche strada riuscì a camminare sotto i famosi portici di Bologna, che permettevano di passeggiare anche quando pioveva a dirotto. A Firenze non esistevano quasi, a parte quelli di piazza della Repubblica, che a lui stavano sullo stomaco, e quelli di piazza San Gallo. E in centro, quando pioveva, si doveva camminare rasente ai muri confidando nei tetti più o meno sporgenti.

Dopo dieci minuti era davanti alla *Trattoria Valerio*, e spinse la porta. I tavoli erano quasi tutti occupati, e i camerieri stavano prendendo le ordinazioni. Aspettò che l'oste gli andasse incontro.

«Buongiorno, vorrei parlare con Renato.»

«Sono io...»

«Dovrei avere un tavolo prenotato. Non so se a nome De Luca o Bord...»

«Sì, ha chiamato Achille qualche giorno fa... Venga, commissario.» Gli avevano tenuto un tavolino nell'angolo, da cui poteva vedere tutta la sala. Aveva proprio bisogno di rilassarsi, di non pensare per un po' alla povera Carmela e ai suoi genitori. L'atmosfera era molto diversa da quella delle trattorie di Firenze. Più tranquilla, più amichevole, forse anche per la cadenza e la musica della parlata.

«Cosa prende, commissario? Oggi abbiamo un classico, dei tortellini in brodo che a Firenze ve li sognate...»

«Sono venuto apposta.»

Mangiò molto bene, e cercò di bere il meno possibile. Erano già le due e mezzo. Fece un cenno all'oste, che venne subito al tavolo.

« Mi dica... »

« Ho mangiato benissimo, se abitassi a Bologna ci verrei tutti i giorni » disse Bordelli.

« Torni a trovarci, da qui a Firenze ci sono solo cento chilometri. »

« Ci proverò... Mi fa il conto, per favore? »

« Ah no, mi ha detto Achille di mettere sul suo conto » disse l'oste, alzando le mani.

« Be', grazie... »

« Deve ringraziare lui. »

« Non mancherò... » Uscì dalla trattoria sazio ma leggero. Lungo la strada per tornare in questura si fermò a prendere un caffè, e di nuovo lo colpì la cantilena delle voci, così diversa da quella fiorentina. L'accento bolognese gli ispirava fiducia, mentre la parlata sguaiata della sua città gli faceva sempre pensare di avere davanti uno che sta per fregarti, che non crede a quello che dice, un bugiardo opportunista che appena ti volti è capace di darti una coltellata nella schiena. E pensare che invece, a molti « forestieri », la parlata fiorentina ispirava simpatia.

Quando arrivò in questura ringraziò le due guardie e chiese indicazioni per piazza Cavour, dove abitava zia Costanza.

« È qua dietro, dottore. Lasci pure la macchina, la prende dopo. »

«Molto gentili, grazie.» Era bello camminare in quella città che conosceva poco. L'ultimo tratto di strada per arrivare da zia Costanza aveva i portici lungo tutti e due i lati, e piazza Cavour era un'apoteosi di archi. Suonò il campanello, sentì scattare la serratura e spinse con tutte e due le mani il pesante portone che lo separava dalla sua infanzia... Mentre saliva le scale, brandelli di antichi ricordi riaffioravano nella sua memoria. Arrivò al primo piano, trovò la porta accostata e la spinse.

«Franchino! Fatti baciare!» disse la zia, e lui dovette chinarsi in avanti come avrebbe fatto con un bambino. Si faceva fatica a pensare che quella donna piccola, grassoccia e allegra, con tre quarti di secolo sulla schiena, avesse affiancato Mussolini durante la fondazione dei Fasci di Combattimento, avesse ballato spesso con lui e dopo le Leggi Razziali avesse reso personalmente al Duce il distintivo del PNF.

«Zia, sei sempre uguale.»

«Macché, macché! Sono una povera vecchia con un piede nella fossa.»

«Figuriamoci...»

«Entra, che sulle scale fa freddo.» Chiuse il portone.

«Mi ricordo bene di questa casa, anche se l'ultima volta che ci sono venuto avrò avuto dieci anni.»

«Ne avevi otto, era appena finita la Grande Guerra.»

«Che memoria, zia.»

«Non sempre, non sempre... Vieni, andiamo in salotto.»

«Sì, mi ricordo tutto» mormorò lui, solo per se stesso. Era un appartamento enorme, piuttosto tetro, poco illuminato, con i soffitti altissimi e scuri, alcuni affrescati, pavimenti di graniglia con disegni geometrici, finestre grandi come porte, mobili scuri e austeri come vecchi monaci, vasi e sculture che apparivano nell'ombra quasi all'improvviso... Un'atmosfera da fantasmi che dava l'impressione di aver scavalcato il tempo e di essere entrati in un mondo a parte. Nel corridoio, da una porta sbucò una vecchietta, e Bordelli, che non se lo aspettava, sussultò. La zia sorrise.

« Non aver paura, non morde, è la mia dama di compagnia... Adelina, ti presento il figlio di mio nipote, Franco. »

« Chi è che è stanco? » disse lei, con la fronte piena di grinze.

« Franco, si chiama Franco » gridò la zia.

« Ah, che bel ragazzo. » Era una donnina tutta piegata, magrissima, con i capelli bianchi legati in una crocchia.

« Vive a Firenze, a Firenze... Fa il carabiniere in pensione. »

« È già l'Ascensione? Omammina! »

« No no, l'Ascensione è il sette di maggio » disse la zia, muovendo le mani in aria per dire che era tutto a posto.

« Non son andata alla Santa Messa... Ora però sono stanca, vado a fare la cena » disse Adelina, imbronciata, e se ne andò camminando tutta storta, strusciando le pattine. Zia Costanza prese Franco per una mano e se lo portò via. Bordelli sorrideva.

« Sembra un po' sorda » disse.

« Una campana ci sente meglio, ma è una cara bambina. » Entrarono in un salotto cupo, ingombro di mobili e di ritratti, di busti di antenati. Si sedettero sul grande divano dall'aria instabile ma severa, che lui conosceva bene. La zia aveva preparato un vassoietto con due bicchierini e un paio di bottiglie.

« Sassolino o rosolio? » chiese la zia.

« Rosolio... » disse Bordelli, che non amava né l'uno né l'altro.

« Ecco qua, brindiamo a qualcosa? »

« Tra qualche giorno vado in pensione » disse lui, d'istinto. Non riusciva a non dirlo a tutti, era una specie di assillo.

« Allora alla tua pensione » disse la zia, e si rovesciò il bicchierino in gola. Bordelli si bagnò appena le labbra e mise giù il bicchierino.

« Buono » disse, per non essere scortese.

«Insomma racconta, racconta... Sei sposato?»

«Non ancora.»

«Ah, dunque ti sposerai?»

«Forse, quando sarò grande» disse Bordelli, sorridendo.

«Rodrigo ha sposato una bella donna, mi ha detto zia Camilla.»

«Sì, molto bella, anche simpatica.»

«Mi manca molto Firenze... I pranzi con i tuoi genitori, le gite in carrozza, le Cascine...»

«È tutto molto diverso, adesso» disse Bordelli. Continuarono a parlare dei tempi andati, accennando a parenti e amici, rievocando aneddoti di famiglia ormai mitici, sorridendo e soffrendo, come accade quando si torna nel passato. In un momento di silenzio, zia Costanza si alzò.

«Aspetta un momento, vado a prendere una cosa» disse. Uscì e tornò con una boccetta di acqua di colonia 4711 e un grosso batuffolo di cotone.

«Non ci credo...»

«Sì sì, vieni qua dalla zietta.» La zia si rimise a sedere, costrinse Franchino a sdraiarsi e ad appoggiare il capo sulle sue ginocchia.

«Zia, se fai così mi metto a piangere» disse Bordelli.

«Zitto zitto, chiudi gli occhi.» Dopo aver imbevuto il cotone con l'acqua di colonia, cominciò a massaggiargli la cute, piano piano, avanzando lentamente in mezzo ai capelli, come faceva quando lui era bambino.

«Oddio...» mormorò Franco. Era bellissimo, commovente, e in pochi minuti affondò in un torpore che annullava la cognizione del tempo... Gli sembrava quasi di sentire di lontano le voci della mamma e del babbo, dei parenti che non c'erano più... i nonni... zia Camilla... zia Cecilia, zia Vittorina, zia Ilda... Erano ancora tutti a tavola, nella grande sala da pranzo, chiacchieravano e a momenti ridevano, la parlata fiorentina e quella bolognese si intrecciavano... lui intanto girava per la casa insieme a Rodrigo, esploravano ogni stanza immaginando di vivere avventure pericolose, rassicurati da quelle voci che arrivavano dal tinello... Dopo pranzo c'era chi riordinava la cucina, chi andava in camera a fare un riposino, chi si metteva a leggere un libro, chi sonnecchiava in poltrona... Zia Costanza lo prendeva per una mano e lo portava su quello stesso divano, davanti al camino acceso, lo faceva sdraiare con il capo sulle sue ginocchia e gli massaggiava la cute con un batuffolo di cotone imbevuto di acqua di colonia 4711... E la stessa identica cosa succedeva assai più spesso in estate, a Marina di Massa, nel villino liberty delle zie... A volte, invece di stare in silenzio, zia Costanza, allora giovinetta, gli raccontava sottovoce antiche storie di fantasmi, di principi innamorati, di streghe... Lui si addormentava, ma non del tutto, e il massimo del piacere stava proprio in quello... Sentire la voce della zia, mentre il batuffolo di cotone andava su e giù tra i suoi capelli... e dopo, per molte ore, a momenti sentiva nel naso il profumo dell'acqua di colonia, mischiato all'odore del vestito della zia e a quello del tessuto del divano...

« Tra poco arrivano le mie amiche per la canasta » disse zia Costanza.

« Oddio, mi ero quasi addormentato. » Quando Bordelli aprì gli occhi, si stupì di avere sessant'anni, di non sentire la voce di sua mamma nell'altra stanza, di non essere nel villino liberty di Marina di Massa, di non avere i calzoni alla zuava... a cui lui spesso sfondava una tasca per riempire il pantalone di caramelle. Si tirò su con un lamento, facendo fatica a ritrovare la bussola... Una folata di vento aveva attraversato il tempo portandosi dietro gli odori del passato.

« Franchino, lo so bene, lo so bene... che sei un filibustiere... »

Guidando sull'autostrada verso Firenze si sentiva ancora stordito da quella mezz'ora di sonnolenza sul divano. Gli sembrava di aver fatto davvero un'incursione nel passato, e una parte di lui era ancora sdraiata su quel divano. Quando era uscito dalla casa della zia e si era chiuso dietro il portone del palazzo, era stato come svegliarsi da un sogno. Nell'abitacolo del Maggiolino si era diffuso il profumo delicato ma deciso dell'acqua di colonia. Se fosse andato fino in Antartide, o avesse addirittura viaggiato con l'Apollo 11 fino alla luna e fosse tornato in giornata, non avrebbe avuto la sensazione di essere andato più lontano. Si sentiva spaesato, i ricordi si sovrapponevano, si sparpagliavano nella sua mente... Aveva ragione Sant'Agostino, quando parlava della grande potenza della memoria, paragonandola a una cripta profonda e sconfinata della quale non si può toccare il fondo... come se la mente fosse troppo angusta per contenere se stessa.

Zia Costanza gli aveva dato una busta con dentro alcune vecchie fotografie di quando lui era bambino, al mare, con babbo e mamma. Le aveva cercate apposta la sera prima per dargliele, ma lui non aveva ancora avuto il coraggio di guardarle, e le aveva chiuse nel portaoggetti.

Quando pensava alla sua infanzia si vedeva da fuori, come se lui fosse un altro, e gli faceva tenerezza vedere quell'esserino con il capo un po' grosso e gli occhi curiosi che si aggirava nel mondo, senza sapere ancora nulla di quello che avrebbe vissuto, senza sapere che avrebbe visto morire tanta gente, che avrebbe ammazzato dei soldati per non farsi ammazzare... Anche con il Franco degli anni di guerra gli succe-

115

deva la stessa cosa, si vedeva da fuori, come se fosse un altro... Vedeva un trentenne con il mitra in mano, scavato in viso, abbronzato dal sole, nervoso, sempre con la sigaretta in bocca, che raccoglieva i brandelli dei compagni saltati su una mina, che correva verso i nazisti sparando, che amputava con l'accetta gambe e braccia maciullate nella speranza quasi sempre vana di salvare un ferito... Una volta aveva sognato di incontrare se stesso a quell'età, e si erano guardati negli occhi sorridendo.

« Ciao comandante, salutami i vivi e i morti del San Marco. »

« Sarà fatto, commissario. Ma tu stai in guardia, che di nazisti ce ne sono ancora molti. »

« Eh già... lo so... hai ragione, hai ragione... »

Lentamente dalla nebbia della memoria emerse il presente, i coniugi Tataranni con gli occhi vuoti e rassegnati, Carmela mezza nuda nel fossato... il suo cadavere, disteso sul tavolo di Medicina Legale, che non aveva nemmeno visto.

Quando era vicino a Firenze ricominciò a piovere, ma sopra la linea dell'orizzonte si vedeva una striscia di cielo limpido abbagliata di sole, e in modo del tutto irragionevole quell'immagine gli provocò un brivido di ottimismo, come se avesse visto la classica luce in fondo a una galleria infinita. Ma non durò a lungo, e poco dopo si sentì di nuovo scoraggiato. Non aveva in mano nulla di concreto, e anche se la ragazza della telefonata anonima avesse richiamato... Chissà, magari nemmeno lei sapeva molto di più di quel che aveva già detto.

Alle cinque e venti entrò nel suo ufficio e si lasciò andare sulla sedia, cercando di riflettere sul da farsi. Aveva in mano pochi elementi, e doveva capire qual era il modo migliore di usarli. La mattina dopo poteva andare insieme a Piras sul luogo del ritrovamento, per esplorare le strade che si diramavano là intorno e avvicinarsi alle case, alle ville, alla ricerca di qualche traccia... Ma forse andare così a tentoni non aveva molto senso. Il cadavere poteva essere stato scaricato in quel fossato perché la ragazza era morta non troppo lontano da lì, ma poteva anche essere morta assai più lontano. Immaginava spesso che l'ipotetica festa si fosse svolta a cento o duecento chilometri da Passo dei Pecorai... Pensava, rifletteva, metteva in ordine i ragionamenti, cercava di immedesimarsi in quei signori che avevano gettato via il cadavere di Carmela come un sacco dell'immondizia... Ormai conosceva ogni particolare dell'Annunciazione che abbelliva la parete del suo ufficio, e gli sarebbe mancata. Due giorni alla pensione, porca miseria. Non poteva lasciare quel caso in sospeso, non avrebbe mai digerito una cosa del genere. Ci pensò ancora un attimo, poi si decise. Uscì dal suo ufficio, fece tutto il corridoio a grandi passi e andò a bussare alla porta del questore.

«Avanti...»

«Buonasera, capo.»

«Bordelli, che piacere» disse Di Nunzio, andandogli incontro come se fosse un vecchio amico. Dopo una bella stretta di mano si accomodarono sulle poltroncine.

«Devo chiederle un favore, capo.»

«Mi dica.»

«Il due di aprile vado in pensione, ma prima vorrei risolvere l'omicidio di quella ragazza... Non credo di metterci molto...» disse, fingendo di essere già a buon punto.

«Vada avanti.»

«Se possibile vorrei una... proroga.»

«Ah...»

«Se non è un problema, ovviamente.» Era davvero sulle spine.

«Quanti giorni?» chiese Di Nunzio.

«Non posso saperlo con certezza, ma se me lo consente vorrei continuare su questo caso fino alla fine» azzardò Bordelli. Intanto pensava che se non fosse stato possibile, in un modo o nell'altro sarebbe andato avanti lo stesso, magari cercando di far assegnare il caso a Piras, come sua ultima volontà e decisione prima di chiudere la propria carriera di sbirro. Il questore unì le dita delle mani, fissandolo, e si mise a pensare facendo oscillare appena il capo. Bordelli aspettò con pazienza, senza mai distogliere lo sguardo dagli occhi del questore. Passò quasi un minuto, poi Di Nunzio emise il verdetto.

« D'accordo, dopo il due di aprile vada pure avanti, faccia finta di essere ancora in servizio. Però vorrei essere informato giorno per giorno. »

« La pistola e la tessera? »

« Le tenga pure, se salta fuori qualcosa me ne assumerò la responsabilità. »

« Grazie, capo » disse Bordelli, alzandosi.

« Di niente. » Si alzò anche il questore, e lo accompagnò alla porta.

« Non ci metterò molto » disse il commissario, per incoraggiare soprattutto se stesso.

« Dopo che avrà risolto il caso andiamo a cena insieme? » disse il questore, dandogli una pacca sulla spalla.

« Volentieri... » Un ultimo cenno d'intesa, e si separarono. Tornando verso il suo ufficio Bordelli pensava che il dottor Di Nunzio era proprio un questore originale, e dimostrava che per essere autorevoli non serviva l'inflessibilità, bastava la simpatia.

Si sedette di nuovo dietro la sua scrivania, un po' sollevato, e continuò a riflettere. Voleva venirne a capo il prima possibile... Dopo quegli ultimi tre giorni di servizio avrebbe lavorato quasi clandestinamente, anche se con il consenso del questore. Doveva farcela, porca puttana. Non era un omicidio premeditato, ma era comunque una faccenda grave e odiosa: uso e cessione di stupefacenti, omissione di soccorso, occultamento di cadavere, probabilmente omicidio colposo... Oddio quanto si sentiva stanco. Era andato a letto tardi, si era alzato alle sei e mezzo, aveva fatto quasi trecento chilometri in macchina, e non aveva più vent'anni. Per quella sera era meglio sgombrare la mente da quella faccenda, rischiava solo di girare a vuoto. Doveva passare una serata tranquilla, fare una bella dormita, e la mattina dopo sarebbe ripartito per la caccia con più energia.

Stava per andarsene, invece restò seduto e si mise a pensare a quello che avrebbe portato via dall'ufficio. Ancora una volta aprì i cassetti, uno dopo l'altro, dove aveva lasciato solo le cose che voleva tenere... Dio mio, un altro viaggio nella memoria. Forse doveva mettere tutto in una scatola e portare via quelle carabattole senza perdere tempo a guardarle. E una sera più adatta, davanti a un bel fuoco, avrebbe imboccato la strada dei ricordi con una bottiglia di vino accanto, magari insieme a Eleonora, per rendere l'operazione più piacevole... Ma sì, una bella scatola di cartone, nemmeno troppo grande... Immaginava la scena, apriva i cassetti, li rovesciava dentro la scatola riuscendo ogni tanto a decifrare qualche brandello di memoria... Si affacciò una guardia, disse che avevano ammazzato un uomo in piazza della Signoria, anzi, forse due... Subito dopo si affacciò un'altra guardia, e disse che avevano ammazzato quattro donne davanti alla basilica di San Miniato... Ma lui disse che non poteva, c'era un cavallo che lo stava aspettando davanti alla questura per portarlo nel 1922... Si affacciò ancora una guardia, per dire di un altro omicidio commesso dentro il Cimitero degli Inglesi, e subito dopo ne saltò fuori un altro, un ragazzo trovato in cima a un albero... *Non posso, ho un cavallo che mi aspetta, devo fare un salto nel '38...* Vennero tre guardie, ognuna aveva un omicidio da annunciare... *Devo andare, un cavallo mi aspetta per portarmi nel '44...* Il suo ufficio si riempì di guardie, di ispettori, di commissari, di questori, tutti gridavano annunciando omicidi di ogni tipo... *No no no, c'è un cavallo, c'è un cavallo, non posso farlo aspettare, devo andare a zonzo nel tempo...* Ma tutti volevano trascinarlo fuori, volevano portarlo a vedere i cadaveri e il sangue, e gridavano, gridavano... e quelle grida diventavano un grido solo, sempre più acuto, sempre più stridulo... Aprì gli occhi e afferrò il telefono, con il respiro affannato...

« Sì? » Ma il telefono squillava ancora... Era quello della linea interna.

« Pronto? »

« Dottore, c'è una signorina che chiede di lei » disse una guardia.

« Va bene, passamela... »

« Non è al telefono, è venuta qui. »

« Come si chiama? »

« Dice che vuole parlare con lei, per via di quella ragazza morta. »

« Accompagnala su » disse Bordelli, sentendo una vampata di calore nelle caviglie. Riattaccò e si ravviò i capelli. Aveva un po' d'affanno, non solo per il risveglio violento. Andò a guardarsi nel vetro della finestra, per controllare se si vedeva che si era appena svegliato... La ragazza che stava arrivando nel suo ufficio era la stessa che aveva telefonato qualche giorno prima? O un'altra amica della bolognese? Per l'impazienza andò ad aprire la porta, e poco dopo in fondo al corridoio vide avanzare una ragazza bionda e magra, con i capelli legati, un po' più alta della guardia che l'accompagnava. Rimase ad aspettarli, e più si avvicinavano e più la ragazza diventava bella. Sì, era decisamente bellissima, come Mélodie. Vent'anni o poco più, come Mélodie... Era vestita in modo semplice, scarpe basse, jeans, un cappottino beige.

« Buonasera » disse lei, smarrita.

« Buonasera. » Bordelli la invitò a entrare, e con un cenno disse alla guardia che poteva andare. Chiuse la porta, aiutò la ragazza a togliersi il cappotto e la fece accomodare sulla sedia davanti alla scrivania. Quando una persona è agitata, è meglio se prima di parlare si mette a sedere. Lui invece rimase in piedi, e con aria tranquilla andò ad appoggiarsi alla ringhiera che proteggeva l'affresco. La ragazza dovette voltarsi per guardarlo. Sbatteva gli occhi più del normale, e teneva le mani avvinghiate alla sua bella borsetta. Forse era combattuta, o lo era stata. Sembrava molto fragile, quasi sul punto di

120

spezzarsi in due. Aveva un viso fine, e lo sguardo smarrito non toglieva luce ai suoi occhi. Bordelli non voleva spaventarla, o forzarla. Stava in silenzio, aspettando con pazienza che lei dicesse qualcosa. E finalmente la ragazza parlò.

« Sono io che le ho telefonato, giovedì » disse vagamente impaurita, come se si aspettasse di essere sgridata.

« Immaginavo. »

« Mi scusi se ho riattaccato, ma ero confusa. »

« Non si preoccupi. Come si chiama? »

« Aurora... »

« È il suo vero nome? »

« No, mi scusi. Mi chiamo Orlanda... Orlanda Faccioni. »

« Immagino che sia una modella, come Mélodie. »

« Sì... »

« Se adesso non mi avesse trovato? »

« Ho chiamato nel primo pomeriggio, mi hanno detto che quasi certamente prima di cena sarebbe passato dall'ufficio. »

« Cosa voleva dirmi? »

« Sono sconvolta da quello che è successo... Conoscevo poco Carmela, non abbiamo fatto in tempo a diventare grandi amiche, ma se qualcuno le ha fatto del male... » La frase le si frantumò nella gola, e trattenne il pianto. Bordelli decise di mentire, per assicurarsi una collaborazione più decisa. Adesso che aveva una pista, non poteva lasciarsela sfuggire. Forse era una mossa da figlio di puttana, ma non aveva molto tempo e non voleva correre il rischio che la ragazza non gli raccontasse le cose fino in fondo.

« Sul giornale non è stato scritto, ma dall'autopsia risulta che sia stata seviziata, violentata e poi strangolata » disse. La ragazza ebbe come una scossa, e per non scoppiare a piangere si morse forte un labbro, ma non poteva certo impedire che dagli occhi le uscissero le lacrime. Il commissario era contento che piangesse, e non perché le belle ragazze quando piangono sono ancora più belle. Era contento perché chi piange riesce a smaltire un po' di tensione, e dopo, se vuole raccontare qualcosa, la racconta meglio. Aspettò che si fosse calmata, poi le si avvicinò e con aria paterna le mise una mano sulla spalla.

«Lei sa chi è stato a ucciderla?»

«No... cioè... oddio, è tutto così orribile... così complicato...»

«Non c'è fretta.»

«Ho paura... e se poi... Dio mio, non voglio che mia mamma...»

«Non c'è bisogno di agitarsi.»

«Mi scusi...»

«Vorrei solo dirle che... Se mi racconta quello che sa, forse può aiutarmi ad arrestare chi l'ha uccisa» mormorò Bordelli, con un tono dolcissimo, assai più adatto a una frase del tipo... *Se non dici bugie ti porto alle giostre.* La ragazza questa volta scoppiò a piangere... Di dolore? Di rabbia? Di paura? O forse per lo smarrimento? Bordelli andò a sedersi dietro la scrivania e alzò il telefono interno.

«Desidera qualcosa dal bar? Un caffè? Un succo di frutta?»

«Sì, grazie... un succo... qualsiasi...» disse lei. Bordelli chiese alla guardia di andare a prendere un caffè e un succo di pera. Poi si scusò, uscì dall'ufficio e lasciò la porta aperta. Era meglio se la ragazza rimaneva un po' da sola, per calmarsi, per tranquillizzarsi. Il commissario sentiva che Orlanda-Aurora sapeva molte cose. Non voleva metterle fretta o starle troppo addosso, per non spaventarla, per non rischiare che si irrigidisse e magari gli nascondesse qualcosa... Perché qualcosa da nascondere doveva averlo, ne era quasi sicuro. Voleva farla sentire il più possibile a suo agio, magari prometterle qualcosa. Non poteva rischiare di sprecare quell'occasione. Arrivò in fondo al corridoio, voltò l'angolo e si mise a passeggiare su e giù in attesa della guardia, tendendo l'orecchio per sentire se la ragazza lo chiamava.

Quando arrivò la guardia, la ringraziò e prese in consegna il vassoietto. Tornò in ufficio e chiuse la porta. Orlanda aveva smesso di piangere. Non aveva più bisogno di afferrarsi alla borsetta, e l'aveva agganciata alla sedia. Il commissario le avvicinò il vassoio.

«Ecco qua il succo... Come si sente?»

«Bene...» disse lei, anche se il tono era inadatto a quella parola. Bordelli si sedette sulla sedia accanto a lei, mandò giù il caffè e fece un sorriso incoraggiante.

«Facciamo un patto?» le chiese. La ragazza lo guardava con gli occhi rossi, aspettando il seguito.

«Le do la mia parola che il suo nome resterà segreto, non verrà coinvolta come testimone, nessuno saprà nulla di quello che dirà in questa stanza. E se avesse commesso qualche piccolo reato, faremo finta di niente. Ma deve raccontarmi tutto, senza tralasciare nessun dettaglio... Cosa ne pensa?» disse. Orlanda fece un sospiro che sembrava di sollievo.

«Sì...» disse, con uno sguardo pieno di gratitudine. Finì di bere il succo, e quando rimise il bicchiere sul vassoio le tremava un po' la mano. Chiuse gli occhi per qualche secondo, e quando li riaprì cominciò a raccontare...

Orlanda Faccioni era di Pistoia, e viveva ancora con i genitori. Aveva conosciuto Carmela due anni prima, a Firenze, mentre aspettavano di fare un provino per una pubblicità di reggiseni. Carmela era simpatica, allegra, e anche piuttosto spregiudicata. Si erano riviste per caso a un altro provino, a Bologna. Carmela aveva cominciato a parlare un po' di sé, a confidarsi. Diceva sorridendo che per diventare ricca era disposta anche a sposare un miliardario vecchio e brutto, e sotto lo scherzo si intuiva la verità. Sapeva di essere bellissima, e prima di sfiorire voleva sfruttare fino in fondo quel regalo di madre natura. Era nata a Bologna, ma i suoi genitori erano del Sud. Condivideva con Orlanda un nome non troppo adatto a una modella, e tutte e due avevano scelto d'inventarsi un nome d'arte. Ma Orlanda non si preoccupava troppo di nascondere il suo vero nome, mentre Carmela diceva alle agenzie di pubblicità, e soprattutto agli uomini, di chiamarsi davvero Mélodie. Quando poteva si faceva passare per una ragazza dell'alta borghesia, cresciuta nel lusso, e si era inventata due genitori stranieri sempre in viaggio per lavoro. Una madre francese, sarta teatrale per importanti opere liriche, e un padre spagnolo, dirigente di una banca estera. Non avrebbe mai fatto conoscere alle sue amiche i suoi veri genitori, nati contadini in Basilicata e diventati operai alla Ducati di Borgo Panigale. Due genitori d'oro, diceva Carmela, due angeli che si erano spezzati la schiena per pagarle gli studi, per non farle mancare nulla, tenendo per loro ogni preoccupazione... Erano addirittura riusciti a viziarla, ma che poteva farci se lei si vergognava di loro? Erano rozzi, ignoranti, non come i genitori di certe sue amiche modelle, che erano dei gran signori. Carmela era dispiaciuta per questa faccenda, ma era più forte di lei. Non portava mai nessuno a casa, non voleva far sapere ai suoi amici in che razza di famiglia era cresciuta, non voleva che vedessero quei due poveri emigrati dei suoi genitori. Da un paio d'anni Carmela guadagnava bene e poteva abitare da sola, ma quando stava ancora dai suoi genitori e un ragazzo la riaccompagnava a casa, si faceva lasciare in centro, davanti a un bel palazzo, poi tornava a casa con una bicicletta che teneva là vicino. Non le dispiaceva andare a trovare i genitori e le sue sorelle, a cui voleva un gran bene. Ogni tanto con la famiglia passava momenti piacevoli, addirittura si divertiva, ma se soltanto immaginava di invitare qualcuno a casa, arrossiva. Con Orlanda aveva parlato apertamente perché le loro famiglie un po' si somigliavano, e anche perché con lei aveva legato subito, ma le aveva fatto giurare di non dire a nessuno quello che le aveva raccontato.

Si erano scambiate i numeri di telefono, ogni tanto si sentivano. La confidenza aumentava, ma non troppo, perché si vedevano davvero poco, forse ogni due o tre mesi.

Un giorno Carmela le aveva telefonato per chiederle se le

andava di passare insieme a lei a una serata un po' speciale, sulle colline di Bologna.

«Ci danno un bel po' di soldi» aveva aggiunto, allusiva.

«Per fare cosa?»

«Per cenare con dei ricchi signori e ballare un po' con loro. Agli uomini piace stare in compagnia di belle ragazze come noi, e comunque ce ne saranno altre, una decina in tutto, forse di più.»

«Ma tu hai già fatto queste cose?»

«Certo, un sacco di volte. Sennò come me lo pago l'affitto dell'appartamento? Con le pubblicità? Lo sai anche tu quanto ci pagano per fare quelle stupide foto... Allora che fai? Vieni con me? Dai che ci divertiamo, e in più ci pagano... Mica male, no?»

«Non so...»

«Dai... Di che ti preoccupi? Ci sono io, non facciamo nulla di male.»

«Va bene... Se mi assicuri che non ci chiedono nulla di strano, vengo.»

«Macché strano, facciamo una bella cena, beviamo champagne e torniamo a casa con duecentomila lire... per uno.»

«Cosa? Duecentomila?»

«Eh già... Adesso che mi dici?»

«Be', vale la pena di provare» aveva detto Orlanda. Il giorno della festa era andata in treno fino a Bologna, e Carmela era passata a prenderla con una 500 rossa nuova di zecca. Era sua, l'aveva appena comprata con i soldi che guadagnava con quelle serate. Mentre salivano su per una collina, un po' fuori città, Carmela le aveva spiegato altre cose.

«Ci dobbiamo mettere dei cappellini con le paillettes, mascherine da Carnevale, tacchi a spillo e vestitini sexy, praticamente mutandine e reggiseno.»

«Questo non me l'avevi detto.»

«Dai, che te ne importa, è solo per giocare... Quante vol-

*te hai posato con la biancheria intima? E poi vedrai, sono
simpatici, e anche molto generosi.»*

«Se fanno cose strane me ne vado.»

*«Non te ne andrai, ci scommetto» aveva detto Carmela,
passandole un dito sulla guancia. E così Orlanda e Carmela erano arrivate alla villa, che a loro sembrava una reggia, e
sfilarono davanti a un grande parcheggio dove nella penombra lunare, tra gli olivi, brillavano auto da sogno... Porsche,
Maserati, Ferrari, Lamborghini, e avevano lasciato la 500
insieme alle macchinine delle altre ragazze... 850, Simca
1000, Prinz, Mini Morris... Un cameriere occhieggiante le
aveva accompagnate in una stanza per cambiarsi.*

*«Oddio, che bel seno hai!» aveva detto Carmela, veden-
do la sua amica come mamma l'aveva fatta.*

«Senti chi parla...»

*Poco dopo Aurora e Mélodie avevano fatto il loro ingres-
so alla festa, quasi nude. C'erano diverse altre ragazze, più o
meno una decina, tutte bellissime, tutte vestite di «nulla»
come loro due. Orlanda aveva notato che gli uomini erano
solo sette, tutti vecchi di sessant'anni...*

«Oh, mi scusi...» mormorò Aurora, con una mano sulla
bocca.

«E di cosa? Guardi che li porto male, ma ho trentacinque
anni» disse il commissario, e con soddisfazione vide che era
riuscito a strapparle un'ombra di sorriso.

*Insomma i sette uomini erano sulla sessantina, tutti con la
fede al dito, e durante la cena avevano cominciato ad allun-
gare un po' le mani. Lo champagne scorreva senza tregua,
era sbucata fuori anche la cocaina, e le ragazze ridevano, si
difendevano ma non troppo... Aurora aveva rifiutato di provare la cocaina, però a un certo punto si era ritrovata ubriaca, le girava la testa, si sentiva scema e leggera anche lei, ma
non abbastanza da farsi fare qualunque cosa. Alcune delle*

ragazze invece si erano lasciate spogliare del tutto e anche toccare... Ecco che saltavano fuori altri soldi, e le risatine si facevano sempre più stupide... Non era comunque facile tenere a bada le mani di quegli uomini, e per non guastare la serata anche Aurora aveva concesso qualcosa, fermandosi prima che il gioco oltrepassasse un certo limite.

Dopo cena quattro ragazze erano salite al piano di sopra, mentre gli uomini, uno dopo l'altro, erano saliti tutti e sette... e quando poco dopo erano tornati a tavola con i vestiti spiegazzati, avevano l'aria tra il beato e il colpevole. Tra quelle quattro ragazze che erano salite di sopra, Aurora non c'era, Mélodie invece sì.

Quando alle tre di notte la serata era finita, le due amiche erano salite sulla 500 stordite come se avessero fatto a pugni.

«Se ci ferma la polizia...» aveva detto Orlanda, e Carmela si era messa a ridere.

«Mi è già successo, ma ho trovato il modo di non farmi strappare la patente» aveva detto, facendo un gesto inequivocabile.

«Tu sei matta...» aveva detto Orlanda, e Carmela era scoppiata a ridere.

Scendendo verso Bologna, a un certo punto Orlanda aveva chiesto alla sua amica di fermare la 500, era uscita e aveva vomitato sul bordo della strada. Un po' per l'alcol, un po' per le curve, un po' per la serata. Ma nella borsetta aveva duecentomila lire, e per una cifra così un po' di nausea si poteva accettare. Carmela aveva guadagnato il doppio. E quando Orlanda le chiese come faceva ad andare a letto con un uomo che non le piaceva, e addirittura con quarant'anni più di lei, alzò le spalle.

«Non è difficile. Niente baci e un bel preservativo. E comunque è durato pochissimo, so come fare. Poi a casa mi faccio un bel bagno e mi dimentico tutto.»

«Non so se ce la farei.»

127

«*Fai come vuoi, ma a volte in una sera ho guadagnato settecentomila lire.*»

«*Cosa? Ma come si fa a pagare così tanto solo per...*»

«*Guarda che per gente come quella sono spiccioli, come per noi un pacchetto di chewing-gum.*»

«*Ma che fanno nella vita, per guadagnare così tanto?*»

«*Fabbriche, banche, finanza, magari qualcuno anche cose poco pulite, ma che me ne importa? Una sera uno mi disse che guadagnava centomila lire al minuto.*»

«*Che sbruffone, non ci credo.*»

«*Ci crederesti eccome, se tu vedessi il suo aereo personale*» aveva detto Carmela. *Anche lei un giorno avrebbe avuto un aereo così, e anche uno yacht di trenta metri, e ville in tutto il mondo, camerieri a disposizione, e avrebbe passato le giornate in giro per negozi. Doveva solo trovare l'uomo giusto e farsi sposare. Ma prima voleva guadagnare molti soldi e divertirsi, come quella sera. Aurora aveva scosso il capo.*

«*Non mi sono divertita molto, devo dire. Però quei soldi mi fanno comodo.*» *Non disse a Carmela che si sentiva un po' puttana, anche se non era andata a letto con nessuno.*

Avevano dormito a casa di Carmela, tre stanzette in centro, in vicolo Ranocchi. Orlanda si ricordava bene il nome della strada, perché era buffo. Si erano fatte un bel bagno, poi erano crollate. La mattina dopo Orlanda era andata a piedi alla stazione, e per pranzo era già a casa dai genitori. Si sentiva un po' strana, e quella sera aveva pianto. Ma la mattina dopo si era svegliata di buon umore, ed era andata in centro a comprarsi un paio di scarpe bellissime.

«Dovrei andare un minuto in bagno» mormorò Orlanda, con il viso stravolto. Sembrava più angosciata di quando era arrivata.

«Certo, ma in questi casi la procedura esige che lei sia prima perquisita e poi accompagnata» mentì Bordelli.

« Accompagnata... dentro il bagno? » disse Orlanda, allarmata.

« Sì, ma non si preoccupi, abbiamo guardie femmine. »

« Ah... »

« Ne faccio chiamare subito una. » Bordelli telefonò sulla linea interna, disse che aveva estrema urgenza di una guardia donna e andò ad aspettarla nel corridoio, senza perdere di vista la ragazza. Si era inventato quella procedura per due motivi: il primo era la paura, quasi certamente esagerata, che Orlanda, per la tensione del racconto (oltretutto entrando in un bagno così brutto e deprimente), potesse commettere una pazzia. Sentiva ancora bruciare nella coscienza quello che gli era successo nel '66, quando un ragazzo, dopo aver confessato di essere colpevole di un orribile delitto insieme ad altre tre persone, si era gettato dalla finestra davanti ai suoi occhi. Non si poteva certo evitare che fuori dalla questura la ragazza infierisse contro se stessa, ma sicuramente, dopo aver ascoltato fino in fondo il suo racconto, si poteva capire se e quanto si sentisse in colpa, o se addirittura era implicata nella morte della sua amica. Ma voleva anche farle sentire la vicinanza e l'incoraggiamento di una donna, che in un ambiente così tradizionalmente maschile, come era la questura, poteva forse un po' rassicurarla, e magari farla sentire protetta. Guardò l'ora, erano quasi le nove. Si sentiva stanchissimo e aveva una gran fame, ma doveva avere pazienza, aspettare che Orlanda arrivasse in fondo a quella storia... e senza omettere nulla.

Poco dopo arrivò a passo svelto una ragazza in divisa, bassina e cicciottella, con lo sguardo marziale e i capelli biondi raccolti sotto il cappello.

« Agli ordini, dottore » disse, facendo il saluto e sbattendo i tacchi.

« Comoda... » Bordelli le disse sottovoce la bugia che aveva inventato alla ragazza, e le spiegò che doveva coccolarla, incoraggiarla, farla sentire tranquilla.

129

«Ci penso io, dottore.» La guardia entrò nell'ufficio del commissario, e quando vide Orlanda dilatò gli occhi come per dire: proprio io devo accompagnare in bagno questo schianto? Poi non batté più ciglio, ed eseguì il proprio dovere con spirito di sacrificio. Perquisì sommariamente Orlanda, molto gentilmente, e la scortò fino al bagno camminando dietro di lei per non sentirsi troppo osservata. Bordelli conosceva solo di vista le poche guardie donne che lavoravano in questura, soprattutto nella Buoncostume, ormai indispensabili per le perquisizioni delle femmine, ma non aveva occasione di lavorare con loro, non sapeva nemmeno i loro nomi.

Le due ragazze tornarono poco dopo, la guardia «riconsegnò» quella bellezza al commissario, lanciandogli una rispettosa occhiata d'intesa, e dopo il saluto militare se ne andò chiudendosi dietro la porta.

«Grazie... Anna è davvero gentile» disse Orlanda, rimettendosi a sedere.

«Di chi parla?»

«Della guardia che mi ha...»

«Ma certo, so bene che è gentilissima.»

«Mi ha portato anche un bicchier d'acqua» aggiunse la ragazza. Bordelli voleva che Orlanda si sentisse perfettamente a suo agio, non giudicata, anzi capita e apprezzata.

«È stanca? Vuole interrompere?» azzardò, sperando che invece volesse continuare.

«Sì... no... sono stanca, sì... ma non voglio smettere...»

«Bene, l'ascolto.»

«Sì...» Orlanda si soffiò il bel nasino, poi continuò.

A quella serata ne erano seguite altre, quasi tutte nei dintorni di Bologna. Erano sempre dei riccioni di una certa età, alcuni raffinati e gentili, altri invece cafoni arricchiti. Ma tutti pagavano bene. Aurora si tappava il naso e andava avanti. Aveva provato la cocaina, e le era piaciuta non poco. La faceva sentire invincibile, lucidissima, capace di affrontare

qualunque difficoltà... e così un paio di volte anche lei era
« salita di sopra ». Non era stato certo piacevole, ma nemme-
no troppo disgustoso. Aveva ragione Carmela: durava poco,
non ti chiedevano baci, il preservativo evitava un vero con-
tatto, e un bagno caldo lavava via ogni cosa. E soprattutto la
borsetta si riempiva di soldi. Dopo le serate dormiva a casa
di Carmela. Ai suoi genitori diceva che andava a una festic-
ciola e poi restava a dormire da un'amica... Più o meno era la
verità.

Finché una sera Carmela le aveva telefonato tutta eccitata
per proporle una serata vicino a Firenze, in campagna, in
una bellissima villa nel Chianti. Lei c'era già stata un'altra
volta. Questi però non erano vecchi, no no no... Erano quat-
tro ragazzi tra i venti e i venticinque anni, belli, eleganti,
sfrontati, viziati e temerari, insomma dei simpatici mascal-
zoni, figli di persone immensamente importanti, ricchi da fa-
re schifo, e con le mani così bucate che dove camminavano
seminavano soldi. Le loro serate erano davvero originali...
Quando ci era andata lei si erano vestiti tutti come negli
anni Venti... I ragazzi con le giacche a righe da gangster,
le bretelle, il panciotto, la cravattona, il borsalino, le scarpe
lucide, il fiore all'occhiello, la fondina con la pistola, finta
ovviamente... Un paio di quei ragazzi sapevano suonare il
pianoforte... Le ragazze ballavano il charleston con le gon-
nelline a frange e le paillettes, le calze a rete, i guanti fino
al gomito, il boa di struzzo, il bocchino lunghissimo e le ma-
scherine da Zorro... Poi c'era stato il momento dello spoglia-
rello... Divertentissimo... Poi la solita cosetta in camera, ve-
loce veloce, nulla di che, insomma una sveltina, o meglio
una sveltissima... E alcune ragazze non avevano fatto nem-
meno quello, perché tra champagne e droghe spesso i ragazzi
crollavano e si addormentavano... Un'altra volta, le avevano
raccontato, si erano vestiti da antichi romani... E una volta
da cavalieri della Tavola Rotonda... Però le mascherine da
Zorro erano sempre obbligatorie, perché le ragazze dovevano

restare anonime... I fiumi di champagne non mancavano mai, e nemmeno le droghe da fumare e la cocaina, come sempre...

«Cinquecentomila lire, solo per cominciare, poi chissà» aveva detto Carmela.

«Oddio, ma è un'enormità!»

«Pensi di non valere cinquecentomila lire?»

«Non dicevo questo...»

«Allora che fai? Ci vieni?» aveva insistito Carmela. E Orlanda aveva accettato, per i soldi ma anche per curiosità.

«Quand'è la serata?» aveva chiesto.

«La prossima domenica... Truccati da schianto, mi raccomando.»

«Dovrò farlo dopo che sono uscita, non posso farmi vedere in quel modo dai miei.»

«Adesso puoi permetterti di affittare un appartamento, come ho fatto io. E magari tra un po' ce lo compriamo.»

Quel giorno, domenica ventidue marzo, era arrivato. Si erano viste alla stazione di Firenze a fine pomeriggio, poco dopo il tramonto. Carmela era in piena forma. Bellissima, truccata come un'attrice, vestita elegante ma provocante. Anche Orlanda si era vestita in quel modo, nel bar della stazione di Pistoia, e in treno aveva sentito gli occhi che le si appiccicavano addosso come ventose. Ma in coppia erano ancora più appariscenti, una bionda e l'altra mora, alte uguali, magre, slanciate... Per la strada gli uomini spalancavano la bocca senza saperlo, le loro donne li trascinavano via mordendosi le labbra e lanciando anatemi.

Si erano vestite così solo per divertirsi, tanto alla villa avrebbero dovuto cambiarsi... Abiti di scena, come in teatro. Carmela le aveva spiegato come si sarebbe svolta la giornata, che sarebbe stata speciale. Per cominciare sarebbero andate dritte all'Hotel Baglioni a bere qualcosa.

«Addirittura?»

«Ma questa è solo la prima sorpresa, cara mia.» Carmela

disse che voleva passare un po' di tempo al bar di quell'albergo, così per gioco, per farsi vedere... Dovevano fingere di essere due spocchiose ragazze piene di soldi, e avrebbero lasciato sbavare chiunque si fosse avvicinato, senza considerarlo.

«Dai che ci divertiamo.» Quel giorno Carmela sembrava una bambina con tanta voglia di giocare, una bambina che teneva il mondo in mano. Si erano messe gli occhiali da sole ed erano entrate al Baglioni con aria altezzosa. Un cameriere le aveva accompagnate al bar, e aveva preso in consegna i loro cappottini. Si erano sedute sui divanetti, e Carmela aveva ordinato una bottiglia di champagne.

«Ma sei pazza?»

«Shhh, parla piano... Guarda che ce lo possiamo permettere. Te l'ho detto quanto ci danno, stasera?»

«Sì, però...» Erano guardate da tutti, spogliate con gli occhi, desiderate. Era divertente.

«Dopo c'è un'altra sorpresa» aveva detto Carmela.

«Dimmi, sono curiosa...»

«Lo vedrai.» Non finirono la bottiglia, come potevano permettersi di fare i veri ricchi. Fumarono molte sigarette, spegnendole a metà. Il gesto più bello era accenderle, fingendo di non vedere gli sguardi degli uomini dietro le lenti scure.

«Hai fame?»

«Be', un po' sì...» aveva risposto Orlanda.

«Vieni.» Entrarono nel ristorante dell'albergo, dove Carmela aveva riservato un tavolo accanto alla vetrata, con vista sul Duomo e sui tetti di Firenze.

«Oddio che bello!»

«Shhh, non farti sentire e non guardare troppo fuori dalla finestra.»

«Perché?»

«Ricordati che siamo ricche, a queste cose siamo abituate» disse Carmela, togliendosi gli occhiali neri e facendole l'occhiolino.

« È vero, scusa...» Si erano sedute, e anche Orlanda si era tolta gli occhiali da sole, seguendo le mosse della sua amica. Avevano aperto il menu con aria annoiata.

« Hai visto che prezzi?» aveva sussurrato Carmela, senza muovere le labbra.

« Pazzesco...»

« Cosa ti piace? Mi sa che io prendo un bel filetto e un'insalata, e per finire un dolce.»

« Va bene anche a me» aveva detto Orlanda.

« E da bere, ovviamente champagne.»

« Ovviamente... Tanto a conti fatti pagano quei ragazzi, giusto?»

« Vedo che stai imparando» aveva detto Carmela, lanciando un'occhiata circolare alla sala.

« Prima non sapevo nemmeno che sapore avesse, lo champagne» aveva bisbigliato Orlanda, con un sorriso che era una specie di « grazie». Carmela aveva ordinato imitando l'accento francese, poi aveva trattenuto il riso.

« Sai cosa mi ha detto il ragazzo con cui sono andata a letto? Che loro sono tutti e quattro accoppiati. Le loro fidanzate sono bellissime, di famiglie importanti, ma sono terribilmente noiose, non prendono droghe, bevono solo ogni morte di papa, e soprattutto non sanno scopare... Ecco perché fanno queste feste!»

« Due puttane... Eravamo due puttane e ci sentivamo contente, forse anche per via dello champagne. Abbagliate dalla ricchezza, dal lusso, da tutti i soldi che potevamo guadagnare e spendere... mentre i nostri genitori erano nella loro misera casa, a guardare la televisione dopo una giornata di lavoro. Si erano spezzati la schiena come schiavi per tutta la vita... Li rispettavamo, ma non volevamo fare quella fine. Ci sembrava giusto approfittare della nostra bellezza per vivere meglio» mormorò Orlanda, intrecciando con forza le dita. Bordelli la osservava, intenerito. Ripensava alla povera

Diletta, una ragazza che molti avrebbero definito spregiudicata, una bella ragazza a cui piacevano parecchio gli uomini... Ma era una ragazza libera, che lavorava normalmente
e sceglieva con chi andare a letto, che non guadagnava sfrut-
tando la propria bellezza, e non era schiava di un desiderio
di riscatto...

*Avevano finito di cenare. Avevano acceso una sigaretta. Si
era avvicinato un giovanissimo fattorino dell'albergo, piuttosto imbarazzato, e aveva appoggiato sul tavolino una busta
da lettere un po' rigonfia.*

«È per voi» aveva borbottato, arrossendo.

*«Bene» aveva risposto Carmela, altezzosa. Dopo un in-
chino il ragazzo se n'era andato.*

«Che roba è?» aveva chiesto Orlanda.

«Le chiavi della nostra macchina.»

«Quale macchina?»

*«La volta scorsa mi avevano mandato una Mercedes con
l'autista, ma questa volta ho preferito così, volevo provare a
guidare una di quelle macchinone. E poi volevo farti un'altra sorpresa, ci facciamo un giro in centro per farci vedere.»
Carmela era fissata con quella cosa di farsi vedere, di sembrare quella che non era. Diceva che era un gioco, ma sembrava
quasi un'ossessione.*

«Che macchina ci hanno dato?»

*«Lo vediamo subito.» Carmela aveva aperto la busta.
Aveva tirato fuori un cartoncino con il numero della targa
e un portachiavi con il ciondolino dell'Alfa Romeo.*

«Oddio, che bella!» aveva detto Orlanda.

«Shhh...»

«Sì, scusa.»

*Appena si erano alzate dal tavolo, ecco riapparire i cap-
pottini. Erano uscite dall'albergo seguite da mille sguardi,
e poco distante dalla porta avevano trovato una bellissima*

Alfa Romeo coupé rossa. Si erano tolte di nuovo i cappottini e li avevano gettati sul sedile posteriore. Erano entrate con disinvoltura, fingendo che fosse la loro macchina. Il serbatoio era pieno.

« Guarda, c'è il mangiacassette... » aveva detto Carmela, aprendo il portaoggetti.

« Dai, che bello... »

« Vediamo che nastri ci sono... Celentano, Morandi... »

« Peccato che non c'è Don Backy... »

« E nemmeno i Rokes... » Carmela infilò il primo nastro, e dopo un attimo dagli altoparlanti uscirono le prime note della via Gluck... Questa è la storia, di uno di noi, anche lui nato per caso in via Gluck...

« Dio, adoro questa canzone... »

« Si sente benissimo » aveva detto Orlanda, mentre la sua amica metteva in moto l'auto. Un rombo magnifico.

« Dove vuole andare, signorina? » Carmela aveva imitato una voce raffinata.

« Vorrei fare una giratina in centro per vedere i monumenti » aveva risposto Orlanda, con una voce simile. E ridendo erano partite.

« Se penso che poche ore dopo Carmela è morta... » disse Orlanda, scoppiando di nuovo a piangere. Il commissario aspettò con infinita pazienza che la ragazza si calmasse e continuasse a raccontare il seguito di quella storia, che stava arrivando ai momenti decisivi.

Una storia triste come tante altre, pensava... Una storia di ragazze malate di bovarismo, dove il sogno di staccarsi dalle scarpe le zolle dei genitori, per innalzarsi verso altitudini mitologiche, s'impastava con lo squallore di quegli stessi miti. Per carità, era bello e sano cercare di migliorare la propria vita... Ma cosa voleva dire migliorare? Chi decideva cosa volesse dire? Chi aveva la lucidità per capirlo? Bordelli si mordeva le labbra... Forse era anche colpa di come era organizzato il mondo, che da sempre offriva così poco alle giovani donne piene di vita... e quando la povertà andava a braccetto con la bellezza, l'alternativa alla schiavitù del lavoro duro poteva essere la schiavitù ai piaceri e ai vizi dei maschi. Eh sì, nonostante la ribellione dei giovani, dovevano cambiare ancora molte cose. E il cammino era lento, lentissimo. Era scoraggiante. E quando ci scappava una ragazza morta, era tutto ancora più triste...

« Mi scusi... »

« Prego. »

A bassa velocità, accompagnate dalla voce di Celentano, avevano fatto il giro di piazza Duomo... via Calzaioli... piazza della Signoria... Si sentivano delle principesse... piazza Santa Croce... di nuovo piazza Duomo... via Martelli... via Cavour... Erano due Cenerentole sulla zucca trasformata in carrozza... Erano sedute in una macchina che desideravano ma non possedevano, e non potevano decidere di imboccare l'autostrada e andarsene al mare a divertirsi... Orlanda aveva visto sul marciapiedi due belle ragazze bionde vestite con semplicità, probabilmente sorelle, che forse erano cresciute in famiglie simili alla sua, e in quel momento aveva avvertito la distanza che le separava... E per un minuto, solo per un minuto, aveva avuto la sensazione che quelle due sorelle bionde fossero libere, mentre loro due, Aurora e Mélodie, non lo erano... Quella bellissima Alfa Romeo rossa, la musica di Celentano, la cena al Baglioni, lo champagne, il filetto... Tutte queste cose erano le maglie di una solida catena che le teneva legate a quella serata... Venivano pagate per essere condiscendenti, divertenti, sorridenti, ubriache, arrendevoli... Due povere puttane, schiave di un manipolo di rampolli...

« *Ehi, mi senti?* » *aveva detto Carmela.*

«*Scusa, ero distratta...*»

«*Dicevo... Se stasera sparisco per un po' non ti preoccupare, ok?*»

«*Va bene, ma dove vai?*»

«*Te lo racconto domani.*»

«*Basta che non ti metti nei guai.*»

«*So quel che faccio, bimba.*»

«*Fai comunque attenzione, gli uomini non sono tutti uguali.*»

«*Vuoi che non lo sappia?*»

Erano andate fino a Fiesole, avevano preso un caffè con tutta calma e verso le dieci meno venti erano salite di nuovo in macchina, questa volta in compagnia di Gianni Morandi... C'era un ragazzoo, che come mee, amava i Beatles e i Rolling Stoooones... Girava il mondo, veniva da, gli Stati Uniti d'Ameericaaa... *Si sentivano come due dive di Hollywood...*

«*Non immagini quanto ci divertiremo*» *aveva detto Carmela, stringendole una coscia come avrebbe fatto un maschio.*

Erano scese lentamente a Firenze. Avevano imboccato i viali, avevano attraversato l'Arno, erano salite fino a piazzale Michelangelo e avevano continuato sul viale alberato. Si erano lasciate la città alle spalle e avevano preso una strada di campagna per andare verso la villa dei «simpatici mascalzoni». Orlanda non conosceva bene quelle zone, non si orientava. A un certo punto si era sentita avvolgere da un velo di malinconia.

«*Non so quanto andrò avanti con queste serate, mi fanno un po' tristezza*» *aveva detto.*

«*Vai a lavorare per centomila lire al mese, poi mi saprai dire cos'è più triste.*»

«*Lo so, ma a volte mi sento come se fossi una...* (voleva dire puttana, ma non lo disse) *prigioniera.*»

« Quando arriviamo ci beviamo un po' di champagne e vedrai che ti passa. »

« Forse... »

« I miei non fanno che parlare della guerra, della miseria di quei tempi, del mercato nero... Non fanno che ricordare quanto hanno sofferto, della fame che avevano quando c'erano i tedeschi... Raccontano sempre di quando con un uovo mangiavano in cinque... Ma cazzo, dico io, è acqua passata, dopo cent'anni ancora a parlare di quelle cose... Come se fosse colpa mia! Che me ne frega della guerra, adesso non c'è nessuna guerra, 'fanculo... Ho voglia di divertirmi, di vivere, di fare cose pazze... Devono smettere di rompere con questa guerra... Si rovinano la vita... Guardate avanti, cazzo... Sennò va a finire che... »

Mentre Carmela chiacchierava a ruota libera, Orlanda se ne stava zitta ad ascoltare, guardando la strada che scorreva sotto le ruote dell'Alfa Romeo. Quello che diceva Carmela non le piaceva, ma un po' la capiva. Anche i suoi parlavano spesso della guerra, come se fosse una cicatrice impossibile da dimenticare, da nascondere, e magari era davvero così... Ma lei non avrebbe mai parlato in quel modo dei suoi genitori, e di certo non si vergognava di loro. Però sentiva che Carmela non era una brutta persona. Aveva un carattere particolare, forse era poco riflessiva, e la sofferenza la costringeva a diventare amara. Ma sotto quella scorza un po' cinica si nascondeva un'anima tenera, ne era sicura.

A un certo punto Orlanda aveva smesso di ascoltare, e in una pausa di silenzio aveva sentito il bisogno di fare una domanda alla sua amica.

« Non hai un fidanzato? »

« No, e tu? »

« Sì e no... Non lo so... »

« Di ragazzi ne ho avuti diversi, ma mi annoiano quasi subito... Mi dicono ti amo, che sono bellissima, o addirittura *che vogliono sposarmi... Ommadonna, non c'è nulla di peggio che avere accanto qualcuno che ti adora mentre per te è solo un divertimento, non trovi?* »

« *Può darsi* » aveva risposto Orlanda, in realtà senza rispondere davvero.

« *Ehi, non è che farai il muso tutta la sera? Guarda che io ho detto ai ragazzi che la mia amica Aurora è un vulcano di simpatia, non farmi fare figuracce.* » Sorrideva, ma sembrava vagamente irritata, e anche Orlanda si era irrigidita.

« *Se hai paura puoi lasciarmi qui, torno in autostop.* » Cinque minuti di silenzio, poi ci pensò Gianni a farle riappacificare... *C'è un grande prato verde, dove nascono speranze, che si chiamano ragazzi, quello è il grande prato dell'amooreee... Cominciarono a cantare insieme, dopo un po' si guardarono e si misero a ridere.

« *E stasera come saremo vestite?* » aveva chiesto Orlanda, per lasciarsi alle spalle la tensione di poco prima.

« *Non me l'hanno detto, sarà un'altra sorpresa.* »

« *Come si chiamano i ragazzi?* »

« *Ah, non lo so e non m'interessa... Sai che l'altra volta mi hanno fatto provare anche la morfina?* »

« *Ma sei matta?* »

« *Perché?* »

« *E come si prende?* »

« *Un'iniezione nella vena.* »

« *Oddio, mai e poi mai!* »

« *Ma via, è come fare le analisi del sangue... però al contrario* » disse Carmela, ridendo.

« *Quando m'infilano l'ago io svengo, figurati.* »

« *Fa impressione anche a me, ma quei ragazzi sono bravi, ti giri dall'altra parte e non senti nulla.* »

« *Non ci penso nemmeno...* »

« *Guarda che è bellissimo.* »

« *E cosa si sente?* »

« *Hai presente come stai dopo che sei venuta? Ecco, è uguale... Non puoi capire, devi provare.* »

« *Comunque no, io quella roba non la prendo, sia chiaro.* »

« *Come vuoi, ma non sai cosa ti perdi.* »

« Perché siamo andate a quella maledetta serata? Non potevamo fuggire? » disse Orlanda, coprendosi il viso con le mani. Pianse ancora un minuto, poi si fece coraggio e continuò...

Venti minuti dopo arrivarono alla villa, che somigliava quasi a un castello. Erano un po' in ritardo, ma Carmela lo aveva fatto apposta, disse. Lasciarono l'Alfa Romeo vicino alle altre auto. Alcune erano di lusso, ovviamente quelle dei ragazzi, le altre erano le solite utilitarie delle ragazze.

Aurora e Mélodie varcarono il portone, e furono accolte da un servo in livrea che non era autorizzato a guardarle... Orlanda adesso notava queste cose, e la disturbavano. Dentro di sé aveva deciso che quella sarebbe stata l'ultima volta, ma ormai era arrivata e sarebbe rimasta, anche per non litigare con Carmela.

Il servo le accompagnò nella loro stanza e si dissolse nel nulla. Sopra il letto c'erano due buste, con sopra i loro nomi scritti a mano. Dentro c'erano i soldi, cinque banconote da centomila lire per una e cinque per l'altra. Con quella cifra ci si poteva comprare una 500 Fiat.

« Questi sono pazzi! » disse Aurora, mettendo i soldi nella borsetta.

« No, sono ricchi... » Accanto ai soldi c'erano i loro « costumi »: mutandine e reggiseno di pelle nera, mascherine da Zorro, stivali con il tacco a spillo. Le solite cose.

« Chissà come saranno vestiti i ragazzi » disse Mélodie eccitata, spogliandosi.

« Ma se non ti pagassero, ti divertiresti lo stesso? » le chiese Aurora.

«Non fare domande sceme...» Non era una risposta chiara, ma Aurora non le chiese più nulla.

Con gli abiti di scena, cioè nude, si misero a fumare con calma una sigaretta, con l'idea di farsi aspettare ancora. Quando dieci minuti dopo imboccarono le scale per scendere, un pianoforte stava suonando.

«Senti che bello» sussurrò Mélodie. L'ultima rampa si affacciava sulla sala, e chi arrivava si godeva un ingresso da star. Il salone della festa era piuttosto grande, illuminato dalle fiamme di candelabri che creavano chiazze di luce e molta penombra. Sui divani e sulle poltrone c'erano già delle ragazze, forse cinque, tutte «vestite» come loro, con la mascherina nera da Zorro. Al pianoforte c'era uno dei ragazzi, biondo, bello. Stava suonando qualcosa di delicato, e quando le vide fece un cenno di saluto. Aveva addosso una divisa militare. Da una porta sbucarono altre quattro ragazze, tutte molto belle, disabbigliate come le altre.

Su un grande tavolo c'erano diversi vassoi con tartine invitanti e pasticcini, grandi vasche di ghiaccio con dentro decine di bottiglie di champagne che ognuno poteva aprire a proprio piacere. Su un altro tavolo c'erano le droghe: una vaschetta con la cocaina, lamette da barba per tritarla, banconote da centomila per sniffarla, un barattolo con dentro una specie di tavoletta verdognola con scritto sopra Hashish, un altro con dentro dei fiori secchi con scritto Marijuana, pacchetti di sigarette, cartine di ogni tipo, pipe grandi e piccole, e infine una zuppiera piena di fialette di vetro marroncino e di siringhe di plastica.

«Questa è la morfina» aveva detto Mélodie, tutta eccitata, e le aveva spiegato che le siringhe erano modernissime, venivano dagli Stati Uniti, in Europa non si trovavano.

Dopo un po' si sentirono dei passi per le scale, e in cima all'ultima rampa apparvero gli altri tre ragazzi, anche loro in divisa militare, con gli stivali lucidi e i cappelli. Era vero...

erano belli, alti, fatti bene, lo sguardo sicuro di sé, il sorriso di chi è abituato ad avere tutto quello che gli pare. Si avvicinavano alle ragazze per salutarle, trattandole con gentilezza autoritaria ma studiata, come per una recita teatrale. Erano entrati nella parte dei militari, e quando uno di loro si avvicinò ad Aurora, lei capì finalmente che divise indossavano, perché le aveva viste in un film e in qualche documentario: erano vestiti da nazisti...

Bordelli sentì un'ondata di calore sulla faccia e fece fatica a non bestemmiare, ma cercò di fingere indifferenza. Nella sua mente si aggrovigliavano pensieri cattivi, in un cartone animato gli sarebbero uscite le fiamme dal naso, ma rimandò a più tardi ogni commento. Voleva prima arrivare in fondo a quella storia, che stava diventando sempre più ripugnante.

I ragazzi, ridendo, avevano appeso alla parete una grossa bandiera con quella croce uncinata che sembrava una girandola. Imitando l'accento tedesco si presentarono alle ragazze con dei nomi di pezzi grossi del nazismo realmente esistiti, dissero, e aggiunsero che per tutta la serata volevano essere chiamati in quel modo. La festa poteva cominciare, e alla luce delle candele andò avanti a forza di tartine, champagne, sigarette drogate, spogliarelli più o meno divertenti, brani commoventi suonati al pianoforte, dischi di musica classica, cocaina, mani che si allungavano, risate da gallina, reggiseni che volavano, iniezioni di morfina, frasi in tedesco inventato, saluti con il braccio teso, Heil Hitler, *pistole puntate, scherzi stupidi, finti momenti di violenza nazista...*
    Fino a che alcune ragazze avevano cominciato a « salire al piano di sopra ». Quando tornavano di sotto non tutte sembravano contente, come se avessero vissuto qualcosa di spiacevole. I padroni di casa, invece, avevano l'aria di chi sta spendendo bene i propri soldi, e la serata continuava tran-

quilla, senza mai diventare una vera e propria orgia. Anche se uno dei ragazzi aveva addirittura « consumato » in un angolo buio della sala, da seduto, con una ricciolina a cavalcioni, accompagnato da incoraggiamenti e risatine.

Aurora aveva fumato un po' di marijuana, sniffato cocaina due o tre volte, ma aveva detto di no alla morfina, le faceva troppa paura. A momenti si sentiva in imbarazzo. Quelle divise militari le davano sempre più fastidio. I ragazzi erano belli, ma erano ugualmente dei mostri. Odiosi, arroganti, viziati. Lei aveva rifiutato due inviti a « salire di sopra ». Quella sera non voleva concedersi, ma per non essere troppo noiosa, e soprattutto per non far fare una brutta figura a Mélodie, si era tolta tutto, tranne la mascherina, e aveva ballato nuda per mezz'ora, applaudita dai maschi e dalle femmine.

Anche altre ragazze avevano rifiutato le iniezioni, ma tutte avevano usato almeno una delle droghe. Mélodie invece le aveva assaggiate tutte. Si era fatta fare anche un'iniezione di morfina da uno dei ragazzi, che le aveva bucato il braccio parlando in tedesco.

Nella sala il fumo era denso, e quei corpi mezzi nudi, le divise slacciate, gli stivali militari buttati in un angolo, le ombre che si muovevano nella luce delle candele, il pianoforte che suonava musica dolce, creavano un'atmosfera magica di altri tempi, che ad Aurora faceva un po' paura. Le ragazze parlavano poco tra di loro, anzi quasi per niente, e se capitava era solo per dire una scemenza. Anche quello era strano, e non le piaceva. Le sembrava di sentire nell'aria un pericolo indefinito, un equilibrio precario che poteva spezzarsi da un momento all'altro, ma forse era anche colpa di tutta la droga e dell'alcol che le scorreva nel sangue.

A un certo punto Mélodie si era avvicinata, e con la voce roca le aveva detto in un orecchio che stava per salire al piano di sopra, dove avrebbe guadagnato addirittura...

«*Un milione*» *disse, stuzzicandole il fianco con un dito.*
«*Ma che devi fare?*»
«*Te lo dico dopo, mi stanno aspettando.*» *Le aveva dato un bacio sulla bocca e se n'era andata barcollando sui tacchi. Aveva imboccato le scale con tre dei ragazzi, e prima di scomparire si era voltata verso Aurora per soffiarle un bacio sulla punta delle dita...*

«Quella è l'ultima volta che l'ho vista...» sussurrò Orlanda, fissando il vuoto come se avesse ancora davanti quella scala, i tre ragazzi vestiti da nazisti e Carmela mezza nuda che le mandava un bacio.

«Si ricorda a che ora è successo?» le chiese il commissario.

«Più o meno all'una, credo.»

«Lei com'è tornata a casa?»

Aurora si era rimessa le mutandine e il reggiseno, non aveva più bevuto, niente più cocaina. Se ne stava seduta in un angolo con la voglia di andarsene. Alcune ragazze dormivano sui divani, altre ballavano mezze nude sulla musica di un disco, con un calice in una mano e una sigaretta nell'altra. Altre si erano appartate con il ragazzo rimasto nella sala. Altre ancora andavano e venivano per le scale, forse per andare in bagno, non ci si capiva più nulla, tutte erano più o meno ubriache, offuscate dalle droghe.

Dopo una mezz'ora, o forse un po' di più, uno dei tre «nazisti» che erano saliti insieme a Mélodie era riapparso nella sala. Sembrava agitato, preoccupato, aveva sussurrato qualcosa al suo amico e poi era andato subito a farsi un'iniezione di morfina. Era biondo, molto bello, alto, e con quella divisa sembrava davvero un nazista. Aurora si sentiva un po' in ansia, senza un motivo preciso. Aveva avvicinato il ragazzo e gli aveva chiesto dov'era Mélodie.

«*Chi kazzo è Mélotie, schöne Fraulein?*» *aveva detto lui, con la voce da ubriaco, ma sempre imitando l'accento tedesco.*

«*La ragazza con i capelli neri che è venuta di sopra con voi.*»

«*Ah, kvella... Se n'è antata da un pezzen.*» *Sembrava molto scocciato.*

«*Come sarebbe? E dov'è andata?*»

«*Io non sapere... Lei afere kviesto di telefonaren a kvalcuno e topo uno poco uno signore fenuto a prentere, non sapere altro, schöne Fraulein... Kapito?*»

«*Ha lasciato detto dov'è andata?*»

«*No, tetto nulla... Fuoi ballare kon me, schöne Fraulein?*» *L'aveva presa tra le braccia, e lei si era divincolata.*

«*Lasciami... Io come torno a casa?*»

«*Te ne fuoi già antare?*» *aveva detto lui, stupito. Era davvero fastidioso sentirlo parlare in quel modo, lei non stava giocando, era preoccupata, impaziente di andarsene da quella casa...*

«*Non mi sento bene.*»

«*Fatti un bel tiro di koken, e fedrai che stai meglio.*»

«*Come faccio a tornare a casa?*»

«*Ke ne sapere io, tefi arranciarti*» *aveva detto il ragazzo con un sorriso odioso, e di nuovo si era avvicinato al tavolo delle droghe. Aurora era salita al piano di sopra per cercare Carmela, aveva origliato dietro le porte di molte stanze, ma non aveva sentito nessun rumore. A forza di cercare aveva trovato la camera dove si erano spogliate. Si era struccata nel bagno, si era rivestita. Aiutandosi con un accendino aveva attraversato qualche stanza buia, alcune molto grandi, arredate con eleganza, ed era scesa da un'altra scala, più stretta, per non ripassare da quella maledetta sala piena di fumo, che ormai detestava. Non aveva voglia di vedere nessuno. Finalmente era riuscita a uscire dal castello. Sperava di trovare il cameriere in livrea che le aveva accolte, ma in tutta la* serata non si era più visto, forse abitava in uno degli altri edifici della tenuta, ce n'erano diversi. Alcune luci illuminavano il perimetro della villa, e girandoci intorno aveva ritrovato il parcheggio. La bellissima Alfa Romeo coupé con cui erano arrivate era al suo posto, e accanto alle utilitarie delle altre ragazze faceva un figurone, ma in confronto alle auto dei ragazzi, che costavano quanto un appartamento, sembrava una bagnarola. Di lontano arrivava soffusa la musica del pianoforte, e forse si potevano sentire anche delle risate. Fuori invece la notte era silenziosa, il contrasto tra la festa e la solitudine della campagna era tristissimo. Orlanda era disperata, si sentiva sola, non vedeva l'ora di tornare a casa, era preoccupata per Carmela, le bruciava lo stomaco, aveva mal di capo, era stanca, amareggiata, si sentiva in colpa, si vergognava... forse era il momento più brutto della sua vita, anche se in fondo era contenta di essersi svegliata. Non voleva fare la puttana, non riusciva nemmeno a capire come avesse fatto a ritrovarsi in quella situazione... La luna era piena, o forse non del tutto, e come le accadeva da bambina si era incantata a guardare quella palla luminosa un po' sporca, sospesa nel cielo in mezzo alle stelle, che le aveva sempre dato una sensazione di conforto, come se solo lei, la luna, fosse capace di capire le sue sofferenze... Si era messa a piangere, senza singhiozzi, ma con mille lacrime che le scendevano sul viso.

«Signorina...» sentì dire alle sue spalle, e sobbalzò. Si voltò e vide un signore sui quarant'anni, vestito elegante, con il cappello in mano. Aveva un viso paffuto, che ispirava fiducia.

«Mi ha spaventata.»

«Mi dispiace... Sono l'autista del padre del signorino Claudio, posso aiutarla?»

«Non so, vorrei andarmene. Sono venuta con un'amica, ma lei se n'è andata.»

« Succede. »

« A proposito, lei per caso dopo l'una ha visto arrivare una macchina e una ragazza mora che ci saliva sopra? »

« No, ma sono uscito da poco per prendere una boccata d'aria. Durante queste feste aspetto nella dépendance che sta qua dietro. »

« E deve rimanere qui tutto il tempo? »

« È il mio lavoro... Vuole che l'accompagni a casa? »

« Oh, ne sarei felice, ma abito a Pistoia. »

« Non è un problema, sono abituato a ben altro. »

« E se la chiamano? »

« Non succederà prima di domani alle cinque di pomeriggio... Venga. »

« Davvero mi accompagna? Lei è un santo! » Lo seguì fino alle auto di lusso, e l'uomo si avvicinò a una bellissima Mercedes nera.

« Si accomodi » disse, aprendole la portiera posteriore.

« Ma no, vengo davanti. »

« La prego signorina, sono abituato così. » Aspettò che lei fosse salita e richiuse la portiera con delicatezza. Girò intorno alla macchina, si mise alla guida e la macchina partì. Percorsero un viale di cipressi con qualche curva larga, che sbucava sulla strada. Orlanda stava comodissima, e quel signore la faceva sentire tranquilla. Ma al tempo stesso, di fronte a lui si vergognava della serata che aveva passato, le sembrava che vivere in quel modo fosse un oltraggio a chi lavorava onestamente. In quel momento era come se l'autista incarnasse la visione del mondo di suo padre.

« Dove siamo qui? »

« A metà strada fra Tavarnelle e San Casciano. »

« Questa zona non la conosco per nulla. »

« Posso presentarmi? Mi chiamo Silverio » disse l'autista.

« Io mi chiamo... Orlanda » disse lei, anche se per un momento aveva avuto la tentazione di dire che si chiamava Aurora.

« Un bellissimo nome. »

« Come mai deve stare ad aspettare? Non può andare a casa a dormire e tornare domani pomeriggio? »

« Non posso fare altrimenti, il signorino Claudio abita più o meno a trecento chilometri da qui. »

« Ah, ecco... Sento che lei ha l'accento romano. »

« Eh, quello non si può lavare. »

« Abita a Roma? »

« Ci abito e ci lavoro. »

« E se mentre siamo via il signorino la cerca? »

« Correrò il rischio, ma non sarebbe così grave. Può anche tornare a casa con il suo amico romano. Il signorino Claudio è l'unico che viene in questa villa con l'autista. » La Mercedes scivolava lungo la strada piena di curve con la leggerezza di una bicicletta, sotto la guida esperta di Silverio.

« Sono tutti di Roma? »

« Conosco soltanto uno degli amici romani del signorino Claudio, e so che c'è perché ho visto la sua Maserati. Gli altri non saprei, li ho visti appena. Il signorino non mi dice nulla, non parla mai con l'autista. »

« La villa è di questo Claudio? »

« No, è della famiglia di un suo amico... Credo che siano del Nord, forse Milano, ma non potrei giurarci. »

« Lei non si annoia ad aspettare tutto questo tempo? » chiese Orlanda.

« Sono pagato per questo, e comunque non mi annoio mai. Leggo un buon libro, faccio un po' di parole crociate, e quando sono stanco mi riposo. Ogni tanto mi capita perfino di scrivere una poesia. »

« Che bello! »

« Non sono niente di che, anzi credo siano piuttosto brutte, ma le scrivo per le mie tre bambine... Dodici, nove e sei anni. »

« Come si chiamano? »

149

« *Anna, Lucia e Teresa. Sono tutta la mia vita.* »

« *E sua moglie come si chiama?* »

« *Elvira, ci siamo conosciuti alle elementari... Lei cosa fa di bello?* » *chiese Silverio, visto che ormai erano entrati in confidenza. Orlanda era arrossita.*

« *La modella... Foto per pubblicità, qualche sfilata.* »

« *Per questo è così bella* » *disse l'autista, sorridendole dallo specchietto.*

« *Grazie... Lei è davvero gentile ad accompagnarmi a casa.* » *Stava quasi per rimettersi a piangere.*

« *È un vero piacere... Senta, quei ragazzi di stasera sono amici suoi?* »

« *No, non li avevo mai visti.* » *Orlanda temeva che l'autista le rivolgesse domande imbarazzanti, ma nel caso era decisa a dirgli la verità. Aveva bisogno di dire la verità a qualcuno.*

« *Allora posso dirle cosa penso del signorino Claudio e dei suoi amici?* » *Il suo tono era pacato, gentile come prima.*

« *Certo...* »

« *Il loro modo di vivere è uno schiaffo alla miseria. Si sentono superiori, ma sono semplicemente dei ragazzi ricchi e annoiati. Vivono come parassiti alle spalle dei genitori, che in fin dei conti sono fatti della stessa pasta. La madre del signorino è impegnatissima a far niente. Nessuno lo sa meglio di me. Compra di continuo vestiti, scarpe, gioielli, mobili, vasi cinesi, tappeti... Lo fa con la serietà di chi sta facendo un lavoro importante, o addirittura come se stesse salvando il mondo. La sua vita è inutile, non serve a nessuno. Se scomparisse, il mondo non se ne accorgerebbe nemmeno. Mi fa una grande tristezza.* »

« *Se lei fosse ricco come loro, cosa farebbe?* »

« *Oh, ci ho pensato spesso. Ho una lista che non finisce più.* »

« *Ad esempio?* »

150

«So che è banale dirlo, ma mi piacerebbe far contente molte persone, e la loro gioia sarebbe la mia.»

«E per sé non farebbe nulla?»

«Non so, forse mi comprerei una casa un po' più grande, porterei la famiglia in vacanza, mi troverei un lavoro più divertente... Soprattutto mi piacerebbe lavorare per chi ha rispetto degli altri.»

«Non smetterebbe di lavorare?»

«Non credo, ma se lo facessi, non impiegherei il mio tempo in modo stupido.»

«Insomma, non è troppo soddisfatto del suo lavoro...»

«Non è proprio così, anzi potrebbe essere un bel lavoro. È che non mi piace quella famiglia, e sono contento di poterglielo dire.»

«Ha mai pensato di cambiare?»

«Certo, nel poco tempo libero che mi resta mi do da fare per cercare qualcos'altro, ma le assicuro che non è facile. E adesso non posso permettermi di licenziarmi, devo pagare il prestito in banca per la casa, gli studi alle bimbe, l'apparecchio ai denti per la più grande, e via dicendo. Devo mandar giù e stare zitto... Mi scusi la crudezza.»

«Mi dispiace... Davvero...»

«Eh, che ci si può fare? C'è chi nasce ricco e c'è chi nasce povero... Così va il mondo» disse Silverio, serenamente rassegnato.

«Silverio, si offende se stasera le pago il servizio?»

«Non se ne parla nemmeno, signorina.»

«La prego, non può immaginare il favore che mi sta facendo.»

«Per me è un vero piacere, gliel'ho detto. Sono contento di essere utile a una brava ragazza.»

«Lo pensa davvero?»

«Perché non dovrei? Sa che nessuno di quella famiglia mi ha mai dato del lei?»

«Basta questo per essere una brava ragazza?»

«Certo che no, ma le assicuro che è più importante di quello che crede.»

«Non sono così brava come pensa lei, glielo assicuro.» Aveva di nuovo le lacrime negli occhi, e si nascose per non farsi vedere.

«Lo lasci dire a me, che di certe cose me ne intendo... E pianga pure, fa bene agli occhi» disse l'autista. Orlanda si lasciò andare e pianse, cercando di non fare troppo rumore, mentre l'autista guidava in silenzio, senza disturbarla. Era bello parlare con Silverio, stare in sua compagnia. Si sentiva capita, rispettata... Ecco, al castello la cosa che le era mancata di più era il rispetto. Quei ragazzi erano odiosi, disgustosi, e la loro bellezza non bastava a renderli belli. Trattavano le ragazze come schiave, non avevano per loro il minimo rispetto, e non era una questione di gentilezza, ma un atteggiamento interiore... Anche se avessero fatto i galanti, non sarebbero stati capaci di essere rispettosi, e forse non rispettavano nessuno perché pensavano di non aver bisogno di rispettare nessuno, non rientrava nella loro concezione di vita... Oddio, adesso provava un tale ribrezzo che le venne da vomitare.

«Può accostare un attimo, per favore?»

«Si sente male?»

«Sì, mi scusi...» L'autista aveva fatto appena in tempo a fermare la macchina, lei era scesa e si era messa a vomitare sul bordo della strada, come quell'altra volta a Bologna, ma non per lo stesso motivo. Silverio era già accanto a lei, le mise una mano sulla fronte.

«Non si agiti, tra un po' starà meglio.»

«Oooh, che schifo... Mi dispiace... Mi dispiace...» diceva lei tra un conato e l'altro. Quando finalmente riuscì a respirare, si tirò su. Silverio le passò un fazzoletto, e si scusò di non avere un po' d'acqua per lei. Aveva soltanto la sua borraccia, dalla quale però beveva direttamente. Orlanda la

volle ugualmente, e anche lei bevve direttamente dalla bor-
raccia, senza alcun problema. Salirono in macchina e ripar-
tirono, Orlanda sempre dietro. Si sentiva a pezzi, ma era
contenta di aver vomitato le odiose prelibatezze che aveva
mandato giù in quel maledetto castello. Doveva parlare
con Carmela, doveva convincerla a smettere di drogarsi e
di prostituirsi, di fare la schiava per le voglie malate dei ric-
chi... Non doveva buttare via così la sua vita... L'avrebbe
convinta, era sicura di riuscirci, bastava trovare le parole
giuste. Carmela era bellissima, perché non cercava di fare
la modella a livelli più alti? La libertà era più preziosa
dei soldi, forse addirittura della vita stessa... Carmela dove-
va capirlo, così come lo aveva capito lei quella sera. Anche
quell'uomo mite e gentile, quell'autista che lavorava per
una famiglia che non lo rispettava, senza saperlo l'aveva
aiutata a uscire da quello schifo...

«Sta meglio, signorina?»

«Sì, grazie... Posso sfogarmi un po' io, adesso?» E di
nuovo le tremava la voce per il pianto.

«Prego, signorina.» Erano entrati in una strada larga e
diritta, doveva essere quella che collegava Firenze a Siena.
E Orlanda si era confidata con quello sconosciuto, gli aveva
scaricato addosso tutta la sua rabbia, la delusione, il disgu-
sto... Noi ragazze tutte nude.... E lasciamo che loro... Intan-
to piangeva, a volte singhiozzava... Sono andata altre volte,
altre serate, con uomini più vecchi di mio padre... L'autista
guidava in silenzio, ascoltava... Per quei maledetti soldi, per-
ché siamo nate povere... La Mercedes era diventata un con-
fessionale, e Silverio era il prete... Due puttane, due putta-
ne... e i nostri genitori... Si era sdraiata sul sedile, con le
mani sulla faccia, dimenticandosi del tempo che passava.
Aveva voglia di strapparsi di dosso quei vestiti, di lavarsi,
di cominciare una vita nuova...

Quando si tirò su, erano già sull'autostrada. Tra non mol-

to sarebbero arrivati a Pistoia, si sarebbero separati, probabilmente per sempre. Orlanda prese dalla borsetta la busta con i soldi dei «nazisti», sfilò centomila lire e le rimise nella borsetta, le altre quattrocentomila le chiuse bene nella busta, che tenne in mano.

«Signorina, lei è giovane. Si fanno tante stupidaggini. Pensi che quando ero ragazzo, subito dopo la guerra, rubavo automobili, entravo negli appartamenti, e una volta ho pure rapinato una banca.»

«Davvero?» Orlanda era convinta che mentisse, per mettersi al suo livello, per farla sentire meno stupida.

«Ho avuto la fortuna di non andare mai in galera, ma una notte sono stato arrestato. Avevo rubato un'auto, mi hanno visto, mi hanno inseguito, sono uscito di strada e mi hanno portato nel commissariato più vicino. Ma era un giorno fortunato. L'ispettore di Pubblica Sicurezza che mi ha interrogato era una bella persona, e mi ha detto: So riconoscere i farabutti guardandoli negli occhi, e tu non lo sei, anzi sei un bravo ragazzo, ti lascio andare, e sono sicuro che non ti rivedrò mai più in manette. E così è stato. Non ho mai più commesso un reato, mi sono dato da fare, ho lavorato, ho frequentato le scuole serali per prendere la licenza media, poi il diploma superiore, ho ritrovato la ragazza che mi piaceva quando facevo le elementari, ci siamo innamorati, ci siamo sposati, e adesso abbiamo tre bambine bellissime. Non è una vita facile, ma quando la sera vado a dormire, mi sento in pace con me stesso.»

«Grazie... Grazie...» Per l'ennesima volta la vista le si appannò di lacrime. Quella sera era decisamente una piagnona, ma si stava liberando di tutto il veleno che aveva mandato giù negli ultimi tempi. E non doveva cadere nella tentazione di assolversi. Non era stata Carmela a traviarla, aveva fatto tutto da sola, era solo colpa sua.

«Signorina Orlanda, non dica più quelle brutte cose contro se stessa. Lei non è così, lo lasci dire a me, che per certe

154

faccende ho un gran fiuto. Dimentichi tutto, strappi le pagi-
ne del diario fino alla data di stasera, domattina faccia una
bella passeggiata e pensi al futuro.»

«*Sì... Sì...*»

«*Se avessi vent'anni di meno e non fossi sposato le fa-*
rei la corte. Lei è bellissima, e quanto è bella fuori è bella
dentro.»

«*Mi piacerebbe... mi piacerebbe...»* Ormai il suo nasino era rosso e gonfio, ma era bella lo stesso, disse Silverio.
Rimasero in silenzio, ma era come se stessero continuando
a parlare. Arrivarono a Pistoia alle tre e mezzo passate, e
Orlanda guidò l'autista fino a casa. Quando la Mercedes si
fermò, Silverio le disse di aspettare, scese e andò ad aprirle
la portiera.

«*Buonanotte signorina Orlanda, spero che il viaggio*
sia stato piacevole» disse, sorridendo.

«*È stato un viaggio molto speciale, Silverio... Posso darle*
un bacio?»

«*Visto che non ci vede mia moglie, si può fare.»* Porse la
guancia, Orlanda lo abbracciò e gli schioccò un bel bacio, e
nel frattempo gli mise nella tasca della giacca la busta con le
quattrocentomila lire. Non voleva tenere quei soldi, tranne
una banconota da cento come risarcimento. Silverio non si
era accorto di niente, e aspettò in piedi fuori dalla macchina
che lei avesse aperto il portone della palazzina, una delicatezza che a volte il suo fidanzato di turno non aveva avuto.
Un ultimo cenno di saluto e Orlanda sparì dentro. Salì le
scale piangendo. Anche a lei sarebbe piaciuto che Silverio
avesse vent'anni di meno e non fosse sposato...

Aprì piano piano la porta di casa, e fece in tempo a vedere
la luce in camera dei suoi che si spegneva. Sua madre l'aspettava sempre sveglia, anche fino all'alba, ma non le diceva
nulla. Orlanda di solito era infastidita da quell'apprensione,
quella sera invece si commosse, si sentì coccolata, protetta.
Andò a chiudersi in camera sua, dove le sembrava di non en-

trare da cento anni, e fu bellissimo ritrovare il suo gatto Chicco a dormire sul letto, i manifesti della Caselli e di Don Backy attaccati alle pareti.

Si mise sotto le coperte con Chicco sulla pancia, e spense la luce. Aveva ancora negli occhi l'immagine della sala in penombra, con le ragazze mezze nude e i ragazzi vestiti da nazisti... Ma era spossata, e ripensando al viaggio di ritorno e alle parole di Silverio riuscì a prendere sonno in pochi minuti.

La mattina dopo si era svegliata tardi, con un leggero mal di capo, ma considerando quello che aveva vissuto la sera prima stava abbastanza bene. Non si sentiva nemmeno troppo triste. La casa era vuota, i suoi genitori erano al lavoro, sarebbero tornati solo a fine pomeriggio. A loro non avrebbe raccontato nulla, non si meritavano di soffrire. A lei era bastato parlare con Silverio, per togliersi di dosso un po' di quella melma. Si era preparata la colazione e si era seduta come al solito al tavolo di cucina, con Chicco sulle ginocchia che faceva le fusa. Osservava la vetrinetta con le tazze e i bicchieri che vedeva da quando era bambina... Piccole cose che in quel momento le davano un po' di serenità.

Se Carmela se n'era andata dalla villa prima di lei, poteva essere già a casa sua, a Bologna. Chissà con chi se n'era andata via, era curiosa di saperlo. Aveva provato a telefonarle, ma non rispondeva, e così aveva pensato la cosa più ovvia, cioè che non fosse ancora rientrata. Magari era andata a dormire con qualcuno che le piaceva davvero? Forse un fidanzato? Aveva riprovato dopo pranzo, poi a metà pomeriggio, ma niente. Quando era uscita per fare due passi, nella cassetta delle lettere, in mezzo all'altra posta, aveva trovato una lettera con sopra scritto... Per la bella Orlanda. L'aveva aperta, sicura che fosse di Silverio. Infatti dentro c'erano le sue quattrocentomila lire, una piccola rosa bianca, probabilmente colta nei dintorni, e un biglietto... Basta anche una sola ora per capire che una persona ti rimarrà nel cuore.

Si era messa in tasca la busta trattenendo il pianto. Aveva camminato senza meta per due ore, sorridendo e continuando ad asciugarsi gli occhi. Non le dispiaceva piangere, erano lacrime di liberazione. Non avrebbe più visto l'autista Silverio, ma avrebbe conservato per sempre il suo biglietto. Nemmeno lei avrebbe mai scordato quel viaggio nella notte, che in fondo era stato un viaggio nella propria coscienza... E i soldi? Per dare un senso a tutto quello che aveva vissuto, doveva cercare di spenderli nel modo migliore... E in quel momento aveva capito cosa poteva fare: avrebbe ripreso a studiare, si sarebbe iscritta di nuovo all'università, senza gravare sui suoi genitori. Sì, avrebbe fatto così, almeno quei soldi sarebbero serviti a qualcosa di giusto. Avrebbe trasformato il metallo in oro, come gli antichi alchimisti. Quella decisione l'aveva elettrizzata, e si era messa subito a pensare a quale facoltà avrebbe scelto...

Quando i suoi erano tornati a casa li aveva abbracciati, senza che loro capissero cosa stesse succedendo. Avevano cenato tranquilli, poi Orlanda aveva provato ancora una volta a telefonare a Carmela, sperando di sentire la sua voce... Ma nulla, non rispondeva. Aveva aiutato sua madre a sparecchiare e poi era andata con i genitori in salotto, per vedere la televisione.

«Stasera non esci?» le aveva chiesto sua madre.

«Non ne ho voglia.» Avevano visto tutti e tre insieme, sul Programma Nazionale, un bellissimo film americano, L'uomo di Alcatraz, la storia di un detenuto condannato a morte per un duplice omicidio... Con caparbietà sua madre riusciva a ottenere dal Presidente degli Stati Uniti la commutazione della pena in ergastolo, e il detenuto diventava uno studioso, uno scienziato, un uomo di grande cultura che scriveva trattati scientifici, e anche importanti saggi contro il sistema carcerario repressivo, affermando che peggiorava le cose... Quella storia commovente, peraltro vera, aveva fatto risuonare le corde profonde di Orlanda, che si era vista *nei panni di quel detenuto capace di trovare una ragione di vita nello studio e nella cultura... Quelle serate in cui lei si faceva pagare erano state la sua Alcatraz, adesso doveva trovare la sua strada per la libertà...*

« Mi scusi se le ho raccontato anche di questo film, ma per me è stato importante. »

« Non si preoccupi, mi racconti tutto quello che vuole » disse Bordelli. La ragazza annuì, ma invece di continuare il suo racconto si alzò. Con le braccia incrociate sul seno si avvicinò alla finestra che dava verso piazza San Gallo e guardò in alto, il cielo. Questa volta Bordelli non pensò che volesse buttarsi di sotto. Anzi sembrava più tranquilla. Era quasi arrivata alla fine di quella triste storia, e parlare con sincerità le aveva fatto bene. Bordelli aspettava con pazienza, e intanto pensava che Orlanda, la sera che aveva passato in casa con i genitori, qualunque film avesse visto sarebbe riuscita a trasformarlo in una lezione di vita, in uno strumento di liberazione, anche se fosse stato un cartone animato di Walt Disney... In fondo succedeva a tutti, di dipingere il mondo con il colore del proprio stato d'animo.

« Ho cercato Carmela per tutta la giornata di martedì, ma il suo telefono squillava sempre a vuoto. Cominciavo a essere davvero preoccupata, angosciata. Non sapevo dove cercarla, non sapevo cosa fare. Forse il telefono era guasto? Ho chiamato la SIP per chiedere, ma mi hanno detto che la linea funzionava. Cercavo di tranquillizzarmi, pensando che se le fosse successo qualcosa di grave lo avrebbero detto alla televisione. In altri momenti mi lasciavo prendere dallo sconforto, e pensavo al peggio. Forse era partita? Ma perché non me lo aveva detto? Non eravamo amiche per la pelle, ma ero sicura che non sarebbe mai sparita senza dirmi nulla. Decisi che se entro il giorno dopo non l'avessi trovata, sarei andata a Bologna a cercarla in vicolo Ranocchi, e se non la trovavo a casa avrei chiesto sue notizie ai negozianti della zona. Mercoledì pomeriggio, quando i miei sono tornati, mio padre ha buttato il giornale sul tavolo di cucina, dicendo che vicino a Firenze avevano trovato una ragazza morta e non sapevano chi fosse. Ho aperto il giornale, e quando mi sono trovata davanti il ritratto di Carmela ho fatto fatica a non gridare. Mi sono chiusa in camera. Ero straziata, ma anche terrorizzata. Speravo che a telefonare in questura ci avrebbe pensato una delle altre ragazze di quella serata, ma devo ammettere che ci credevo poco. Non ci conoscevamo, avevamo sempre la mascherina... Nessuna, tranne me, poteva essere sicura che la ragazza morta fosse presente a quella serata, e poi c'erano di mezzo le droghe, la prostituzione, e non era facile che una di loro si facesse avanti. Così dopo un po' mi sono fatta coraggio. Mi tremavano le gambe... Le ho telefonato, ma solo per dirle qualcosa che potesse aiutarla a dare un nome alla sconosciuta, poi ho riattaccato. Volevo stare alla larga da quella brutta storia. Ero decisa a non fare più nulla, ma la coscienza non mi lasciava in pace. Oggi pomeriggio non ce l'ho più fatta, mi sentivo una vigliacca. Non riuscivo a guardarmi allo specchio. Raccontare quello che sapevo poteva essere utile per scoprire cos'era successo a Carmela, glielo dovevo... e così sono venuta a cercarla...» Orlanda aveva finito. Si staccò dalla finestra e si rimise a sedere.

«Ha fatto benissimo» disse il commissario.

«Sì, mi sento un po' meglio.»

«Mi fa piacere...»

«Volevo anche dire... Se una ragazza fa quella vita ed è felice, se sente di aver trovato la sua strada, per me non c'è nulla di male... Anzi le farei i miei complimenti... Non mi permetterei di decidere cosa è giusto e cosa è sbagliato... Capisce cosa voglio dire?»

«Certo...»

«Ma tutte le ragazze che ho incontrato in quelle serate mi sono sembrate delle povere infelici. È vero che non parlavamo tra di noi, ma lo vedevo dal loro sguardo, e se avevano la mascherina lo capivo dai movimenti, dalla voce, dalla finta allegria che anche io... mettevo in scena... Dio, che tristezza...»

«Capisco...» La solita vecchia storia, ragazze disposte a mettere in vendita la propria bellezza per inseguire un sogno fasullo, senza nemmeno capire cosa stavano perdendo. Orlanda continuò.

«Mi sono fatta abbagliare dai soldi e da chissà quale sogno, ma non mi sentivo bene con me stessa... Sono sicura che nemmeno Carmela era contenta, anche se forse non lo aveva ancora capito. Era sempre sorridente, esuberante, piena di vita, ma nei suoi occhi vedevo una grande tristezza... Mi scusi, ci tenevo a dirglielo.»

«Non deve scusarsi» disse Bordelli. Provava una grande tenerezza per quella bella ragazza ferita, e sperava che riuscisse presto a trovare un po' di serenità. Orlanda si passò le dita sugli occhi, e le uscì un lungo sospiro.

«Mi ha fatto molto piacere parlare con lei» sussurrò, con un sorriso dolce.

«Anche a me.»

«Povera Carmela...» disse lei pianissimo, come se fosse in un confessionale. Bordelli, chissà come mai, immaginò la tomba di Carmela con quelle due parole incise sul marmo: *Povera Carmela*. Aspettò qualche secondo, prima di parlare.

«Posso farle qualche domanda, o è stanca?»

«No, mi dica.»

«Sarebbe in grado di ritrovare la villa?»

«Non saprei... Non ho guidato né all'andata né al ritorno.»

«E le ragazze? Ha detto che avevano la mascherina, dunque non saprebbe riconoscerle...»

«Penso che sia impossibile.»

«E i ragazzi? I loro veri nomi non li hanno detti, ma lei saprebbe riconoscerli?»

«Non credo proprio, avevano addosso le divise, parlavano

con quel ridicolo accento tedesco... C'erano solo candele, la sala era in penombra... »

« Si ricorda che nomi tedeschi avevano usato? » chiese Bordelli, non perché fosse utile all'indagine, ma solo per affondare ancora di più nell'atmosfera di quella pagliacciata per lui inammissibile, per alimentare il proprio disgusto, quasi volesse rigirare il coltello nella piaga. Orlanda ci pensò un attimo.

« Erano nomi strani, ma loro dicevano che erano veri... uno era... aspetti... mi pare Kapper, Katter... »

« Kappler... »

« Potrebbe essere, sì. »

« Ne ricorda altri? »

« Ce n'era uno buffo, che suonava un po' come Gobbo... »

« Goebbels... »

« Sì, mi pare di sì. »

« E poi? »

« Non so, alcuni erano pieni di K e di H, di suoni duri, altri sembravano più dolci. »

« Himmler... Heydrich... Göring... »

« Sì, questo qua mi pare di sì. »

« Eichmann... Hess... Bormann... Frank... Mengele... »

« Anche questi mi sembrano possibili, ma non ricordo bene. »

« Non importa, grazie. » Il commissario aveva fatto la guerra contro i nazisti, e adesso aveva davanti agli occhi quattro ragazzi dell'alta società, probabilmente educati nelle migliori scuole e università del mondo... con addosso quelle divise, e provava un groviglio di sensazioni che per il momento preferiva tenere da parte.

« Adesso cosa farà? » chiese Orlanda.

« Se lei mi aiuterà a trovare la villa dei ragazzi, sarà tutto più facile. »

« Va bene, posso provarci, anche se non le assicuro di riuscirci. Vuole andarci subito? »

161

« Adesso non ce la faccio davvero. Devo riposarmi, ho avuto una giornata molto lunga. Stamattina sono anche stato a Bologna, a parlare con i genitori di Carmela. »

« Oddio... Come stanno? » chiese Orlanda sgranando gli occhi, con una mano sulle labbra.

« Meglio di quello che immaginavo. Sapevano che Carmela aveva imboccato una strada pericolosa, e si aspettavano da un momento all'altro che andasse a finire male. Hanno altre due figlie, due ragazze tranquille, una sta per laurearsi. »

« Voglio aiutarla a scoprire chi ha ucciso Carmela » disse Orlanda, che aveva trasformato un po' della sua angoscia in rabbia.

« Deve perdonarmi, prima le ho mentito... Non sappiamo con certezza se sia stata uccisa di proposito, e non sembra che sia stata seviziata. »

« Meno male! »

« Carmela è morta per un'overdose di morfina, e se è stato un incidente forse poteva essere salvata. Invece l'hanno caricata su una macchina e l'hanno abbandonata sul greto di quel fiumiciattolo. »

« Se è stato un incidente, li condanneranno lo stesso? »

« Istigazione agli stupefacenti, omissione di soccorso, occultamento di cadavere... »

« Oddio, non dica quella parola. »

« Mi scusi... Comunque sì, rischiano un bel po' di anni di carcere. »

« Lo spero » mormorò Orlanda, soddisfatta. Bordelli si alzò.

« Se lei è d'accordo facciamo così. Ci vediamo qui domani verso le diciotto e trenta, quando il sole sta per tramontare. Per cercare la villa credo sia meglio andare con il buio, per avere la stessa situazione di quella sera. »

« Va bene » disse Orlanda, alzandosi.

« Se non ha nulla in contrario farei venire con noi il vice

commissario Piras, un mio giovane collaboratore molto bravo. »

« Certo, tutto quello che vuole. »

« Bene... Senta, sono quasi le otto, se ha fame... »

« Molto gentile, ma torno a casa. Mi aspettano a cena, per queste vacanze di Pasqua sono venuti dei parenti dal Veneto. »

« Come torna a Pistoia? »

« Ho un treno alle otto e venti, alle nove sono a casa. »

« Vuole che la faccia accompagnare alla stazione? »

« Be'... »

« Venga con me » disse il commissario, prendendo il cappotto dall'attaccapanni. Imboccarono le scale in silenzio, affiancati. Bordelli sentiva già il sangue della preda sotto i denti, ma avvertiva anche la sofferenza di quella bella ragazza, che però a quanto sembrava stava riuscendo a ritrovare il filo della propria vita.

Quando uscirono nel cortile, chiamò con un gesto la prima guardia che gli capitò sotto mano.

« Pino Larocca, giusto? »

« Sì, dottore. »

« Accompagna la signorina alla stazione. »

« Agli ordini, dottore » disse la guardia, felice di quella missione. Bordelli salutò la ragazza, con una stretta di mano e un sorriso. Le aprì lo sportello posteriore della Pantera, come Silverio, e lo richiuse. Prima che Larocca entrasse in macchina, lo prese per una spalla e lo tirò da una parte per sussurrargli un altro ordine.

« Non fare il lumacone con lei, sta passando un brutto periodo. La porti alla stazione e torni qua subito, mi sono spiegato? »

« Certo dottore, si figuri, vado e torno. »

« Bravo. » Aspettò che la Pantera fosse uscita dalla questura, poi montò sul Maggiolino e se ne andò verso il meritato riposo.

Cercò Piras, ma era già andato via. Lo cercò anche a casa ma non c'era. Probabilmente era da Sonia, ma preferiva non disturbarlo. Ci avrebbe parlato la mattina dopo.

Non aveva voglia di andare a casa e di mettersi ai fornelli, era troppo stanco, o meglio, non aveva voglia di fare nulla. La cosa più comoda era andare da Totò a mangiare qualcosa, tranquillamente seduto sul suo sgabello. Blisk avrebbe aspettato la sua zuppa ancora per un po', e di certo non sarebbe morto di fame.

Entrò nella cucina della trattoria sperando che Totò non gli proponesse qualche piatto troppo pesante.

« Buonasera commissario, avete fatto bene a venire, stasera ho fatto una bella peper... »

« Totò, ti fermo subito. Ordine tassativo del medico, per delle analisi che devo fare domattina: stasera posso mangiare solo pane e olio, e magari due acciughe marinate con una bella insalata... però un po' di vino posso berlo. »

« Oddio cosa vi perdete, commissario. »

« Non me lo dire, soffrirei troppo. » Si lasciò andare sullo sgabello, mentre in mezzo ai vapori il cuoco continuava ad appoggiare piatti e scodelle sul passavivande.

« E perché dovete fare gli analisi? »

« Si dice le analisi, Totò. »

« Sì, va bene... Ma perché li dovete fare? »

« Un controllo... Non ho più vent'anni... »

« Ma perché non siete andato a casa, a fare il digiuno? »

« Mi faceva fatica abbrustolire il pane... Totò, fammi contento... Ho bisogno di un po' di tranquillità, e qui mi sento a casa.»

«Onorato, commissario. Pane e olio volete, e pane e olio sia... Ma un po' di melanzane fritte? Un cucchiaio di peperonata?»

«Solo pane e olio, grazie... E acciughe se ci sono.»

«Due fettine di salame? Lardo di Colonnata? Una spalmatina di 'nduja?»

«Ti prego...»

«Lo facevo per voi, commissario... *Sacche vacànde non ze rèsce m-bbìite...*»

«Che vorrebbe dire?»

«Il sacco vuoto non si regge in piedi.»

«Ti sembra che io sia vuoto, Totò?» disse Bordelli, aprendosi la giacca.

«Va bene, va bene, vi accontento, non vi agitate.»

«Non sono agitato... Mi sento a pezzi, amareggiato, schifato...»

«E perché mai? Colpa mia?»

«Macché, è roba di lavoro... Ma adesso non voglio pensarci, Totò. Ho bisogno di sgombrare la mente.»

«Ecco qua il vostro pane, e qui avete l'olio... Comprato dal contadino, roba da leccarsi i baffi... E qui avete le acciughe marinate con aceto e limone da Totò, che sarei io... E qui avete il fiasco del vino... Contento?»

«Grazie, Totò...»

«Grazie me lo dovete dire quando vi porto da mangiare, non quando vi faccio fare il digiuno» disse il cuoco, e scoppiò a ridere. Bordelli si mise a mangiare la sua cena frugale, soddisfatto di essere riuscito per la prima volta a vincere sul demonio. Si gustava quell'olio, buono quasi quanto il suo, bevendo poco e ascoltando le storielle di Totò... Ma nella mente continuava a vedere quei quattro ragazzi ricchi vestiti da nazisti che facevano il saluto al Führer, che scherzavano con i nomi dei gerarchi, che attaccavano al muro una bandiera con la svastica... Cercava di scacciare quei pensieri, ma non era facile, e non riusciva nemmeno a trovare le parole giuste per affrontare la faccenda, per tradurre in ragionamenti quello che provava... Era troppo stanco. Per il momento immaginava soltanto di prendere quei ragazzi a labbrate, di vederli sanguinare dal naso, sbalorditi dal fatto che una mano plebea potesse colpirli, senza che i loro potenti genitori fossero in grado di proteggerli...

«Commissario, mi sentite?»

«Eh?»

«Non volete manco assaggiare una salsiccia?»

«Sono a posto Totò, grazie... Adesso è meglio se vado a casa, devo dormire.»

«Domani a pranzo siete ancora a stecchetto?»

«Ci penseremo domani, Totò. Salutami tua moglie, anche se non la conosco.»

«Pure Nina vuole conoscervi, sono anni che sente parlare di questo commissario... Un giorno la porto qua apposta per voi.»

«Sarei curioso di sapere cosa le racconti di me, a quella povera ragazza.»

«Racconto cose vere, commissario, ma forse a volte le faccio un po' giganti, e magari Nina pensa che voi siete meglio di quello che siete» disse il cuoco, sorridendo.

«Cercherò di essere all'altezza, Totò. Non voglio farti fare brutte figure.» Forse per la prima volta uscì da quella cucina a stomaco leggero. Mancava poco alle dieci. Seduti ai tavoli della trattoria c'erano ancora parecchi clienti, e il passavivande continuava a sfornare piatti. Bordelli salutò con un cenno Cesare e i camerieri, e si avviò verso una dormita colossale.

Il Maggiolino lo portava verso casa come avrebbe fatto un cavallo, mentre lui quasi sonnecchiava. Quella sera l'Imprunetana gli sembrava lunghissima, ma sapeva che non gli sarebbe mai venuta a noia. Appena la imboccava era come es-

166

sere già a casa, in un mondo distante da quella città che spesso si lasciava volentieri alle spalle.

Quando arrivò a casa Blisk dormiva tranquillo, sdraiato per terra, ma subito si alzò e gli fece capire che aveva molta fame. Se avesse avuto un orologio, ci avrebbe picchiettato sopra con una zampa per dirgli che era in ritardo.

«Scusa, ora rimedio subito.» Stanchezza o no, si mise volentieri a preparare una bella zuppa, mentre Blisk se ne stava seduto accanto ai fornelli ad annusare l'aria, sicuramente sapendo che il suo amico Franco stava cucinando per lui. Anche quel cane grande come un frigorifero lo faceva sentire a casa, e dopo una giornata simile era bello avere la sua compagnia.

«Un quarto d'ora e ti servo la cena...» Anche il teschio Geremia in cima alla credenza lo faceva sentire a casa. Ormai da tempo, ogni volta che gli lanciava un'occhiata si aspettava davvero di sentirlo parlare, e gli aveva trovato anche la voce giusta, che gli capitava di imitare... Era la voce di Clint Eastwood nei film di Sergio Leone, che se non ricordava male era di Enrico Maria Salerno.

«Ehi Franco, non ti sei stufato di stare in quel noioso mondo dei vivi? Vieni qua che facciamo bisboccia» diceva Geremia.

«Arrivo subito, dammi solo un'altra quarantina d'anni, intanto stappa il vino» rispondeva lui. Chissà quante belle chiacchierate avrebbero fatto quando sarebbe andato in pensione... cioè fra due giorni. Oddio, non ci poteva credere... Se si voltava all'indietro vedeva se stesso a trentasette anni, alle prese con il concorso per entrare in Pubblica Sicurezza, e dopo un battito di ciglia eccolo a due giorni dalla pensione, a scambiare battute con un teschio.

Era stata una giornata davvero impegnativa, ma non poteva immaginare la propria vita senza quella tensione, senza i morti ammazzati, senza la ricerca degli assassini... E non era certo il gusto della caccia all'uomo, che concettualmente

167

lo disgustava... Era soltanto un modo per non sentirsi inutile, per fare quello che poteva, per non rassegnarsi a lasciare il mondo in balia della legge del più forte, della sopraffazione. Magari serviva a poco, ma come diceva Dante, lasciar perdere sarebbe stata una vera sconfitta...

Raffreddò la zuppa con un po' di acqua del rubinetto, la rovesciò nella ciotola di Blisk, e il suo lavoro di un quarto d'ora fu divorato in meno di due minuti.

«Forse avevi un po' fame?» Gli fece qualche carezza sul capone e se ne andò a letto. Un sonno del genere ce l'aveva quando era bambino, e la mamma lo spogliava mentre lui fingeva di dormire. Spense la luce, e qualche secondo dopo cominciò a russare.

Si svegliò nel cuore della notte, e mentre nella sua mente si muovevano ancora quei quattro ragazzi che giocavano ai nazisti, nel buio pesto della sua camera vide alcuni dei suoi compagni del San Marco seduti in fondo al letto, con le divise sporche. Erano tranquilli, sorridevano, anche se avevano il volto spalmato di fango come quando di notte andavano di pattuglia. Uno di loro si stava arrotolando una sigaretta senza nessuna fretta, per farla a regola d'arte... Sgatti, Pieralli, Bombo, Barile, Fiocco, Trovamala... Facevano parte del numeroso esercito dei suoi morti... Aveva ragione sua mamma... *Dolce è la compagnia di chi non ha più fretta...* Erano uomini che avevano sparato e ucciso, che avevano dato la vita per liberare l'Italia, e adesso se ne stavano davanti a lui con un'aria da simpatici bighelloni... *Comandante, perché non l'hanno fatta anche per noi una bella canzone? La potevano fare, no? Siamo morti anche noi per lo stesso motivo...* «O bel San Marco, portami via, o bella ciao, bella ciao, bella ciao ciao ciao... O bel San Marco, portami via, che mi sento di sparar...» *Potevano farla anche per noi una bella canzone come questa, no? Ma va bene lo stesso, in fondo che ce ne importa, noi il nostro dovere l'abbiamo fatto, e chi ci vuole ricordare ci ricorderà... Ciao comandante, noi si torna di là, ma ogni tanto veniamo a trovarti...*

Bordelli li salutò alzando una mano, sentendo per loro un profondo rispetto, e si vergognava che i suoi compagni fossero entrati nello stesso spazio della coscienza dove ancora ciondolavano quei ragazzi con le divise da gerarchi nazisti... Il disgusto gli strinse la gola, e le parole cominciarono a sgorgare... Quegli sciagurati sapevano con cosa stavano scherzando? Ma sì che lo sapevano... Avevano studiato, conoscevano la storia, forse avevano anche letto *Mein Kampf* e Gramsci... Questo era ancora più grave... Forse Orlanda e Carmela ne sapevano poco di quelle faccende, e si poteva capire, anche se non era bene che delle ragazze della loro età, nate subito dopo la guerra, avessero già spezzato il filo della memoria... Ma quei ragazzi cresciuti nella ricchezza, che avevano frequentato scuole prestigiose, che avevano sfogliato pagine di libri dove certamente si parlava dell'atrocità della guerra... No, non era ammissibile, non si poteva perdonare... E la loro non era nemmeno un'aberrante scelta ideologica, ma soltanto un gioco... Così come si travestivano da antichi romani o da cavalieri della Tavola Rotonda, si mettevano addosso quelle divise, simbolo di sopraffazione, emblema della più spregevole deriva delle possibilità umane... E se loro stessi vivevano in un paese dove non si rischiava di venire uccisi a vista per la minima disobbedienza a un regime oppressivo, lo dovevano a chi contro i fascisti e i tedeschi aveva combattuto, a chi per quella libertà era morto... E anche se l'Italia non era riuscita a mettere in pratica fino in fondo i valori della Costituzione e aveva lasciato spazio all'ingiustizia, al malaffare e alla corruzione, era certamente meglio una democrazia sgangherata di una qualunque dittatura, di un qualunque Benito e di un qualunque Adolfo... Baloccarsi con la svastica, fare il saluto a braccio teso, borbottare *Heil Hitler* sbattendo i tacchi, giocare con nomi come Himmler, Heydrich e Goebbels... No, non si doveva fare, non si poteva fare, era come sputare sulle ossa scarnificate di chi si era fatto ammazzare... Avrebbe voluto una macchina del tempo per trasportare quei ragazzi nel '44, sulla Linea Gustav... Costringerli a raccogliere piedi e braccia ancora fumanti dei guastatori del San Marco appena fatti a pezzi da una mina, obbligarli a prendere con le mani gli intestini che colavano sulle gambe di chi era stato dilaniato da una scheggia di mortaio, a stringere tra le dita la carne di un cadavere in putrefazione, a camminare su un pavimento inondato di sangue ancora fresco, ad amputare un piede maciullato per cercare invano di evitare la cancrena, a tirare giù dagli alberi intere famiglie di impiccati, a guardare con il binocolo le SS che lanciavano in aria i neonati «traditori italiani» per giocare a colpirli prima che toccassero terra... e la lista di quel che era successo in Italia nei due anni dopo l'Armistizio era ancora molto lunga...

Finalmente aveva trovato qualche parola giusta per dirsi quello che provava, e quei pensieri erano riusciti a farlo sentire un po' meglio, come quando si libera dal marciume una ferita purulenta. Adesso poteva continuare a dormire, magari fare qualche bel sogno, e la mattina dopo si sarebbe svegliato riposato, pronto a cominciare la caccia ai nazisti... Ne aveva già arrestati quattro poche settimane prima, anche se non indossavano la divisa, e adesso doveva sbatterne in galera altri quattro... *Mala tempora currunt*, pensò. Chissà cosa sarebbe successo al carcere delle Murate, se quei ragazzi arroganti e profumati fossero stati gettati in mezzo alla ciurma dei galeotti, miseri e onesti delinquenti finiti dietro le sbarre per aver rubato una motoretta o per aver venduto sigarette di contrabbando, e spesso solo per sfamare la famiglia... Quei poveri cristi che si arrabattavano per sopravvivere, quale «linguaggio» avrebbero usato per farsi capire da quei signorini, che sotto il culo avevano costose automobili capaci di sfamare per tre anni una tribù di disgraziati? Aveva ragione il filosofo Ennio Bottarini: a governare il mondo era l'ingiustizia. Ma allora ci si doveva rassegnare? Eh no, almeno ogni tanto si doveva pur fare qualcosa per andare contro a questa verità scoraggiante, anche solo per non sentirsi una nullità... E lui da che parte stava? Era vero che la Pubblica Sicurezza proteggeva gli interessi dei potenti e la ricchezza dei signori? Anche lui, che arrestava assassini? Anche lui, che stava cercando quattro giovanotti viziati che avevano lasciato morire una ragazza bella e povera? In questo caso, che piega prendeva la lotta di classe? Era sempre tutto così complicato... *Adesso devo dormire...* pensò, abbracciando il cuscino e pensando a Eleonora... Era lei la più bella di tutte... Un minuto, e si addormentò...

La mattina dopo, appena aprì gli occhi, si ricordò di aver fatto un sogno davvero strano, assurdo, e soprattutto molto sgradevole. Mentre preparava il caffè rivide quel sogno scorrere nella mente...

Alla televisione avevano annunciato per mesi una trasmissione davvero speciale, che tutta Italia aspettava di seguire con ansia. Finalmente il giorno era arrivato. La serata si svolgeva in un grande teatro stracolmo di gente, e si trattava di una sfida verbale tra due antagonisti: un filosofo e un fiorentino.

Il filosofo aveva un fisico asciutto, gli occhiali tondi, i capelli bianchi, un elegante naso ricurvo, e stava seduto sulla sedia con aria ansiosa. Il fiorentino era piuttosto abbondante, pelato, con il labbro inferiore più sporgente di quello superiore. Se ne stava seduto tranquillo, quasi stravaccato, e il suo sguardo emanava una poderosa superiorità.

Cominciò la discussione. Gli argomenti erano di alto livello: la paura dell'inconosciuto, il fondamento della morale, la potenza spirituale dell'arte, e così via. Nel teatro la gente sorrideva, pensando che quel fiorentino sbruffone e ignorante non poteva affrontare temi così importanti e complessi, e che di certo la cultura immensa del suo antagonista lo avrebbe ridotto in polpette. L'unico veramente preoccupato era il filosofo. Cominciò a parlare proprio lui, esprimendo i suoi mille dubbi sui vari argomenti, citando grandi pensatori, camminando sul filo della perplessità...

«A me che cazzo me ne frega» diceva il fiorentino, guardando con pena il povero filosofo, che perdeva tempo dietro a quelle faccende inutili. Il filosofo continuava a snocciolare i propri pensieri, si addentrava in sentieri affascinanti e difficili, dove la luce e l'oscurità rendevano il cammino sempre più faticoso.

« Mangiati una bella bistecca e beviti un bel bicchiere di vino, vedrai che ti passa » diceva il fiorentino ridendo, e scuoteva il capo. Il filosofo andava avanti con coraggio, contraddicendo di proposito se stesso, per significare quanto fosse importante salvaguardare la libertà del pensiero, difendersi dal dogma e dal pregiudizio, mantenere una pluralità di vedute...

« O Nini, ma icché te ne frega? Son seghe mentali che un ti servono a un cazzo, da' retta a un bischero... » lo interrompeva il fiorentino, a questo punto con l'aria di volerlo salvare dall'idiozia. Nel teatro, la gente cominciava a preoccuparsi... Come mai il filosofo, con la sua sapienza, non distruggeva quel bifolco? A dire il vero il filosofo ce la metteva tutta... Schopenhauer diceva che... Platone ci suggerisce... Tommaso d'Aquino... Cicerone... L'etica... Nei Vangeli è scritto...

« Io mi sarei anche rotto i coglioni... » Era impossibile intavolare una conversazione, o meglio non aveva alcun senso. Il pubblico mormorava, protestava, c'era chi addirittura urlava, non si capiva contro chi.

Il duello verbale – se così si poteva chiamare – finalmente finì. Il fiorentino se ne andò alzando le braccia come un pugile vittorioso, senza salutare il suo rivale. Un giornalista si avvicinò al filosofo per chiedergli com'era andata, e il pover'uomo allargò le braccia.

« Ho perso tre a uno » disse.

« Perché dice così? »

« È molto semplice: io penso di aver vinto, e anche quel signore fiorentino pensa di aver vinto, e qui siamo uno pari. Io però so che lui crede di aver vinto, lui invece è sicuro che io sappia di aver perso, e dunque questi due punti vanno a lui. Tre a uno. La povera sguattera Filosofia non può nulla contro la principessa Ignoranza.»

Bordelli mandò giù il caffè, e gli sembrò più amaro del solito. Scendendo verso Firenze si sentiva ancora triste per via di quel brutto sogno. Sperava di dimenticarselo presto, e di certo non lo avrebbe mai raccontato a nessuno.

Appena Bordelli entrò in ufficio, alzò il telefono per cercare il sardo e gli disse di salire subito da lui. Non dovette aspettare molto.

«Piras, su quella sedia dove sei tu adesso, ieri sera si è seduta una ragazza... Mi ha raccontato di aver passato la notte di domenica ventidue insieme a Carmela.»

«Cazzo!» si lasciò sfuggire Piras, e alzò una mano per scusarsi.

«È una storia da voltastomaco, come quella del Conte, forse ancora più disgustosa.»

«Ci serve a trovare quelli che l'hanno lasciata morire?»

«Dobbiamo solo superare un piccolo scoglio, poi li abbiamo in pugno» disse il commissario.

«Non vedo l'ora.»

«Ti riassumo la faccenda, e stasera alle sette tieniti libero.»

«Bene» disse Piras. Per l'impazienza si alzò e si mise a camminare su e giù, come di solito faceva Bordelli.

«Tutte e due modelle... Si erano conosciute due anni prima a Firenze, mentre aspettavano di fare un provino per una pubblicità di reggiseni...» Il commissario ci mise un quarto d'ora per riassumere a Piras la storia di Orlanda. Era andato al sodo e aveva cercato di non lasciarsi trascinare dalle emozioni, ma non sempre era stato facile. Anche il sardo ogni tanto si era morso un labbro e aveva stretto la mascella. Ma forse era proprio quello il modo migliore per affrontare ogni indagine, con una metà di se stessi coinvolta come se si trattasse di una faccenda personale.

« Ho detto a Orlanda di venire qua alle sei e mezzo, ma se non torna vado a prenderla a casa... Cercheremo di ritrovare la villa, è questo l'ultimo scoglio. Se la troviamo, dopo sarà tutto più facile. »

« La troveremo. »

« Nonostante tutte le ragazze presenti alla serata, speravano di farla franca » disse Bordelli, ma il sardo aveva già qualcosa da dire al riguardo.

« Le ragazze avevano la mascherina da Zorro, e probabilmente non si conoscevano... Chissà, magari quell'accorgimento non faceva solo parte dell'abito di scena, ma serviva proprio nel caso si verificasse un incidente. Andiamo avanti: nessuna di quelle ragazze può sapere con certezza che Carmela aveva partecipato alla serata, e parlando rischiano di fare inutilmente un passo falso. Ci sono di mezzo la prostituzione e la droga, chiunque penserebbe che chiamando la questura potrebbe rimanere invischiato nella faccenda... La paura che la loro foto venga sbattuta sul giornale, che la famiglia venga a sapere tutto, eccetera. »

« È la stessa cosa che ha detto Orlanda. »

« Forse i ragazzi confidavano proprio in questo, e mi sa che non avevano tutti i torti. Se Orlanda non si decideva a venire da lei, il rischio di archiviazione era piuttosto alto. »

« Hai ragione, Piras. Ma dobbiamo fare in modo che il nome della ragazza non venga fuori, gliel'ho promesso. »

« Se li facciamo confessare, non ce ne sarà bisogno. »

« Certo, è proprio quello che faremo. Tanto i ragazzi non conoscono il suo nome... Con i giornalisti come sta andando? »

« Li teniamo a bada » disse il sardo.

« Per stasera procurati le cartine dell'IGM tra Tavarnelle e San Casciano, potrebbero farci comodo. »

« Certo... Mi scusi la domanda: domani è il due di aprile, se lei va in pensione come ci dobbiamo comportare? »

« Ah già, ho dimenticato di dirtelo. Ho chiesto al questore

una sorta di proroga, e me l'ha concessa. Ha detto che in caso di problemi si prenderà lui la responsabilità. »

« Il dottor Di Nunzio mi piace, speriamo che rimanga a Firenze per molto tempo. »

« Be', almeno fino a che tu non diventi questore » disse Bordelli, come un augurio.

« Eh, campa cavallo... E poi io sono come lei, non mi piace stare in ufficio. »

« Ogni cosa a suo tempo, diceva mio nonno » mormorò Bordelli. Bussarono alla porta, che subito si aprì... Lupus in fabula, era il questore.

« Disturbo? » disse Di Nunzio, sorridendo. Il sardo si drizzò sul busto, e Bordelli si alzò in piedi.

« Buongiorno capo, tra poco sarei passato da lei. Stavamo parlando di Carmela, abbiamo una pista seria. »

« Vede che non bisogna mai disperare? »

« Ci ha aiutati quel poco di fortuna che ci voleva » disse Bordelli.

« Prepareremo la relazione in giornata » aggiunse il sardo.

« Bene bene bene... » disse Di Nunzio, stringendo la mano a Piras.

« Era venuto per qualche motivo, capo? »

« In effetti sì... ehm... Volevo dirle che purtroppo non è possibile prorogare il suo servizio, domani dovrà andare in pensione » disse il questore, allargando le braccia.

« Ah, ma lei mi aveva detto che... » disse Bordelli, scambiando un'occhiata delusa con il sardo.

« Eh lo so, ma il regolamento... »

« Capisco, capisco. » Fingeva di essere calmo, ma dentro era in subbuglio... Insomma quello era il suo ultimo giorno, cazzo. E l'indagine su Carmela Tataranni? Chi l'avrebbe portata in fondo? Non aveva il coraggio di chiederlo, preferiva non saperlo.

« Mi dispiace » disse il questore.

« Ci farò la bocca, non si preoccupi. »

«Le farò sapere a chi verrà affidata l'indagine.»

«Certo, certo... Più tardi passo da lei.»

«Bene, ci siamo detti tutto. Non se la prenda, Bordelli. Torni a trovarci presto» disse il questore, stringendogli la mano. Il commissario aspettò che Di Nunzio fosse uscito dall'ufficio, poi si lasciò andare sulla sedia e si passò una mano sulla faccia.

«Cazzo, Piras...» borbottò.

«Anche se non sono ancora commissario, spero che affidino a me questo caso» disse il sardo.

«Cercherò di ottenere almeno questo, ci abbiamo lavorato insieme, e sarebbe giusto che...» Bussarono ancora alla porta, e apparve di nuovo il questore.

«Mi scusi Bordelli, ho dimenticato di dirle un'altra cosa.»

«Prego...»

«Non è vero.»

«Cosa?»

«Quello che le ho detto poco fa.»

«Mi scusi, in che senso?» chiese Bordelli, con i brividi sulla nuca... Aveva capito bene? Lanciò un'occhiata a Piras e vide che anche lui era in allarme.

«Nel senso che domani non andrà in pensione, la proroga che le ho concesso resta in vigore» disse il questore.

«Ma... scusi... come mai... prima...»

«Da voi non usa il pesce d'aprile?» disse Di Nunzio, sorridendo. Il commissario fece un lunghissimo sospiro.

«Capo, non posso dire a voce alta quello che sto pensando.»

«Lo so, lo so, sta pensando: *Signor questore, vada a fare in culo.*»

«Vedo che sa leggere nel pensiero» disse il commissario, lasciandosi andare a un sorriso liberatorio.

«Il suo senso del dovere è ammirevole» disse il questore.

«Perché dice questo?»

«Ci rifletta, Bordelli.» Di Nunzio salutò tutti e due con un cenno e se ne andò canticchiando.

«Il pesce d'aprile... Che stronzo...» disse Bordelli, ma si capiva bene che in quel caso era un complimento.

«Però è un bravo attore» disse il sardo. Era quasi più contento lui del commissario.

«Cosa avrà voluto dire con quella frase... *Il suo senso del dovere è ammirevole?*»

«Forse perché quando le ha fatto lo scherzo, l'ha vista soffrire di non poter continuare l'indagine.»

«O forse perché non gli ho lanciato addosso qualcosa.»

«Rimarremo con il dubbio» disse il sardo, sorridendo alla sua maniera, cioè appena appena.

«Bene, andiamo avanti» disse Bordelli.

«Stasera a che ora partiamo?»

«Quando arriva Orlanda ci parlo cinque minuti e poi ti chiamo, ma sarà più o meno verso le sette.»

«Mi faccio trovare pronto.»

«A più tardi...» Quando il commissario rimase solo ripensò allo scherzo del dottor Di Nunzio, e sorrise. Ma dove lo trovavi un questore così?

Doveva far passare la giornata, in attesa dell'arrivo di Orlanda. Povera ragazza, era comunque da apprezzare. Non era da tutti riuscire a fare i conti con se stesso, arrivare a disprezzarsi, e costringersi a pagare il conto. E quell'autista, Silverio... la classica persona giusta al momento giusto. Una di quelle occasioni che possono capitare una volta sola nella vita. Soltanto per come era, senza volerlo, quell'uomo aveva offerto a Orlanda l'occasione di riflettere più a fondo sulla propria situazione, era diventato il suo specchio, e lei era riuscita a cogliere la palla al balzo. A conti fatti si poteva dire che era stata fortunata. Quando si imbocca una strada impegnativa dopo aver sofferto, si è più capaci di percorrerla di quando ci si arriva tranquilli e beati. La tenacia era una conseguenza, non il semplice frutto di una decisione.

«Totò, se avevi in mente il pesce d'aprile lascia perdere. Me ne hanno già fatto uno di notevoli proporzioni, mi basta e avanza.»

«Come volete, commissario.»

«Parliamo di cose serie, domani vado in pensione.»

«Ah bene, così magari venite più spesso.»

«Forse sarà il contrario, abito in campagna.»

«Mi sembrate scontento, commissario.»

«Non so, vedremo... Per il momento sto cercando di capire se ho fatto bene il mio lavoro, se insomma sono riuscito a fare le cose nel modo giusto.»

«*Lùne sule fu ggiùste e fu mise n-gròsce*» disse Totò.

«In italiano?»

«Uno solo fu giusto e fu messo in croce.»

«Non pretendo di essere stato il migliore del mondo, spero solo di non ritrovarmi a fare i conti con una montagna di rimorsi e di rimpianti.»

«Quelli toccano a tutti, commissario. La vita è fatta così. Anche Nina quando morì sua nonna *chiagneva cumbagne a 'na fundéne*, perché diceva che aveva i morsi alla coscienza, ché a volte ci aveva litigato, con la nonna, e l'aveva fatta arrabbiare... Ma io ci ho detto: Nina, è normale, tutti si litiga, poi si fa pace, poi si litiga ancora, poi di nuovo si fa pace... È normale, Nina, ci ho detto. Se va sempre tutto a burro e alici, vuol dire che non è una cosa vera, mi sono spiegato? E così lei ha capito, ha finito di chiagnere e mi è saltata al collo...»

«Totò, se vuoi ti salto al collo anch'io.»

«Sono troppo alto per voi, commissario!» disse il cuoco, e

181

se la rise per un bel pezzo. Qualunque fosse il pesce d'aprile che Totò aveva avuto in mente di fare, aveva capito la situazione e ci aveva rinunciato.

Dopo pranzo, che durò fino alle tre e mezzo, Bordelli fece un lungo giro a piedi. Passò anche in viale Volta, davanti alla casa dov'era nato e cresciuto, e si fermò a guardare il giardino dove aveva giocato durante la sua infanzia, dove aveva sognato negli anni dell'adolescenza, dove aveva studiato nei mesi più caldi quando frequentava l'università. Era lo stesso giardino, ma non era più lo stesso giardino. Prima di imbarcarsi in pensieri inutili proseguì lungo il viale, ma intanto gli era affiorata nella mente un'altra cosa. Quando era tornato dal servizio d'ordine a Brindisi, dove era stato fino all'estate del '46, in un angolo di quel giardino, una notte aveva seppellito qualche arma della guerra. Pugnali, una pistola, un fucile, due mitra, alcune bombe disinnescate. Solo le due pistole non erano finite sottoterra, una beretta calibro 9 che aveva messo in casa da qualche parte, e una Guernica 7,65 che adesso teneva nascosta sotto il sedile del Maggiolino, per i momenti di emergenza.

Arrivò fino a piazza Edison, e per tornare indietro scelse una strada diversa. Doveva far passare il tempo, e non aveva nessuna voglia di aspettare chiuso in ufficio, seguendo con lo sguardo i contorni dell'antico affresco dell'Annunciazione, che ormai conosceva a memoria.

Dopo due ore di piacevoli camminate, alle cinque e mezzo arrivò in questura. Aiutò Mugnai a risolvere qualche difficile definizione delle parole crociate, poi salì in ufficio e aspettò con impazienza l'arrivo di Orlanda. Il pesce d'aprile del questore gli aveva lasciato addosso un immotivato brivido di ansia, e voleva fare più in fretta possibile. Quella gita nel Chianti era decisiva. Individuando la villa potevano arrivare facilmente alla soluzione della faccenda, e soprattutto in tempi brevissimi.

Alle diciotto e venticinque spalancò la porta del suo ufficio e andò a sedersi dietro la scrivania. Si impose di avere un'aria tranquilla. Chiamò Mugnai sulla linea interna.

«Dovrebbe arrivare la bella ragazza che è venuta ieri, falla accompagnare subito da me.»

«Sì, dottore... Mi scusi solo un secondo, sono bloccato... Undici orizzontale... *Guillaume, celebre poeta surre... realista.*»

«Hai qualche lettera?»

«La seconda è P e l'ultima E, non ho altro.»

«Allora dovrebbe essere... *Apollinaire*» disse Bordelli, pronunciando lentamente tutte le lettere.

«Vediamo... *Apoli...*»

«Con due L.»

«Ah sì... *Apollina...?*»

«*...ire.*»

«Ma che razza di nome... Comunque sì, ci sta.»

«Ne hai altre?»

«Sì, ma non vorrei...»

«Dimmi, dimmi.» Preferiva far passare il tempo in quel modo, senza mettersi a contare i minuti.

«Ecco... Questa non l'ho capita... *Si dà solo quando si presta...* dieci lettere...»

«*Attenzione*» disse il commissario.

«Oddio, come ho fatto a non pensarci?»

«Mugnai, sei così bravo a svelare messaggi nascosti, e poi davanti a dei modi di dire...»

«Dottore, è arrivata la ragazza» disse la guardia, sottovoce.

«Bene, mandala su.» Poco dopo il commissario sentì i passi di due persone nel corridoio, e sbirciò. Era Orlanda, insieme a una guardia che anche se le camminava accanto riusciva a mangiarsela con gli occhi.

«Buonasera» disse la ragazza, entrando. Sembrava più tranquilla del giorno prima.

«Come si sente?»

« Se riesco a fare qualcosa per Carmela, mi sentirò meglio. » Era vestita in modo semplice, come il giorno prima.

« Partiamo subito o vuole aspettare qualche minuto? »

« No, andiamo subito. »

« Bene, faccio solo una telefonata. » Alzò il ricevitore, cercò Piras e gli disse di aspettare in cortile. Uscì dall'ufficio cedendo il passo a Orlanda, e scesero le scale in silenzio. La ragazza era pensierosa, sul suo viso si leggeva la preoccupazione di non riuscire a ritrovare quella maledetta villa.

« Ma a questo Piras, lei ha raccontato... proprio tutto? » chiese lei, arrossendo. Bordelli scosse il capo.

« Solo l'indispensabile per mandare avanti le indagini » disse con un tono rassicurante, e Orlanda lo ringraziò accennando un sorriso. In realtà Bordelli aveva mentito... O forse no, visto che Piras non avrebbe mai raccontato niente a nessuno.

Arrivarono in cortile, e quando il sardo vide la ragazza dilatò appena gli occhi. A parte questo, la sua imperturbabilità nuragica non venne scossa.

« Le presento il vice commissario Piras. »

« Piacere » disse Orlanda, stringendogli la mano. Si sa che certi pensieri non si possono frenare, e Bordelli per qualche secondo immaginò il sardo a letto con la sua bella fidanzata siciliana, chiedendosi se in quei momenti restava della stessa consistenza della pietra o diventava un vulcano. Magari un giorno glielo avrebbe chiesto, solo per la pura curiosità di esplorare l'animo umano.

« Andiamo con la mia » disse Bordelli. Preferiva il Maggiolino, per non dare nell'occhio in una strada di campagna. Se fossero riusciti a trovare la villa, aveva già in mente cosa fare e come farlo.

Montarono in macchina, Orlanda davanti e il sardo dietro, e partirono. Il sole stava tramontando e sulla città calavano le prime ombre, anche se il cielo senza nuvole era ancora dipinto di luce. Da quella gita in campagna dipendeva il successo dell'indagine, ma il commissario non voleva mettere in agitazione la ragazza.

«Se siete scese da Fiesole, immagino che siate passate di qua» disse Bordelli, attraversando il Ponte di Ferro... cioè il ponte San Niccolò.

«Mi pare di sì» disse Orlanda. Non conosceva bene Firenze, e non aveva mai guidato in quelle strade.

«Forse quando saremo sulle colline le sarà più facile riconoscere la strada.»

«Lo spero...»

«Ma sì, sono ottimista» disse il commissario, per incoraggiarla. Il sardo si sporse in avanti tra i sedili, come i bambini.

«Signorina Orlanda, forse lei si ricorda meglio la strada del ritorno che ha fatto con l'autista...»

«Sì, è vero. Ogni tanto mi guardavo intorno.»

«Allora sarebbe meglio che dopo San Casciano si sedesse al posto mio e guardasse la strada dal lunotto. La stessa strada vista all'andata o al ritorno può essere molto diversa, soprattutto per chi non la conosce.»

«Va bene» disse Orlanda.

«Ottima idea, Piras» disse il commissario.

Quando presero il raccordo autostradale che portava a Siena era ormai notte. Uscirono poco dopo, a San Casciano, e all'altezza del paese Bordelli accostò nei pressi di una diramazione. Spiegò a Orlanda che la strada a destra rasentava il centro di San Casciano e andava verso Cerbaia, e più oltre a Montespertoli. A sinistra si arrivava a Mercatale, Montefiridolfi e altri paesini. Ma erano tutte e due da escludere, perché l'autista Silverio a un certo punto aveva detto che si trovavano tra San Casciano e Tavarnelle. Se invece si andava avanti si potevano prendere appunto due strade che portavano a Tavarnelle, una era la Cassia, un po' più breve, l'altra era più lunga e anche un po' più tortuosa.

« Mi ricordo che c'erano molte curve... Ho anche vomitato... » disse Orlanda. Si vedeva che era indecisa, ma soprattutto era preoccupata di non riuscire nell'impresa. Il sardo controllava la cartina del Geografico Militare. In effetti dire « tra San Casciano e Tavarnelle » era un'indicazione molto approssimativa, un luogo che si poteva indicare sulla cartina, ma la strada poteva essere anche molto distante dalla linea retta che univa con un righello San Casciano e Tavarnelle... Oltre a questo, magari la villa era in cima a una salita lontana dalla strada, oppure dietro una collina boscosa che la teneva un po' nascosta dalla via principale. Di certo, essendo una villa importante, non era in fondo a una vallata. Non rimaneva che incrociare le dita.

« Allora proviamo con quella più lunga » disse il commissario. Orlanda scambiò il posto con Piras e ripartirono.

«Ogni tanto guardi avanti, altrimenti le verrà la nausea» le suggerì il sardo.

«Va bene.»

«E quando vuole ci fermiamo, non c'è fretta.»

«Grazie...» Orlanda osservava con attenzione la strada, ma di notte si vedevano quasi soltanto luci e macchie di vegetazione. Bordelli guidava lentamente, ogni tanto quasi si fermava, soprattutto alle diramazioni o quando lungo la strada si vedeva una grande villa dall'aspetto riconoscibile o qualcos'altro di particolare. Dopo una mezz'ora, o forse anche di più, non avevano ancora trovato nulla, nemmeno un indizio.

«Questa qua a destra le ricorda qualcosa?»

«No...»

«E qui? Nulla di familiare?»

«No...» La ragazza stava quasi per piangere.

«Orlanda, non si preoccupi, ci vuole pazienza, ma la troveremo. Non abbiamo nessuna fretta, vero Piras?»

«Nessuna fretta» confermò il sardo.

«A casa la stanno aspettando?» aggiunse il commissario.

«Ho detto che andavo a cena con un'amica e poi al cinema.»

«Bene, stia tranquilla. La riaccompagniamo noi a Pistoia.» Per un'altra ora il Maggiolino si mosse su strade e stradine, curve di ogni tipo, salite, discese, incroci, sterrate da spaccarci la macchina. Per non rischiare di perdere tempo inutilmente ripercorrendo lo stesso tragitto, Piras via via segnava sulla cartina le strade dove passavano e anche i villaggi... Pergolato... Malafrasca.... Poggioleto... Salivolpe... Polvereto... Bonazza... Palazzuolo... Marcialla... Stavano battendo la zona palmo a palmo. Se la ragazza era in grado di riconoscere la villa, era impossibile non trovarla... prima o poi.

Passavano i minuti, che ormai erano lunghi come quarti d'ora. Stavano spesso in silenzio. Bordelli guidava tranquillo,

Piras segnava le strade sulla cartina, Orlanda spiava la notte come se fosse inseguita.

«Provi un po' a voltare a destra... Anzi no, a sinistra, mi scusi...» Guardando dal lunotto, spesso la ragazza si sbagliava. Ecco che a un certo punto le sembrò di riconoscere un tabernacolo... sì, era proprio quello... dentro c'era una Madonnina... lo aveva visto pochi minuti dopo essere partita insieme all'autista... se lo ricordava perché aveva visto Silverio accennare un segno della croce, e lei aveva fatto lo stesso, chiedendo alla Madonna di... no, non importava cosa... ma di sicuro la villa non era lontana.

«Ne è sicura?» chiese il commissario, mordendosi un labbro.

«Sicurissima.»

«Bene... Piras, dove siamo?»

«Tra Marcialla e Bonazza... Nei dintorni, sulla carta sono segnate alcune ville e castelli... Uglione... Il Cantuccio... Il Fossato... I Glicini... Il Torrino... Olivo Torto...»

«Olivo Torto!» gridò quasi Orlanda.

«È quella?» chiese Bordelli, fermandosi sul bordo della strada. La ragazza era agitata, si teneva le mani sul petto.

«Ho in mente questo nome... Non so come mai... Forse l'ho sentito dire da uno dei ragazzi... Oddio... Mi sento male...»

«Vuole scendere?»

«Sì, solo un minuto...»

«Venga» disse il sardo. Scese al volo dalla macchina, le aprì la portiera e inclinò lo schienale. Orlanda si precipitò fuori, e si mise a passeggiare su e giù facendo dei bei respiri.

«Scusate, è che... non so... solo l'idea di rivedere quel posto...»

«Non si preoccupi, abbiamo tutto il tempo» disse il commissario, scambiando un'occhiata impaziente con Piras. Sentivano avvicinarsi il momento cruciale, aspettavano con ansia che la ragazza si riprendesse, e imporsi la calma non era facile.

«Scusate, possiamo ripartire» disse lei. Piras la lasciò salire davanti, tanto ormai stavano per azzannare la preda. Seguendo la cartina guidò il commissario fino a Olivo Torto, e quando dietro all'ultima curva apparve la villa, Orlanda scoppiò a piangere e si coprì il viso con le mani.

«È quella, è quella...» mormorò tra le lacrime. Bordelli sentì lo sguardo di Piras arrivargli sulla nuca, e si voltò. Nessuno dei due riuscì a trattenere un accenno di sorriso... Un sorriso che visto da fuori, senza conoscerne il motivo, poteva sembrare perfido. Si sentivano come quando erano riusciti a sapere i nomi degli assassini del Conte, un po' come Clint Eastwood nel duello finale.

«Orlanda...»

«Sì...» disse lei, alzando il capo.

«Posso chiederle di guardare la villa un'ultima volta, e di confermare che è proprio quella?»

«Sì, è quella... Andiamo via, la prego.»

«Bene» disse Bordelli. Il sardo gettò la cartina da una parte e si concesse uno sbadiglio silenzioso. Era stato impegnativo, ma ne era valsa la pena. Adesso era tutto in discesa, e non solo la strada per Firenze.

Accompagnarono Orlanda a casa, a Pistoia. Prima che scendesse dal Maggiolino, il commissario la ringraziò e le diede la sua parola d'onore che di lei nessuno avrebbe mai saputo nulla. Orlanda si allontanò sul marciapiedi, portandosi via il suo dolore, la sua bellezza e la sua tenacia per affrontare il futuro. Solo allora il sardo, passando sul sedile davanti, disse le parole che prima di quel momento sarebbero state inopportune... *Bellissima ragazza.*

Tornando verso Firenze, il commissario raccontò a Piras cosa aveva in mente di fare, e incontrò la sua totale approvazione. Non sarebbero andati direttamente a Villa Olivo Torto e nei dintorni per chiedere informazioni sul proprietario o sulla famosa festa. Era meglio agire di nascosto. All'ufficio del Catasto potevano scoprire il nome del proprietario della villa, di conseguenza avrebbero trovato l'indirizzo di residenza e avrebbero messo il suo telefono sotto controllo. Attraverso le chiamate si doveva sperare di individuare presto gli altri tre ragazzi, e non era certo un'ipotesi remota. Quasi certamente i quattro rampolli erano molto amici e si sentivano spesso, visto che organizzavano feste piuttosto particolari. Dopodiché sarebbero partiti i mandati di cattura. Riguardo ai reati commessi, ce n'era per tutti i gusti.

«Quei ragazzi sono nati e cresciuti in famiglie ricche importanti e potenti. I loro genitori faranno di tutto per salvarli, ma a me non importa nulla.»

«Idem» disse il sardo, per non sprecare troppe parole. Non avevano nessuna intenzione di fermarsi davanti agli ostacoli. Quei quattro giovanotti meritavano di restare un bel po' di tempo in galera a meditare, e loro due avrebbero fatto qualunque cosa per chiuderceli dentro. Una volta ogni tanto era cosa buona e giusta sconfessare la triste verità che in galera ci finivano solo i poveracci. Quei ragazzi viziati l'avevano fatta troppo grossa, non era possibile giustificarli o difenderli. Dovevano pagare per quello che avevano fatto, e certamente il giudice avrebbe chiesto anche un bel risarcimento per i genitori di Carmela, che dopo una vita di fatiche e una tragedia del genere, si meritavano di vivere una vita migliore. Bordelli sperava davvero in una condanna esemplare, che fosse di esempio per altri ragazzi come loro... Un po' come nei secoli passati, quando in certe città il condannato a morte veniva lasciato per giorni legato in mezzo alla strada con la pancia aperta in due da un coltello e le budella sul selciato. Non riusciva ad avere la minima comprensione per dei ragazzi che giocavano con il nazismo.

«Anche loro sono quattro, come gli assassini del Conte» disse, dal nulla.

«Già...» disse il sardo.

Arrivarono in questura a mezzanotte meno venti, stanchi e affamati. Si diedero appuntamento per la mattina successiva e si salutarono con una lunga stretta di mano. Avevano fatto buona caccia.

Bordelli andò dritto a casa. Accese il fuoco, e dopo aver dato da mangiare a Blisk cucinò per sé un'ottima pasta con l'olio del campo, il peperoncino dell'orto e un bel po' di parmigiano. Mangiò con calma, in compagnia di Blisk che russava sdraiato sul pavimento, del teschio che lo guardava senza dire nulla e di una bella bottiglia di vino dei Balzini. All'una e diciassette in punto alzò il calice in direzione di Blisk, poi verso il sorridente Geremia.

«Cari amici, in questo momento compio sessant'anni» disse, e la coda del cane sbatté due o tre volte sul pavimento. Sua mamma gli aveva sempre detto che era nato a quell'ora, mentre un vento tremendo schiantava i rami degli alberi.

Si ricordò delle fotografie che gli aveva regalato zia Costanza. Forse era il momento giusto per guardarle... Dov'è che le aveva messe? Forse erano ancora in macchina, nel portaoggetti. Uscì per andare a recuperarle, e prima di rientrare in casa rimase per un po' a osservare la luna, una luna a metà che alitava il suo chiarore sulla campagna. Era la sua prima luna da sessantenne, ma non ancora da pensionato. Chissà quante volte ancora avrebbe pensato cose del genere... *La pri-*

ma passeggiata da sessantenne, la prima pasta al pomodoro da pensionato... Si sentiva un po' ridicolo, ma in fin dei conti era un gioco mentale che faceva con se stesso, non dava fastidio a nessuno.

Tornò in casa e si sedette davanti al camino, dove le fiamme erano piuttosto vive. Aprì la busta di zia Costanza e tirò fuori tre fotografie... Un salto di cinquant'anni. La mamma e il babbo sembravano dei ragazzini, lui era ancora un bambino con il capo troppo grosso, e sullo sfondo si vedeva il mare... la sabbia... La Torre Balilla della Partaccia non esisteva ancora... In quel momento si sentiva davvero un bambino... In una delle foto lui stava quasi piangendo, e si ricordava addirittura per quale stupidaggine... Era così assurdo... Aveva in mano alcuni brandelli della sua vita racchiusi in dei cartoncini quadrati... La fotografia era davvero un'invenzione infernale, avrebbero dovuto abolirla. Rimise il passato nella busta e andò a chiuderlo nel cassetto della credenza.

Fece un bel respiro e si mise a leggere il libro della Ginzburg. Ma anche quella sera era troppo stanco, e dopo qualche pagina gli cadde il libro di mano. Salì al piano di sopra, si ficcò a letto e spense la luce. Prima di addormentarsi gli vennero in mente alcuni compleanni di quando era bambino, con sua mamma giovane e bella che lo faceva sentire il moccioso più importante della Terra. Riaccese la luce, lesse un paio di poesie di sua madre a voce alta, per mandarle un saluto. Spense di nuovo la lampada e si tirò le coperte fin sopra il capo.

La mattina dopo alle otto e trenta, Piras entrò nell'ufficio del commissario insieme a una gran voglia di mettersi a lavorare.

«Auguri, dottore.»

«Grazie Pietrino... Adesso diamoci da fare.» Confermarono il loro piano. Piras sarebbe andato personalmente al Catasto a cercare quel nome, e il commissario, per non stare con le mani in mano, sarebbe andato subito a parlare con il giudice Ginzillo per anticipargli le sue richieste.

«Ci vediamo più tardi, dottore.»

«A dopo...» disse il commissario. Erano parole semplici, quotidiane, ma in quel momento erano pregne di significato. Avevano trovato la tana della preda, e aspettavano solo di catturarla.

Bordelli uscì a piedi, e in meno di mezz'ora raggiunse il Tribunale in piazza San Firenze. Si fece annunciare, e il giudice venne personalmente ad aprirgli la porta.

«Dottor Bordelli, si accomodi.» Sembrava allegro, come ormai da diverso tempo a quella parte.

«Volevo aggiornarla sull'evoluzione delle indagini relative al caso di Carmela Tataranni.»

«Siamo a buon punto?»

«Direi proprio di sì.»

«Ah, che bella notizia... Mi dica, mi dica...»

«Dunque...» Il commissario, senza nominare Orlanda, gli raccontò con calma tutta la storia, soffermandosi soltanto sui dettagli più importanti, ma senza tralasciare niente.

«Molto molto bene...» mormorò il giudice. Il commissario gli disse che sarebbe tornato presto per chiedere un decreto di intercettazione per un numero di telefono che stavano ancora cercando, e aggiunse che nei giorni seguenti, c'era da sperarlo, avrebbe avuto bisogno di altri decreti per intercettare altre linee telefoniche. Ginzillo lo aveva ascoltato con molta attenzione, annuendo e arricciando ogni tanto il naso come un topolino, bestiola che il suo aspetto ricordava non poco. Poi prese una penna e si divertì (si fa per dire) a stilare l'elenco dei reati commessi da chi aveva abbandonato il cadavere di Carmela lungo l'argine della Greve...

«Vediamo un po'... In primis ci mettiamo un bell'articolo 575, omicidio doloso, con le aggravanti delle sevizie e dei motivi abietti o futili... Poi abbiamo l'articolo 605, sequestro di persona... Ovviamente anche il 412, occultamento di cadavere... e direi aggravato, per aver commesso il reato al fine di occultarne un altro... Abbiamo anche spaccio di sostanze stupefacenti... Aspetti un po'... Vista la dinamica del decesso, per l'omicidio si potrebbe anche considerare l'articolo 577, omicidio a mezzo di sostanze venefiche, e qui si rischia l'ergastolo... Bene, credo che per adesso sia tutto» concluse Ginzillo, posando la penna con un sorriso feroce sulle labbra. Il commissario era contento che il giudice fosse interamente dalla sua parte. Mancava solo un particolare.

«Volevo anche dirle che ci troviamo di fronte a famiglie assai ricche e probabilmente molto potenti.»

«E allora?»

«Nulla, volevo solo farglielo sapere.»

«Esiste qualcosa di più potente della Legge?»

«Certo che no» disse Bordelli, stupefatto dall'atteggiamento del giudice, che in passato gli aveva messo i bastoni fra le ruote proprio per paura di dare fastidio a qualche persona importante.

«Bene, direi che siamo a posto» disse Ginzillo.

«Sì grazie, allora appena ho il numero da intercettare vengo da lei per il primo decreto.»

«Guardi, per non farle perdere tempo facciamo così: le

do quattro bei decreti di intercettazione già firmati da me, che lei potrà compilare quando avrà i nomi e i numeri, cosa ne pensa?»

«Be', magnifico» disse Bordelli.

«Ho solo bisogno di un'oretta, devo prima sbrigare una pratica con una certa urgenza. Appena sono pronti glieli faccio portare in questura da un fattorino.»

«Molto gentile...»

«Però mi raccomando, non lo faccia sapere a nessuno. Come può immaginare, non potrei farlo.»

«La ringrazio della fiducia» disse il commissario, piacevolmente stupito. Era davvero curioso di capire cosa fosse successo a Ginzillo. Fino all'anno prima era acido come una zitella, reagiva in modo aspro anche se gli chiedevi che ore erano, adesso invece era diventato assai gentile e addirittura si spingeva ad accontentarlo oltre le aspettative. Nessuno poteva togliere dalla mente del commissario che ci fosse di mezzo una donna, una maga capace di far stare bene il giudice in tutti i sensi, insomma il classico amore rasserenante... e a quel punto non riuscì più a trattenersi. Aveva già aperto la porta per andarsene, e si fermò.

«Signor giudice, mi scusi, posso farle una domanda privata?»

«Prego, dottor Bordelli.»

«L'anno scorso lei si è... fidanzato?» azzardò il commissario, pronto a rimangiarsi la domanda e a uscire se avesse visto un viso contrariato. Ginzillo invece sorrise.

«Felicemente fidanzato dal marzo del '68, con una donna meravigliosa che fa l'archeologa... Vuole vederla?»

«Be', sì...» Bordelli richiuse la porta e tornò davanti alla scrivania del giudice, facendo fatica a dissimulare la sua meraviglia.

«Si chiama Selina.» Il giudice cercò il portafogli nella giacca. Non stava nella pelle, sembrava un adolescente che parla della prima fidanzatina ai suoi mocciosi compagni di classe ancora digiuni di quelle faccende.

«Che bel nome» disse il commissario, pensando che la bellezza di quella donna si esaurisse in quel nome affascinante. Ginzillo sfilò una fotografia dal portafogli e gliela mostrò, tenendola gelosamente in mano.

«Ecco qua» disse. Nella fotografia il giudice era accanto a una donna piuttosto carina, con il sorriso simpatico, e Bordelli si domandò com'era possibile che una come Selina potesse innamorarsi di un uomo che somigliava, con rispetto parlando, a un topo. Ma quella donna si meritava un monumento, perché aveva trasformato il metallo in oro... L'amore era il più grande degli alchimisti.

Bordelli era tornato da poco in ufficio, quando squillò il telefono.

« Pronto? »

« Franchino, volevo farti gli auguri. »

« Ciao zia, grazie. » Zia Camilla era la sorella di suo padre, la mamma di Rodrigo. Il commissario le aveva sempre voluto bene.

« Insomma, questa volta sono tondi tondi » disse lei.

« Preferisco non pensarci » borbottò Bordelli... Fino al giorno prima gli piaceva pensare di essere ancora un cinquantenne.

« Voglio farti gli auguri anche da parte della tua povera mamma, che sogno spesso » disse la zia, commossa. Conosceva la mamma di Bordelli fin da quando era bambina, e anche se Camilla era più piccola di lei di sette anni, erano sempre state legate da un'amicizia speciale. Adesso zia Camilla ne aveva settantasette, e li portava benissimo.

« Zia... Grazie... »

« Hai avuto dei genitori come ce ne sono pochi, Franchino. »

« Lo so, lo so... È un po' di tempo che penso di andare a trovarli al cimitero, forse ci vado oggi » disse Bordelli.

« Porta a tutti e due un bacio da parte mia. »

« Sarà fatto... A proposito, è tanto che te lo voglio dire. Sapevi che la mamma scriveva poesie? »

« Non mi aveva mai detto nulla » disse zia Camilla, stupita.

« Le ho trovate per caso due o tre anni fa, nella scatola delle fotografie. »

197

« Perché non me l'hai detto prima? Voglio assolutamente leggerle » disse lei, con tenerezza.

« Hai ragione, scusa. Sono sempre indaffarato. Cerco di farle battere a macchina da qualcuno e te le porto. »

« Oh, mi fai un grande regalo. »

« Sono bellissime, mi hanno davvero stupito. »

« Non sai quanto sono curiosa. »

« Non pensavo che... Per me mia mamma... come dire, era solo mia mamma, invece ho scoperto che era una poetessa. »

« Non è che ne hai una con te, da leggermi adesso? »

« Eh no, le tengo a casa. Ma te le porto presto, promesso. » Ne sapeva un paio a memoria, ma si vergognava a recitarle al telefono.

« Non te ne dimenticare » disse la zia.

« Ce n'è una bellissima... che mi piacerebbe capire a cosa si riferisce, e magari tu... »

« Di che parla? »

« S'intitola *Notte di gelo*, parla di una serata in montagna, con la neve... Lei è sola, vede gli altri che si divertono, sente una musica, e ripete spesso... *E io non volevo, io non volevo...* E alla fine dice... *Il mio amore morire così, in una notte di gelo, io non volevo.* »

« Ma sì, certo, ho capito, povera Paolina... »

« Di cosa parla? »

« Io non c'ero, ero troppo piccola, ma me lo ha raccontato spesso » disse zia Camilla, poi si fermò.

« Cos'era successo? »

« Sono faccende intime, da non raccontare a un figlio. » Anche se erano al telefono, si sentiva che stava sorridendo.

« Dai zia, ti prego... »

« Non so se lei sarebbe contenta, ci devo pensare. »

« Certo che sarebbe contenta, me lo ha detto in sogno. »

« Attento che ti cresce il naso! »

« Dai, zia... »

«Te l'ho detto, ci devo pensare.»

«È una cosa così tremenda?»

«Sai che faccio? Magari te lo dico quando vieni a portarmi le poesie.»

«È un ricatto?»

«Certo! Così sono sicura che tu venga a portarmele» disse zia Camilla.

«Va bene, affare fatto... Ah, dimenticavo... Sono stato a trovare zia Costanza...» Parlarono un po' dell'incontro bolognese, di altri parenti e di altro ancora... Quando bussarono alla porta, Bordelli disse che purtroppo doveva salutarla, ma sarebbe andato presto a farle visita.

«Avanti...» Entrò una guardia, che gli consegnò una busta da parte del giudice Ginzillo. Quattro decreti di intercettazione già firmati, che lo fecero contento come un bambino a Natale.

Verso mezzogiorno arrivò anche il sardo. Aveva trovato il nome del proprietario, alcune informazioni su di lui e il numero di telefono della sua residenza di Milano.

«Dottor Gualtiero Amirante, un alto funzionario dell'ambasciata italiana a Bruxelles.»

«Si comincia bene» disse il commissario.

«Tre figli, un maschio e due femmine. Il maschio si chiama Anton Giulio, ventisei anni.»

«Ecco, il primo ce l'abbiamo.» Dio, che sollievo.

«Questo è il numero... Lei è stato dal giudice?»

«Certo... Ecco quattro decreti di intercettazione in bianco, freschi freschi.» Raccontò a Piras della inaspettata gentilezza di Ginzillo per velocizzare le operazioni, una gentilezza «fuori legge» che metteva il giudice addirittura a rischio.

«Non sarà il suo gemello?» disse Piras, che sapeva bene quanto di solito il giudice Ginzillo fosse irritabile e scorbutico.

«Ogni tanto può avvenire un miracolo.»

«Ci sarà di mezzo una donna.»

«Hai indovinato.» Bordelli gli raccontò della fidanzata

del giudice e della fotografia che gli aveva fatto vedere... Selina... addirittura una donna piacente e dall'aria simpatica.

«Speriamo che stiano insieme per sempre» commentò il sardo. Poi disse a Bordelli che voleva occuparsi personalmente delle intercettazioni, visto che sapeva bene cosa stavano cercando.

«Potrei stare con il tecnico dalle dieci alle sette di sera, e ogni mattina dalle otto in poi ascolterei le eventuali registrazioni avvenute in mia assenza.»

Il commissario era d'accordo. Gli consegnò i decreti e gli chiese di fargli sapere via via le notizie importanti, ma anche quando non c'erano novità voleva ugualmente vederlo o sentirlo ogni fine pomeriggio.

«Se non mi trovi in ufficio prova a casa.»

Adesso doveva di nuovo aspettare. Ma era un'attesa del tutto diversa, che avrebbe portato in breve tempo alla conclusione di quella triste faccenda.

Pranzò come sempre nella cucina di Totò, ma al momento del caffè il cuoco gli portò una fetta di crostata di mirtilli con sopra una candelona, cantando *Tanti auguri a te* in pugliese... Doveva essere un segnale, perché in quel momento si aprì la porta della cucina e apparvero i camerieri insieme a Cesare, ricoprendolo di auguri. Apparve anche una bottiglia di champagne, e il brindisi fu commovente...

«Ai tre ragazzi di vent'anni che vivono dentro quest'uomo!» disse Totò.

Dopo pranzo Bordelli fece una bella camminata. Ripensava a quel brindisi, e si sentì incoraggiato. Le parole potevano avere un grande effetto.

Tornò in questura, e si fermò nella guardiola di Mugnai per aiutarlo a risolvere un paio di definizioni. Dopo, invece di salire in ufficio, montò sul Maggiolino per andare al cimitero di Soffiano a trovare i suoi genitori, come aveva detto a zia Camilla. Gli sembrava il giorno giusto. Lungo la strada comprò un mazzolino di fiori.

Davanti alla tomba, guardando le fotografie ovali, gli tornavano in mente vecchi ricordi. Alcuni divertenti, come quando da ragazzino aveva portato a sua mamma un cartoccio di piccole olive nere, di cui lei era ghiotta. Sua mamma aveva aperto il cartoccio e si era rovesciata in gola una bella quantità di olive... Solo che non erano olive, ma cacherelli di capra. Si era scatenato un putiferio.

« Mamma, scusa... » disse, sorridendo. Lei dalla fotografia lo guardava, ancora un po' offesa, ma durò poco, e anche lei gli sorrise, perdonandolo per quel dispetto e per tutti gli altri.

Nella memoria si fece strada un altro ricordo, e questa volta riguardava suo padre. Non era ancora scoppiata la Grande Guerra. Lui aveva appena quattro anni, ma non poteva scordare quella notte. Era da solo con suo babbo nella villa di una vecchia prozia, che era appena morta. Non ricordava come mai dovevano dormire in quella casa, e per quanto si sforzasse non gli tornava in mente. Però aveva ancora negli occhi la camera da letto, una grande stanza con i mobili scuri, la specchiera inclinata in avanti, il gelido pavimento di graniglia, il soffitto affrescato, il classico lampadario di cristallo a goccia, il letto a baldacchino che a lui sembrava enorme, anche se per suo padre era un po' troppo corto. E poi la lampada a gas che spandeva intorno un chiarore crepuscolare. Era autunno, prima di entrare nel letto ci avevano messo dentro per una mezz'ora lo scaldino appeso al trabiccolo...

« Quanto è cambiato il mondo da allora, babbo » mormorò, sentendosi osservato da quel popolo di morti raffigurati nelle fotografie.

Suo padre aveva abbassato la lampada a gas senza spegnerla del tutto, perché lui aveva paura. Stava abbracciato stretto stretto a suo babbo, e si sentiva al sicuro. Passò una mezz'ora. Suo babbo forse si era addormentato, lui invece non ancora. Sentiva di continuo degli scricchiolii, e poi folate improvvise di vento che scompigliavano le chiome degli alberi intorno alla villa... A un tratto, nel corridoio si sentirono dei passi strascicati, pesanti, come se qualcuno non riuscisse a sollevare i piedi... Ma non erano soli in casa? I passi si avvicinavano, si avvicinavano...

« Babbo » sussurrò lui, terrorizzato.

« Zitto, va tutto bene » disse suo padre, tranquillo. Dunque non stava dormendo. I passi continuavano ad avvicinarsi, e si fermarono davanti alla porta. Dopo qualche secondo di silenzio, la porta scricchiolò come se qualcuno la stesse spingendo senza girare la maniglia.

«Vattene!» disse suo padre a voce alta.

«Babbo, ma chi è?»

«Nulla, stai tranquillo... HO DETTO VATTENE! LASCIAMI IN PACE!» gridò il babbo. A quel punto dietro la porta si sentì un lamento, una specie di respiro rauco e doloroso, poi tutto silenzio. Un minuto, un altro minuto... Solo scricchiolii e folate di vento.

«Chi era, babbo?» chiese lui, tremando di paura.

«Non è nulla, dormi...» disse suo padre con dolcezza, accarezzandogli i capelli. Lui era stanco, e finalmente riuscì a prendere sonno. La notte passò tranquilla. La mattina dopo, appena sveglio, chiese a suo babbo di chi erano quei passi, cos'era successo.

«Non so di cosa parli, devi aver sognato» gli rispose suo padre. Ogni tanto, con il passare degli anni, lui glielo chiedeva di nuovo, e suo padre rispondeva sempre nello stesso modo... *Hai sognato.* Solo nel giugno del '40, quando lui aveva trent'anni e stava per partire in guerra, suo padre cambiò risposta.

«Lascia perdere, è acqua passata» disse.

«Allora non avevo sognato...»

«No, ma è meglio lasciar perdere.» E con un sorriso aveva messo una pietra sopra a quella faccenda.

«Babbo, chissà perché non hai mai voluto dirmi cos'è successo quella notte...» mormorò, davanti alla tomba.

«Avrai sognato» disse suo padre, e anche nella foto sembrava che stesse sorridendo.

«Ciao babbo, ciao mamma... Sto per andare in pensione, verrò a trovarvi più spesso.» Sfiorò le fotografie con le dita, e se ne andò.

Il ritorno in questura fu un piccolo viaggio nel tempo. Ormai i ricordi si avvicendavano nella sua mente, e lui lasciava che gli scorressero davanti agli occhi... Si ricordò anche di una faccenda che aveva fatto molto arrabbiare la mamma con il babbo. Nel maggio del '49, Papa Pio XII aveva indetto il Giubileo per l'anno successivo. La tragedia della Seconda Guerra Mondiale, a suo avviso, aveva provocato una crisi spirituale, abbassando non di poco il livello di moralità della gente. La mamma voleva assolutamente andare a Roma per l'Anno Santo, e il babbo le disse che l'avrebbe accompagnata più che volentieri. Arrivò il gennaio del '50, ma il babbo disse che faceva troppo freddo, e così disse a febbraio e anche a marzo. Ad aprile aveva troppo da fare, era meglio rimandare ancora un po'. A maggio non poteva proprio. A giugno a Roma? Sai che caldo? Luglio e agosto non se ne parlava, c'era da squagliarsi dalla canicola. Settembre? Vediamo, aspettiamo ottobre. A novembre la mamma gli chiese quando sarebbero partiti, e il babbo le promise che sarebbero andati prima di Natale. A metà dicembre la mamma scalpitava, ma il babbo le disse:

« Non c'è più da avere fretta, non hai sentito le parole del Papa? »

« No, cos'ha detto? »

« *Habemus prorogam...* L'Anno Santo durerà fino a primavera. »

« Ah, non lo sapevo. »

« Ci andiamo con comodo a marzo, non preoccuparti. »

« Va bene, aspettiamo... » La mamma lo raccontava a tutte le sue amiche.

« Il Papa ha detto *Habemus prorogam*. »

« Ah sì? Ne sei sicura? »

« Sì sì, ha detto proprio così. »

« Ma quando? »

« Non lo so, me l'ha detto Ettore... Noi ci andiamo a marzo. » Quando nel gennaio del '51 scoprì che il babbo l'aveva presa in giro, lo guardò come avrebbe guardato l'ultimo degli sciagurati, mentre lui sorrideva di quello scherzo.

« Sei un miscredente » gli disse, scuotendo il capo. Gli tenne il muso per almeno un mese. Per colpa sua aveva perso l'Anno Santo, e chissà quando ce ne sarebbe stato un altro.

Appena entrò in ufficio pensò che fosse bello, nel giorno di quel compleanno speciale, dedicare un po' del suo tempo a battere a macchina le poesie di sua mamma. Si fece portare una Lettera 22, una risma di carta e una confezione di carta carbone. Infilò tutto in una borsa e se ne andò a casa. Blisk come al solito non c'era.

Accese il fuoco, si sistemò sul tavolo di cucina e si mise al lavoro. Battere a macchina quelle poesie gliele faceva apprezzare ancora di più, e questo voleva dire che erano belle davvero... Un po' come quando si guarda un bel viso da vicino e lo si trova ancora più bello. Batteva sui tasti senza fretta, assaporando ogni parola.

Durante il pomeriggio il telefono squillò parecchie volte.

«Sì?»

«Commissario, sono io...»

«Ciao Ennio.»

«Auguri... e non si dimentichi che gli anni più impegnativi sono i prossimi sessanta.»

«Lo terrò a mente, grazie. A domani.»

«Pronto?»

«Insomma auguri» disse Dante.

«Grazie...»

«Gli anni sono come le pietre, commissario... Se li tiene in tasca, pesano... Bisogna scagliarli lontano, verso il futuro, anche se è vero che prima o poi te li ritrovi tra i piedi e te li devi rimettere in tasca.»

«Allora li scaglierò il più lontano possibile.»

« Ci vediamo domani a cena da lei. »

« A domani... »

« Sì, pronto? »

« So che ci vediamo domani a cena, ma volevo farle gli auguri nel giorno giusto. » Era il colonnello Arcieri.

« Grazie, colonnello. »

« Ex... Ex... »

« Siamo due ex. »

« Non mi mandi a quel paese, commissario, ma invidio la sua età. Io ci sono passato già da otto anni. »

« Gli anni sono come le pietre, colonnello... Se li teniamo in tasca, pesano... »

« Sì? »

« Ciao vecchiaccio » disse Diotivede.

« Mi sento un ragazzino, caro mio » mentì Bordelli, per non dargliela vinta.

« Adesso sei in pensione pure tu, ma se mi prometti di portare a me i cadaveri posso andare in giro ad ammazzare qualcuno. »

« Vedi che hai sempre delle idee brillanti? »

« Domani da te, allora. »

« Sì... »

« La prossima settimana toccherà a me invitarti a cena, devo far contenta mia moglie. »

« Hai sposato una donna intelligente, oltre che bella. »

« No, dicevo... Lei vuole andare a teatro con un'amica e si sente in colpa a lasciarmi da solo. »

« Ah, ecco... »

« Ciao ragazzaccio. »

*

«Pronto?»

«Ciao Franco...»

«*Tu quoque*, Rodrigo...»

«Senti, non è che adesso vai in pensione e cominci a lamentarti, diventi un vecchio lagnoso che parla solo della preistoria, che passa le giornate a rievocare i bei tempi, e poi magari sperpera la pensione nel gioco d'azzardo e nell'alcol?»

«Mi hai dato un'idea...»

«Perché non ti trovi un lavoro? Se vuoi posso sentire la mia scuola se ti prendono come bidello... Oppure potresti chiedere a qualche circolo di bocce se ti prendono a riassettare il pallaio... O magari potresti andare a soffiare il naso alle galline...»

«Quanti bei consigli, ti ringrazio.»

«Che c'è? Ti sei offeso?»

«Figurati, stavo riflettendo... Dei tre lavori che mi hai prospettato, forse quello che m'interessa di più è soffiare il naso alle galline.»

«Lo immaginavo, è un lavoro di concetto, e poi ha una qualche continuità con quello che hai fatto finora.»

«Giusto... M'insegni tu?»

«Auguri, cugino. Nonostante tu sia un coglione, ti voglio bene.»

«Ricambio con affetto, bischero... Ci vediamo domani.»

«Forse...»

«Pronto?»

«Ciao tesoro.» Era Rosa.

«Ehi, ciao.»

«Ho un regalino per te, quando vieni a trovarmi?»

«Oh, grazie... Che ne dici se vengo domani?»

«A che ora?»

«Non so, ti chiamo appena capisco come sono messo.»

«Stai attento, gorillone... Se domani non vieni lo butto via.»

«Ma figurati, vengo di sicuro.»

«Forse mi fidanzo» disse Rosa, e dopo una risatina riattaccò. Bordelli scosse il capo, era sicuramente uno scherzo. Rosa aveva capito che lui temeva i suoi eventuali fidanzati, erano una seria minaccia alla possibilità di andarla a trovare la sera tardi per farsi coccolare, per farsi fare un massaggio, e si divertiva a mettergli paura. E comunque... Squillò ancora una volta il telefono, e non riuscì a finire il suo nobile ragionamento.

«Sì?»

«Ti va di festeggiare con me i tuoi trent'anni per gamba?» disse Eleonora.

«Non se ne parla nemmeno, preferisco stare a casa a chiacchierare con Geremia.»

«Bene... Alle nove davanti a San Miniato?»

«Perfetto.»

La mattina dopo si svegliò alle dieci passate, e ciondolò fino in cucina per preparare la Moka. Eleonora era andata via da un pezzo. L'aveva sentita alzarsi in punta di piedi e aveva fatto finta di dormire. Lei aveva girato intorno al letto, si era fermata di fronte a lui e aveva sussurrato... *Mi piaci da morire, figlio di puttana...* Il tono era ironico e insieme drammatico. Erano state le più belle parole d'amore che gli avessero mai detto, anche perché erano state pronunciate con la convinzione che non venissero ascoltate. Lui le aveva rubate fingendo di dormire, e lei non lo avrebbe mai saputo. Un altro segreto da portare nella tomba... Se continuava così, ci voleva una tomba molto grande.

Aveva sentito Eleonora muoversi nelle stanze... in bagno, in cucina... Aveva lasciato che uscisse di casa senza sapere che lui era sveglio. Ma appena aveva sentito partire il motore della 500, si era riaddormentato, e si era svegliato dopo diverse ore. Pensionato ma non del tutto, una sorta di limbo.

Mi piaci da morire, figlio di puttana... Le aveva ripetute più volte, anche a voce alta, anche imitando Clint, facendo fatica a non sorridere. Dopo il caffè si mise addosso dei vestiti da lavoro e andò sul retro della casa per togliere le erbacce nell'orto, come gli diceva sempre di fare Ennio, il suo maestro. Lo considerava una specie di allenamento in attesa di andare ufficialmente in pensione... pensione... pensione... Una parola che aveva sempre in mente, tra i denti, che gli sembrava di avere marchiata a fuoco sulla pelle. Che poteva mai essere, di così tremendo? Basta, doveva smettere di pensarci. Ma quella mattina non aveva nessuna voglia di chiudersi in ufficio... A fare cosa, poi? Piras poteva benissimo chiamarlo a casa, per raccontargli le novità sulle intercettazioni. E per adesso nessuno sarebbe entrato nel suo ufficio per prendere il suo posto. Sarebbe sceso a Firenze nel pomeriggio, o magari la mattina dopo. Doveva ricordarsi di portare in questura una scatola di cartone, per metterci dentro gli oggetti personali e le « cianfrusaglie affettive » che aveva accumulato negli anni di lavoro. Una sorta di prezioso deposito di memoria, formato da piccole cose senza valore. Mentre strappava le erbacce sentì una mano appoggiarsi sulla sua spalla, ma non si voltò, sapeva bene chi era...

« Mamma... »

« Franchino, guarda le cose dal lato più bello... C'è sempre qualcosa di bello, se lo cerchi bene... »

« Non preoccuparti, mamma, non sono triste » disse lui sorridendo, con un nodo stretto nella gola.

« Sono sempre qua, accanto a te... »

« Lo so, mamma. »

« Non voglio vedere musi lunghi... Le cose cambiano, ma è anche il bello della vita, no? »

« Certo, mamma... Anche a me piacciono i cambiamenti... »

« Qualcosa muore e un'altra ne arriva... E se non la sai accogliere, oltre a quella che se n'è andata perdi anche quella che è arrivata. »

« Sì, mamma... »

« Sei il mio figlio preferito, lo sai vero? » disse sua mamma, e ovviamente rise, perché Franco era figlio unico.

« Anche tu sei la mia mamma preferita... » disse lui, ma sua mamma se n'era già andata. Lo aveva lasciato così, con quelle tenere parole. La salutò mentalmente e tornò nel mondo reale. Si mise ad ascoltare il silenzio della campagna, che era il vento, i versi degli uccelli, un trattore lontano, altri suoni e rumori vicini e lontani che non riusciva a decifrare... ma nulla che togliesse al silenzio il suo senso più profondo.

Continuò a strappare i ciuffi d'erba e le piante selvatiche, provando una grande soddisfazione a pulire il terreno. Intanto pensava al giorno prima, rivedeva ogni cosa. Come quando era bambino, si divertiva a rivivere i momenti piacevoli nella memoria... Era stato un bel compleanno. Era riuscito a battere a macchina tutte le poesie di sua mamma, in tre copie. Un bagno caldo, la zuppa a Blisk e via sul Maggiolino, che quella sera gli era sembrato una carrozza magica. Con Eleonora aveva passato una bellissima serata, e anche una magnifica notte. Già che scendeva a Firenze, prima di andare a San Miniato aveva fatto un salto da Rosa a prendere il suo regalo. Rivedeva la scena e sorrideva...

Rosa aprì la porta con un vestitino corto e i tacchi alti, tutta sudata e scarmigliata, mentre dal salottino arrivava una musica piena di ritmo.

« Auguri, sbirro! » Gli dette un bacio.

« Che fai? Stai ballando? »

« Vieni, balla con me. » Lo prese per un braccio e se lo trascinò dietro.

« Rosa, se mi metto a ballare piove. »

« Ma dai, cosa te ne importa, non sei mica a un concorso... »

« Sono stanco. » In realtà si vergognava, e non poco.

« Sei un vecchio noioso... »

« Un'altra volta ballo, giuro. »

« Sì, come no... »

« Dico davvero, te lo prometto. » Cercò i gatti con lo sguardo, e li vide sopra una poltrona. La piccola Briciola stava dormendo sull'enorme Gedeone che dormiva, e non sembrava che avessero intenzione di svegliarsi.

Rosa alla fine lo lasciò in pace, e rimise il 45 giri da capo. «Senti com'è bella!» Una chitarra da sola, poi attaccavano gli altri strumenti... Lei si mise a ballare sui tacchi a spillo, Dio solo sa come facesse. Bordelli provava una leggera invidia, gli sarebbe piaciuto essere un ballerino eccezionale, ma doveva accontentarsi di guardare. Rosa ballava davvero bene, con movenze delicate, molto fini, con una dolcezza forse non troppo adatta a quella canzone che invitava a lasciarsi andare, ma era agile come una ragazzina, e intanto cantava a modo suo sulla voce della cantante...

«*Adoddess de la montanpop... uosburnilaicesilverfleim... desammibiutofabiutielov... evvinauoserneim... sscisgotit, iebebi scisgotit... uel, aimiorvinas, aimiorfaiar occiordisaiar...*»

«Cosa dice?»

«Che ne so! Ma è bellissima!»

«Sì, piace anche a me...» disse Bordelli, sbirciando la copertina del 45 giri... *Venus, The Shocking Blue*... La ragazza che cantava era davvero bella, la canzone assai divertente. Bordelli continuò a guardare Rosa che ballava, provando per lei una grande tenerezza... Si ricordò del giorno in cui l'aveva vista per la prima volta, poco dopo la guerra, in una casa di tolleranza. Una bella e simpatica ragazza bionda, candida come un giglio, che tra un cliente e l'altro si metteva a lavorare a maglia. Non ci avevano messo troppo tempo a diventare amici. Il primo giorno che lui era andato a casa sua, Rosa gli aveva fatto un bel massaggio alla schiena, portandolo in paradiso...

Quando la canzone finì, lei smise di ballare, affannata e contenta.

«Si fa meno fatica a fare l'amore» disse, ridendo. Poi gli consegnò il suo regalo. Che carina, erano dei dischi... Alcuni 45 giri di Don Backy, un 33 giri di Caterina Caselli, e un altro 33 giri di un complesso inglese che da anni si sentiva nominare sempre più spesso.

«Grazie, mi è capitato diverse volte di ascoltare una loro canzone, e volevo approfondire» disse, guardando la copertina bianca del disco...

Rolling Stones
Beggars Banquet
R.S.V.P

«Sono fantastici... il cantante è bellissimo» disse lei, eccitata, saltellandogli intorno.

«Che vuol dire *Beggars Banquet*?»

«Ah, non lo so.»

«Me lo farò dire da Dante, lui parla un sacco di lingue.»

«Non capisco una parola, ma le canzoni sono stupende... e quella voce, Dio mio» disse Rosa. La copertina del disco si apriva, e dentro c'era la foto dei cinque capelloni inglesi vestiti in modo strano, stravaccati intorno a una grande tavola imbandita, in una sala che poteva essere quella di un antico castello.

«Buffo...»

«Questo qui è morto per droga l'anno scorso» disse Rosa, indicando un ragazzo biondo con i capelli come Caterina Caselli.

«Ti pareva...»

«Povero ragazzo, guarda com'è carino.» Era triste come se fosse stato un suo amico.

«Be', mi dispiace...» Bordelli era davvero curioso di sentire quel disco. A lui la musica piaceva in generale, dalla leggera alla classica, bastava che fosse capace di far vibrare qualcosa di profondo dentro di lui.

«Auguri, tesoro... Vedo che sei impaziente di andare dalla tua bella» disse Rosa. Lo tirò a sé per dargli un bacino sulla guancia, ma all'ultimo momento glielo stampò sulla bocca e scoppiò a ridere.

«Vuoi macchiarmi di rossetto per creare scompiglio?»

«Macché, macché...» Continuava a ridere. Anche lui sorrise, e dopo aver guardato l'ora scappò da Eleonora.

Una bella cena... Avevano mangiato cose buone, bevendo ottimo vino e guardandosi con desiderio... Aveva voluto offrire lei... Erano andati a casa con due macchine... Eleonora gli aveva dato il suo regalo, uno zaino e un paio di scarponi da bosco ma leggeri, per i mesi caldi... Lo incoraggiava a camminare, a perdersi da solo in mezzo ai suoi amici alberi... Un ultimo bicchiere di vin santo, poi un altro ultimo, poi l'ultimo ultimo, l'ultimissimo, e poi a nanna...

Lo squillo del telefono lo riportò al presente. Corse in casa e fece in tempo a rispondere. Era Piras. Il primo giorno di intercettazioni erano stati fortunati. Avevano individuato un altro dei ragazzi.

«Giulio Maria Servanti, ventitré anni, fiorentino. Vive a Roma con la famiglia, suo padre è un deputato della DC.»

«Eccoci...»

«I due ragazzi sono perplessi perché sul giornale si parla poco della faccenda, ma non sembrano troppo preoccupati, sono convinti che nessuno possa risalire a loro.»

«Andiamo avanti... Ci vediamo stasera» disse Bordelli. Dopo aver bevuto un bel bicchier d'acqua tornò a sradicare le erbacce.

Alla fine aveva deciso di non scendere a Firenze. In fondo, appunto, era già in pensione, anche se per via della « proroga » non se ne rendeva ancora conto. Comunque in questura non aveva nulla da fare. La macchina della Giustizia era stata messa in moto, gli ingranaggi stavano girando e stavano tritando quel che doveva essere tritato. Bastava solo aspettare. Quei quattro ragazzi viziati avevano le ore contate. Avrebbe dovuto sentirsi soddisfatto, e invece era inquieto, amareggiato. Ma non voleva farsi rovinare la cena con i suoi amici da quei pensieri, e con un colpo di reni del pensiero era riuscito a saltare fuori dalla fossa paludosa di quella indagine, deciso a non rimetterci piede fino alla mattina dopo. Aveva pulito la cucina, dato lo straccio, lavato pentole e padelle, preparato la tovaglia e le stoviglie per apparecchiare. In quelle ore Blisk era uscito e rientrato più volte passando dallo sportello magnetico di Dante. Per la cena era tutto a posto, adesso poteva riposarsi e farsi portare lontano da un bel romanzo.

« Caro Geremia, quasi quasi stasera ti faccio assaggiare un po' di vino, e chissà, magari ti rimetti un po' in sesto » disse a voce alta, guardando l'eterno ghigno del teschio, che quella sera gli faceva pensare alla paura e alla cattiveria.

« Caro ex commissario, prima o poi anche tu avrai il mio sorriso. Per adesso continua a distrarti con le futilità del mondo, ogni occupazione umana non è altro che distrazione dal pensiero della morte. »

« Queste parole non sono tue, caro mio... »

« Che importa? »

«Non sono nemmeno mie, ma se non mi sbaglio sono stato proprio io a dirtele, qualche anno fa.»

«E allora? La verità non è di nessuno, anche se riguarda tutti.»

«Mi piace sempre, quello che dici... Chissà chi eri, quando non avevi il cranio vuoto.»

«Uno stupido vivente come tanti, adesso invece sono speciale.»

«Faremo il primo brindisi in tuo onore, se non ti offendi.»

«Divertiti, caro mio... Io sono sempre qua, a vegliare su di te.»

«Gentilissimo» disse Bordelli, sorridendo, e per qualche istante si sentì attraversare da una piacevole malinconia. Gli era venuta in mente sua mamma, quando per tre giorni interi era rimasta accanto al suo letto... Lui era bambino, aveva la febbre alta, e nel delirio aveva sentito il medico sussurrare parole preoccupate... Ricordi lontanissimi, un po' confusi, seppelliti dal tempo, che all'improvviso erano tornati a galla. Rimase per un paio di minuti con le dita premute sugli occhi, e nell'oscurità vide altri mille ricordi rotolare lentamente in ogni direzione, accavallandosi e mescolandosi gli uni agli altri... Tutte le cose che aveva vissuto erano ancora dentro la sua memoria, anche quelle che aveva dimenticato, nulla era andato perduto... Perfino il più piccolo avvenimento, il più minuscolo dei pensieri, il sentimento più fugace, l'emozione di un secondo, avevano fatto di lui quel che era adesso... Non sapeva perché, ma quel pensiero gli sembrava bellissimo, quasi una consolazione... Poi si riscosse, sorrise, mandò giù un caffè e si lasciò alle spalle quel momento inaspettato e a suo modo magico.

Alle cinque accese un fuoco degno dell'inferno, e mentre Blisk sonnecchiava sul pavimento si sedette davanti al camino con un libro. Prima di pranzo aveva finito il breve e bellissimo romanzo della Ginzburg, che trasudava sofferenza e malinconia. Adesso voleva cominciare *I passeri*, di Giuseppe Dessì, un altro suggerimento del giovane commesso della Seeber, che per il momento non ne aveva sbagliata una. Ma a quell'età come faceva ad aver letto tutti quei libri? O aveva ottant'anni e li portava bene, o era capace di leggere cinquecento romanzi all'anno... Un vero mistero.

Aprì il libro, cominciò a leggere, e fin dalle prime pagine si sentì conquistato. A ogni frase sentiva che la storia lo avrebbe accompagnato nelle profondità dell'uomo, senza nascondergli nulla, senza indulgenza, guidato solo dalla verità che sprigionava la voglia di raccontare. Ogni tanto la narrazione sembrava allontanarsi dal binario principale, ma ugualmente si percepiva con forza una sotterranea e solida unità, come gli era successo leggendo il grande Dostoevskij. Inoltre, sotto le parole sentiva serpeggiare un'amarezza cechoviana, e anche una sorta di brutalità inevitabile, primordiale, forse del tutto sarda, che attirava e spaventava al tempo stesso... Una lettura magnifica... La conoscenza era sempre magnifica, anche quando ti trascinava nel dolore...

Il rumore di un motore che si fermava nell'aia lo strappò via dalla Sardegna, e guardò l'ora. Le sette meno un quarto. Blisk non si era mosso, e dal rumore sembrava la Giulia del colonnello Arcieri. Sbirciò dalla finestra, e vide che era proprio lui. Andò ad aprire, e dopo una stretta di mano lo aiutò a portare in cucina gli attrezzi da lavoro e la spesa. Il colonnello si tolse il cappotto e si mise subito il grembiule da cuoco.

«Stasera pesce» disse, con la mente già nelle pentole.

«Ennio lo sa?» chiese Bordelli.

«Certo, ci siamo messi d'accordo.»

«Bene... Ha bisogno di me?»

«Un vero cuoco non ha bisogno di nessuno» disse Arcieri, sorridendo.

«La disturbo se sto qui a fare due chiacchiere?»

«Per adesso no.»

«Non mi sono dimenticato di comprare un'altra cucina, ci penserò tra qualche giorno.»

«Sarebbe una bella cosa, le assicuro.»

«Lo farò, lo farò... Promesso.»

«In due a volte ci diamo le gomitate, e non possiamo essere liberi di scegliere i tempi.»

«Capisco...»

«Come al solito ho preparato qualcosa a casa, per comodità» disse Arcieri.

«Ha scoperto una vera passione.»

«È successo quando mi stavo nascondendo qui da lei.»

«Anche nei momenti di pericolo possono sbocciare dei bei frutti, a quanto pare» disse il commissario, sorridendo.

«Le vie del destino non sono prevedibili...»

«Mentre cucina vuole un bicchiere di vino?»

«Dopo, dopo, grazie... E insomma, come si sente da pensionato?» si decise a chiedere Arcieri, che doveva avere quella domanda sulla punta della lingua.

«Quella parola non mi piace per nulla... Comunque non sono ancora in pensione» disse il commissario. Arcieri gli lanciò un'occhiata stupita, senza smettere di mandare avanti il lavoro.

«Ma ieri non era il suo compleanno?»

«Sì, ma... *Habemus prorogam*. Non so se si dice così, ma il concetto è quello» disse il commissario, che aveva usato le stesse parole di suo padre per l'Anno Santo.

«*Prorogatio sine die?*»

«No no, solo pochi giorni. Devo risolvere una faccenda, poi... armi e bagagli.»

«Pensi che il sottoscritto è in pensione da quasi cinque anni, e non riesce ancora a star fuori da certe faccende» disse Arcieri, e non si capiva se fosse contento o dispiaciuto.

«Ah, vedo delle belle seppie...» disse Bordelli, cambiando discorso.

«Sono calamari, ma ci sono anche le seppie.»

«Non vedo l'ora di essere a tavola.»

«Speriamo di riuscire a fare un buon lavoro.»

«Non ne dubito...»

«Però a questo punto sentirei il bisogno di rimanere da solo» disse il colonnello con gentilezza da caserma, cioè senza troppi complimenti.

«Obbedisco.» Bordelli fece il saluto militare e tornò a sedersi davanti al camino, ma appena aprì il libro si sentì nell'aia il rombo di un'altra Alfa Romeo. Blisk fece l'immane sforzo di aprire un occhio, ma lo richiuse subito. Bordelli andò ad aprire. Immerso nelle ombre del tramonto, il Botta gli passò una scatola di legno quadrata, nemmeno troppo leggera.

«Buonasera commissario, tenga questo, vado a prendere le altre cose.»

«Cos'è questa scatola?»

«Una scatola...»

«Ah, grazie.»

«Non la apra, arrivo subito... Stasera pesce» disse Ennio, e tornò verso la macchina a prendere il resto.

«So già tutto.»

«Non le ricette, spero.»

«Figurati, gli uomini dei Servizi non parlano» disse il commissario. Anche Ennio si era portato da casa un po' di pentolame, e ovviamente la spesa. Entrando in cucina vide Arcieri che stava pulendo calamari e seppie su un tagliere, molto concentrato.

«Buonasera, colonnello.»

«Salve Ennio... Serve un tagliere?»

«Non si preoccupi, non ho molto da lavorare, ho fatto quasi tutto a casa.»

«Prevedo un'ottima cena» disse Arcieri. Il commissario aveva appoggiato la scatola di legno sopra il tavolo.

«Non vuoi dirmi cos'è questo cubo di legno?» chiese al Botta.

«Vediamo se il colonnello indovina...» Nel frattempo anche lui si stava mettendo un grembiule immacolato. Arcieri lanciò un'occhiata alla scatola, e sorrise.

«Se non mi sbaglio, dovrebbe essere una cassetta di cottura.»

«Esatto» disse Ennio.

«Com'è che lei sa sempre tutto?» disse il commissario, allargando le braccia.

«Ne aveva una mia madre.»

«E cosa sarebbe?» chiese Bordelli, che ancora non capiva.

«Una cassetta dove si cuoce» spiegò il Botta, con l'aria di chi dice un'ovvietà.

«C'è dentro un aggeggio elettrico?»

«Ma no...»

«Allora è una scatola magica.»

«È come l'uovo di Colombo, che poi era del Brunelleschi» continuò Ennio, cominciando a tritare del prezzemolo con un coltello.

«Sono tutto orecchi.»

«È una semplice cassetta di legno ben chiusa, con dentro uno spesso strato di lana. Metto una pentola sul fuoco, ad esempio con dei fagioli, in un quarto d'ora la porto a ebollizione, poi la chiudo là dentro, e dopo quattro o cinque ore i fagioli sono cotti.»

«Così, senza fare altro...»

«Certo... E se lascia passare un'ora o due in più, non succede nulla.»

«Capito.»

«Ho detto fagioli, ma ci si possono cuocere i minestroni, la polenta, le patate, il cotechino, gli stufati, e avanti così con la fantasia.»

«Là dentro adesso c'è qualcosa?»

«Certo, ci ho messo dentro la pentola da qualche ora, e anche mentre venivo qua ha continuato a cuocere.»

«Magnifico, dove l'hai trovata?» chiese il commissario,

sempre più curioso, osservando da vicino e con ammirazione quel cubo di legno.

«Questa l'ho fatta io, non ci vuole nulla. Ho usato la lana, ma ci si può mettere il fieno, o magari dei trucioli di legno.»

«Ma com'è che ti è venuta in mente?»

«Su una bancarella ho trovato a cinquanta lire un opuscoletto pubblicato nel marzo del '41, in piena guerra, che s'intitola *Non sprecate*, curato dall'Ufficio Propaganda del PNF e stampato dal *Resto del Carlino*.»

«Ah...»

«Ma sono sicuro di averlo già visto tra le cose di mia nonna, subito dopo la guerra. Insegna alle massaie a non sprecare, appunto. Come si deve cucinare, come si conserva il pane, come riutilizzare gli avanzi della cucina, come eliminare gli spifferi delle finestre, come smacchiare i vestiti con poca spesa, come lavare e stirare senza sprechi, e ci sono anche delle bellissime ricette autarchiche.»

«Accipicchia...»

«Anche i disegnini sono piuttosto belli.»

«Be', era tanto che cercavo qualcosa del fascismo che non fosse da buttare via.»

«Se ne trovo un'altra copia gliela regalo» disse Ennio.

«Grazie... Ma stasera hai cucinato qualcosa in quell'uovo di Filippo?»

«Lo saprà a suo tempo...»

«Giusto... Magari potresti fare una scatola anche per me, tra poco avrò un sacco di tempo, e potrei usarla spesso.»

«Ecco, allora non ha capito.»

«In che senso?»

«Questa scatola, oltre a far risparmiare il gas, è utile per chi non può stare troppo tempo dietro alla cucina. Vuole un bel minestrone? Lo scalda sul fuoco, lo infila qua dentro, se ne va dove vuole, e quando torna lo trova pronto.»

«Oddio, è vero... Sì sì, ora ho capito...»

«Meglio tardi che mai» disse Ennio, e se la rise con il colonnello.

«Sono vecchio, da ieri ho sessant'anni... Scusi colonnello, lei è certamente più giovane di me.»

«Grazie della bugia, commissario.»

«Ennio, quando puoi fammi per favore una di queste scatole, così posso cucinare mentre sono a camminare nel bosco.»

«Quando ho tempo gliela faccio...»

«Perché non metti in piedi un commercio?»

«Potrebbe essere un'idea.»

«Pensaci sul serio.»

«Ci penserò... Adesso stiamo entrando nella fase delicata, i cuochi hanno bisogno di restare soli e di concentrarsi.»

«Stavo per dirlo io» approvò Arcieri.

«Non chiedo di meglio, ho un romanzo che mi aspetta» disse Bordelli, e tornò alla sua postazione davanti a quel piacevole inferno. Fuori era notte, ogni tanto si sentiva il canto di una civetta... Bordelli la riconosceva al volo perché glielo aveva insegnato Tonio, il contadino, che ormai era diventato il suo maestro di campagna. Il canto stridulo della civetta, quello acuto dell'allocco, il soffio rauco del barbagianni... Era bello saperli riconoscere nella notte.

Continuò a leggere, affascinato da quella scrittura che offriva la storia al lettore senza imbellettarsi, senza brillare di luce propria, anzi facendosi dimenticare, come accadeva soltanto ai grandi scrittori. Però si sentiva molto stanco, e sperava proprio di non addormentarsi e di trovare tutti già seduti a tavola, come gli era successo qualche settimana prima. Ma per il momento si sentiva piuttosto sveglio. Però era così bello passare dalla lettura al sonno, portandosi dietro l'atmosfera del romanzo...

«Ennio, per favore... Se vedi che sto dormendo svegliami.»

«Con un dolce sussurro o con un bicchier d'acqua sulla faccia?»

«Dipende se vuoi sopravvivere» disse Bordelli, puntandogli addosso la mano a forma di pistola. Si rimise a leggere, mentre nell'aria si spandevano odori che facevano venir fame.

Alle nove meno venti erano tutti seduti a tavola, tranne i due cuochi, che erano ancora a sfornellare. Stavano per essere elencati i due menu per la serata, come ormai era tradizione. Le cene a casa Bordelli erano il santuario delle consuetudini, che nascevano da situazioni e occasioni che nessuno aveva deciso e restavano scolpite nel « codice » di quelle serate come se fossero sempre esistite. Alla confraternita del Chianti, da poco più di un anno si era aggiunto Rodrigo, il cugino del commissario, che ogni volta diceva di non essere sicuro di poter venire e puntualmente arrivava in ritardo.

Fu molto strano sentire lo strillo del telefono, faceva l'effetto di un intruso che da fuori incollasse il viso al vetro di una finestra per spiare. Piras e il commissario si lanciarono un'occhiata, sperando che non fosse una chiamata urgente dalla questura. Gli altri, dopo un attimo di silenzio, ripresero a chiacchierare senza curarsi dello squillo. Bordelli si alzò a malincuore, non poteva non rispondere.

« Pronto? Sì... certo... è qui... glielo passo subito... Colonnello è per lei. »

« Immagino che sia Marie » disse Arcieri, senza interrompere il suo lavoro.

« Sì... »

« Ho detto solo a lei che sono qua. »

« Se preferisce, c'è un telefono anche in camera. »

« Non importa, grazie... » Si asciugò le mani sul grembiule e prese il telefono.

« Ciao, dimmi... ah... ho capito... sì... ho capito... senti... » Sussurrò qualche frase nel microfono, proteggendo la bocca con una mano, poi continuò normalmente. «Non preoccuparti... poi sistemiamo tutto... bene... sì... non aspettarmi sveglia... buonanotte...» Appena riattaccò, il commissario gli chiese con lo sguardo se c'era qualche problema, e Arcieri rispose con lo sguardo che non era nulla di grave, ma chissà se era vero.

Tutti aspettavano con impazienza ma senza bizze l'inizio della cena, e quando finalmente i due cuochi fecero un cenno per dire che erano pronti, la cucina fu attraversata da un mormorio di sollievo. Bordelli, per giocare con la solennità, finse di richiamare l'attenzione degli altri dando dei colpetti sul bicchiere con un coltello, anche se in realtà erano già tutti in attesa.

«Silenzio signori, entra la corte» disse. I due cuochi avanzarono verso il tavolo, Arcieri sorridendo e scuotendo il capo.

«Siamo pronti per il verdetto» disse Dante, con il Toscano spento in bocca. Piras aveva ottenuto, attraverso l'intercessione del commissario, di non veder vagare nella stanza il fumaccio del sigaro fino a dopo il dolce.

«Una sentenza per uno, come al solito» suggerì Diotivede, che per la fame aveva le lacrime agli occhi. Blisk, dopo aver accolto gli ospiti con qualche codata sul pavimento, seguiva la scena divertito. Sembrava proprio stanco, chissà dov'era stato tutto il giorno.

Rodrigo si alzò addirittura in piedi, e con gesti plateali diede inizio alla cerimonia.

«La parola al colonnello» annunciò, con un inchino. Arcieri si stava ancora pulendo le mani sul grembiule, che non era più immacolato, come si conviene a un vero cuoco.

«Per antipasto... calamari e gamberi marinati» disse.

«Antipasto... cernia lessa e verdure affogate nella maionese» disse Ennio.

«Penne con tonno e pomodoro...» disse Arcieri. Il commissario sorrise, ricordandosi di averle già assaggiate più di un anno prima.

«Spaghetti alle vongole...» continuò Ennio.

«Seppie in zimino...» Arcieri.

«Zuppa di pesce...» Ennio.

«Per finire... strudel» disse il colonnello.

«Crostata di more» concluse il Botta. A quel punto Rodrigo, rimasto in piedi ad ascoltare il ping pong di ricette, si atteggiò a gran principe del foro, una specie di Balanzone fiorentino.

«Come i giurati possono constatare, la serata si annuncia gravida di sofferenze... Alzate i bicchieri con me, in onore dei due imputati» disse, e alzò il proprio calice... che nonostante il pesce conteneva vino rosso, ovviamente dei Balzini, altra consuetudine. Il primo brindisi venne consumato, e Bordelli lanciò un'occhiata a Geremia, che lo guardava rimproverandolo di non essere stato di parola. Ma rimediò subito.

«Devo rispettare una promessa... Un brindisi per Geremia, il teschio più simpatico che ci sia» disse. Bevvero tutti un altro sorso, poi Diotivede guardò il commissario.

«Dio mio, ci fai conversazione... Quando ti ho regalato la capoccia di quel signore non sapevo che ci sarebbero state conseguenze irreparabili.»

«Mi tiene compagnia, che male c'è?»

«Tiremm innanz» disse il medico, ridendo sotto i baffi.

«Dovresti regalarmi anche una teschia, così magari fanno un teschino» disse il commissario.

«Te lo porterò a San Salvi, quando ti rinchiuderanno con i matti.»

«Non lo dicevi sempre te, che con i morti si parla più volentieri?»

«Intendevo con i morti in carne e ossa, non con le sole ossa...»

«Questi sono sofismi degni di un tagliacadaveri.»

«Il lavoro più bello del mondo, caro mio, altro che ciaspolare in qua e in là alla ricerca di assassinucci.»

«Siamo noi sbirri che procuriamo a voi becchini la materia prima...» continuò Bordelli, e a quel punto intervenne Dante.

«Bambini, la maestra si sta arrabbiando, se non la smettete vi manda dietro la lavagna in ginocchio sul granturco» disse, e tutti risero.

«E poi la maestra ha fame» aggiunse Rodrigo.

«Si portino gli antipasti» disse il commissario battendo due volte le mani, e finalmente la cena ebbe inizio. Non era una sfida, lo dicevano sempre, e comunque non sarebbe stato facile scegliere il vincitore tra quelle due portate. Cucinare il pesce era assai difficile, e tutti e due furono lodati senza ritegno.

Arrivarono i primi. Di fronte alle penne con il tonno e il pomodoro del colonnello, il Botta si chinò ad annusare, poi assaggiò, chiuse gli occhi, alzò le sopracciglia...

«Meravigliose» ammise, sportivamente.

«Grazie, ma potevano venire meglio» commentò Arcieri.

«Mi lasci indovinare... A parte ovviamente il tonno e il pomodoro... carota e cipolla... origano... timo... un po' di peperoncino... e se non mi sbaglio, un'idea di chiodo di garofano...»

«Un fiuto eccezionale» disse il colonnello, stupito.

«Modestamente lo nacqui» si vantò Ennio.

«Di solito ci aggiungo anche le olive nere, ma a questa tavola c'è chi le detesta.»

«Grazie del pensiero» disse il commissario, che se per sbaglio si fosse trovato un'oliva in bocca... be', preferiva non pensarci.

La cena andò avanti di capolavoro in capolavoro, accompagnata dal capolavoro dei Balzini. Al momento della zuppa di pesce, che continuò a illuminare la tavola d'immenso, Ennio raccontò che era stata cucinata con la cassetta di cottura e spiegò il suo semplice funzionamento. Quando ipotizzò di mettersi a fabbricarle per venderle, Dante si offrì di dargli una mano per disegnare il progetto, reperire i materiali adatti e realizzare la scatola nel minor tempo possibile.

«Solo nella fase della vendita non potrò essere d'aiuto» disse, e quando tirò fuori i fiammiferi per accendere il sigaro, un'occhiata infuocata di Piras spinse il commissario a ricordargli il patto.

«La prego, niente fumo prima del vin santo» disse, un po' dispiaciuto di aver stabilito quella limitazione.

«Oh, è vero... Devo scusarmi con tutti, anche per le altre volte... Sono abituato a stare da solo e non ci penso.»

«Perdonato» disse Diotivede, ma Rodrigo non era d'accordo.

«No no no, nessun perdono: la condanniamo a essere l'ultimo nel *Decameron* di stasera» disse.

«Di solito ero io» protestò Bordelli.

«Cugino, non rompere le scatole. Stasera decido io l'ordine dei novellatori.»

«Questo è un colpo di stato... Ragazzi, insurrezione» disse il commissario.

«Ma no, lasciamo decidere a Rodrigo» disse Diotivede, che non perdeva occasione di punzecchiare Bordelli.

«Va bene anche a me, le rivoluzioni si fanno a stomaco vuoto» disse Dante.

«Mangiamo il dolce, poi vediamo se insorgere» suggerì il Botta.

«Propongo una democratica votazione» disse il colonnello, tagliando la testa al toro. Ennio intanto aveva portato in tavola un fagotto, e girando intorno lo sguardo tirò fuori due bottiglie di vin santo... non un vin santo qualsiasi.

«Ecco qua, come promesso...» Erano due bottiglie di nonno Leandro.

«Santo Ennio» disse Dante, guardando il cielo.

«Ehi, aspettiamo un po' con la santità, sono ancora vivo...»

«Speriamo che siano come quelle dell'altra volta.»

«Preghiamo affinché il miracolo avvenga» mormorò Ennio, cercando il cavatappi.

«Se ci va male, saranno solo meravigliose» disse Rodrigo, facendosi il segno della croce. Il Botta volle spiegare il significato di quelle bottiglie.

«Questo vin santo lo beviamo in onore del commissario, che ieri è andato in pensione.»

«Be', non proprio» disse Bordelli.

«In che senso?» chiese il Botta, fermandosi.

«Non sono ancora andato in pensione.»

«Come sarebbe?»

«Mi è stata concessa una sorta di proroga, per via di una faccenda che non tarderò a risolvere» precisò il commissario, ma dovette subito pentirsene.

«Allora niente Leandro» disse Ennio, abbassando il cavatappi.

«Non scherziamo» protestò Diotivede.

«Dobbiamo aspettare che il commissario sia in pensione, ho detto così e voglio mantenere la promessa» dichiarò Ennio, capoccione come nessuno. Non ci fu verso di fargli cambiare idea. Rimise nonno Leandro nel fagotto e il fagotto nella sua borsa da cuoco. Fine del discorso.

«E adesso come si fa?» disse Dante, seriamente preoccupato.

«Nonostante lo sconforto, ho grande stima per chi mantiene le promesse» confessò Bordelli, alzandosi.

«Dove vai?» chiese Diotivede.

«In cantina...» Uscì dalla stanza e tornò poco dopo con due bottiglie. E così la delusione venne mitigata da un vin santo di ottima qualità che il commissario aveva in cantina. La serata poteva continuare senza lacrime e senza lamenti. Lo strudel e la crostata di more erano due voci soavi che si andavano intrecciando dopo la sinfonia della cena, e il vin santo un dolce assolo di violino.

«Un momento di attenzione» disse Ennio.

« E adesso che succede? » chiese il commissario, aspettandosi uno scherzo.

« Il commissario non è ancora andato in pensione, ma il compleanno non si può rimandare... Ieri dunque ha compiuto sessant'anni, e il prossimo brindisi è per lui. »

« Preferivo non ricordarmelo » sospirò Bordelli, ma alzò lo stesso il bicchiere insieme agli altri per bere un sorso. Diotivede si voltò a guardare il camino.

« Il fuoco ha fame, tocca al padrone di casa dargli da mangiare » disse.

« Devo fare tutto io » borbottò il commissario, fingendosi scocciato, e andò volentieri a gettare tra le fauci del camino un altro bel ciocco di quercia... *Il ciocco delle storie*, pensò, osservando le lingue di fuoco che abbracciavano il legno. Quando tornò a tavola, con grande meraviglia vide che sulla tovaglia erano apparsi dei pacchetti legati con dei nastri colorati.

« Non ditemi che... »

« Qualche pensierino » disse Ennio, che sicuramente aveva organizzato la faccenda.

« Non dovevate » disse Bordelli, contento. Cominciò a slegare il nastro dei regali, partendo dalla sua sinistra e seguendo il senso delle lancette. Aprì il pacchetto di Piras, piccolo e solido... Un coltello di Pattada, di misura media, per le camminate nel bosco.

« Grazie Pietrino, se resterò intrappolato in una ragnatela gigante saprò come liberarmi. » Poi aprì il regalo del Botta, un bel quadro a olio che raffigurava la casa di Bordelli, dipinto alla maniera degli impressionisti.

« Ennio, ti ringrazio... Se rischierò di finire sul lastrico, lo venderò al Guggenheim e mi salverò dalla bancarotta. »

« Questo è sicuro » disse Ennio. Poi fu la volta del regalo di suo cugino Rodrigo... Una bellissima penna rossa, e sul bigliettino c'era scritto: *Per correggere gli errori della vita.*

« Grazie cugino, ma ce ne vorrebbero centinaia, e chissà se

basterebbero.» Passò al regalo di Arcieri. Era un pacchetto un po' più grande di un Buondì Motta, ma più pesante. Cosa poteva essere? Lo scartò, e si trovò in mano una scatola di cartone colorato, con scritto sopra: *Texas Instruments – Datamath*. Aprì la scatola e tirò fuori il modernissimo oggetto: una calcolatrice elettronica.

«Bellissima, ne avevo sentito parlare» disse, osservandola con attenzione. Anche gli altri erano curiosi di vederla da vicino, e aspettavano di toccarla.

«Fa le quattro operazioni in una frazione di secondo» disse Arcieri.

«Incredibile...»

«Niente più carta, niente più spunzoni di metallo che vanno su e giù e rumore di ferraglia... Silenzio e precisione.»

«Sembra quasi impossibile.»

«I numeri appaiono in quel piccolo schermo nero, che si chiama display.»

«Mia mamma sarebbe inorridita» disse il commissario, sorridendo. Se la immaginava... *Franco, ma che diavoleria è questa? Non andava bene carta e penna? Adesso i bambini smetteranno di imparare le tabelline.*

«La userà più di quanto immagina» disse Arcieri.

«Lei però è matto, chissà quanto l'ha pagata.»

«Non si preoccupi, mi hanno fatto un buon prezzo.»

«Perché non l'ho inventata io?» disse Dante, buttando in fuori le labbra.

«Posso vedere?» chiese il Botta. La calcolatrice elettronica passò di mano in mano, e lentamente fece il giro della tavola, ammirata da tutti.

«Grazie davvero, colonnello.» Il regalo successivo era quello di Dante: una sua invenzione assai semplice, che però era per Blisk. Una grande ciotola con un doppio fondo dove si poteva mettere dell'acqua calda, in modo da mantenere tiepida la zuppa quando Blisk era fuori.

«Grazie, mi sarà utilissima per non sentirmi in colpa

quando starò fuori per tutta la sera... Guarda Blisk, è per te.»
Il cane mosse appena la coda e continuò a dormire, sembrava
un orso bianco che stentava a uscire dal letargo.

Bordelli prese l'ultimo regalo, quello di Diotivede, che stava dentro una busta da lettere e non pesava niente. Quando
la aprì, si trovò in mano un adesivo nero con la figura in oro
di un teschio e una scritta: *Le Macabre Bobò.*

«Da attaccare sul Maggiolino» disse il medico, sorridendo.

«Che vuol dire Bobò?» chiese Bordelli.

«Ah, non saprei... Ma non ho resistito.»

«Be', grazie Peppino... Lo attaccherò senz'altro, renderò
la mia macchina inconfondibile.»

«Questo è sicuro» disse Diotivede. Il commissario sorrise,
poi si alzò in piedi e sollevò il bicchiere.

«All'amicizia, cari ragazzi» disse. Dopo il brindisi, andò a
sistemare i regali sopra una poltrona, poi tornò a sedersi.
Adesso si poteva imboccare ufficialmente il sentiero dei racconti.

«È il momento di votare» ricordò Arcieri alla confraternita.

«Cosa dobbiamo votare?» chiese il commissario.

«Se deve essere tuo cugino a decidere l'ordine dei cantastorie.»

«Bene, votiamo per alzata di mano. Rodrigo ovviamente
non può... Chi è d'accordo?» disse Dante. Si alzarono le mani di tutti, tranne quella di Bordelli.

«Chi non è d'accordo?» disse Diotivede, con un sorrisino
da schiaffi.

«La Cucina dei Deputati approva» disse a malincuore il
commissario, rassegnato. Le altre volte aveva sempre ottenuto di essere l'ultimo, ma accettava il risultato della votazione... Solo per quella volta, però...

«Ecco, vi comunico ufficialmente la mia decisione» disse
Rodrigo, soddisfatto.

«Meglio scrivere la lista sopra un foglio, così non ce la dimentichiamo» propose Dante, tirando fuori un taccuino e una penna.

«Il primo sarà il dottor Piras, a cui seguirà il dottor Diotivede, poi sarà la volta del dottor Bottarini, indi il colonnello Arcieri, indi poscia il commissario (ancora per poco) Bordelli, il penultimo sarò io stesso, e l'ultimo sarà il professor Dante... Cosa ne dite?»

«Ci atteniamo alla decisione» disse Dante, che quella sera era contento di essere l'ultimo. I bicchieri vennero riempiti, ma prima che Piras cominciasse Ennio si occupò come sempre di accendere alcune candele e di spegnere le luci. La stanza cambiò subito aspetto. Le ombre che tremolavano sulle pareti sembravano spettri accorsi per passaparola, curiosi di ascoltare i racconti...

Piras era assai contento di inaugurare il *Decameron*, Rodrigo lo aveva capito e lo aveva messo in cima alla lista. Il sardo una volta lo aveva detto: preferiva essere il primo perché poi poteva stare tranquillo ad ascoltare le storie degli altri, una situazione che gli piaceva moltissimo. Fin da quando era bambino gli piaceva stare ad ascoltare le storie che gli adulti raccontavano davanti al camino acceso, e quando lo spedivano a letto, spesso trovava il modo di spiare e di continuare ad ascoltare...

« Questa storia l'ho sentita raccontare almeno quattro volte da persone diverse, anche di famiglia. Magari ognuno ha usato parole e commenti differenti, ma la storia era sempre la stessa. Salvatore e Cosimo erano nati tutti e due nel maggio del 1897, a Seneghe, un paesino a qualche chilometro da Bonarcado, dove invece sono nato io. Erano vicini di casa, vivevano ai margini del paese, e fin da piccolissimi giocavano insieme nel terreno dietro alle loro abitazioni...»

I due marmocchi erano così rumorosi e chiacchierini quando giocavano, che nessuno, guardandoli, avrebbe potuto dire che i sardi sono silenziosi. Inventavano giochi con le pietre, con i tappi di sughero, con quello che capitava a tiro, e una volta inventarono dei fucili con gli elastici. Un manico di scopa, un piccolo chiodo a una delle estremità, e dall'altra parte una molletta per i panni bene avvitata. Si annodavano tra loro degli elastici, uno dietro all'altro, per farne uno più lungo, si tendeva dalla bocca della molletta fino al chiodo, e quando si schiacciava la molletta per aprirla, come se fosse il grilletto di un fucile, l'elastico partiva come un proiettile. Giocavano alla guerra, si rincorrevano, si rimpiattavano, facevano agguati... era divertentissimo.

Un giorno, la mamma di Salvatore, tornando a casa dopo essere stata al ruscello a lavare, sentì un gran silenzio. Entrò in casa e trovò il bambino seduto sulla panca di pietra dentro il grande camino, imbronciato e pensieroso, e gli chiese cosa avesse. Salvatore scosse il capo, senza dire nulla. Non parlò nemmeno i giorni successivi, e non usciva di casa. Se ne stava accanto al camino a fissare la brace.

« Tore, che c'è? Non vai a giocare con Cosimo? » gli chiedeva sua madre.

« No » diceva lui, senza guardarla.

« E perché? »

« Non mi va. »

« E perché non ti va? » insisteva sua madre, ma la risposta non arrivava mai. Ogni tanto Salvatore andava a bighellonare da solo nella campagna dietro casa. Finché una mattina, prima che sua mamma andasse a lavare i panni, le chiese cosa volesse dire « bagassa », e si beccò uno schiaffo.

« Non devi dire queste parole... Dove l'hai imparata? »

Salvatore strinse i denti e scappò in camera sua. Non voleva piangere, voleva resistere, ma alla fine scoppiò in singhiozzi con il viso dentro il cuscino. Sua mamma non se ne accorse, se n'era già andata.

Quando Salvatore incontrava Cosimo, si guardavano senza dire nulla, oppure fingevano di non vedersi, e ognuno andava per la propria strada. Sua mamma smise di chiedergli cosa fosse successo, aveva troppo da fare, e poi i bambini a volte litigavano per un nonnulla, alzavano muraglie che dovevano essere eterne, ma dopo un po' facevano pace. Ma loro due, invece, continuarono a non considerarsi.

L'anno successivo per tutti i bambini della loro età cominciava la prima elementare. Nel paese c'era una sola scuola e una sola aula per ogni anno scolastico, e così si ritrovarono nella stessa classe. Il primo giorno si lanciarono uno sguardo, e con quello si erano detti tutto. Si sedettero in banchi lontani e non si scambiarono una parola, né quel giorno né i successivi.

Alla prima occasione Salvatore chiese a un bambino di terza elementare cosa volesse dire «bagassa». Il ragazzino si mise a ridere, con aria da adulto.

«Non lo sai? Vuol dire puttana, una donna che va a letto con gli uomini facendosi dare dei soldi» disse, contento di dimostrare che lui lo sapeva. Salvatore strinse i denti, fingendo di sorridere.

Per tutta la durata dell'anno scolastico, e per i quattro anni successivi, i due bambini continuarono a ignorarsi. Nel frattempo Salvatore si era trasferito con la famiglia dalla parte opposta di Seneghe, nella casa della nonna di sua madre, che era morta.

Dopo la quinta elementare i due ragazzini smisero di andare a scuola, e non abitando più vicini si vedevano solo per caso. Nessuno dei due sapeva che anche l'altro aveva cominciato a lavorare nei cantieri, come aiuto manovale. Avevano undici anni, ma a quei tempi anche i bambini lavoravano.

Passavano gli anni. Quando Salvatore e Cosimo si incrociavano in paese si lanciavano un'occhiata ombrosa, oppure guardavano dritto fingendo di non vedersi. Ogni tanto qualcuno chiedeva a uno dei due cosa fosse successo, come mai da molti anni non fossero più amici, ma in risposta aveva solo silenzio.

Scoppiò la Grande Guerra. Partirono tutti e due per il fronte, e tutti e due tornarono vivi, anche se stremati e abbattuti. Continuarono a spaccarsi la schiena nei cantieri. Andavano a lavorare nei paesi del Campidano e del Montiferru, ma anche a Sassari, a Nuoro e addirittura più lontano. Una volta, in un grande cantiere di Cagliari dove erano impegnate diverse imprese, svoltando un angolo si trovarono faccia a faccia, ma nessuno dei due tradì la minima emozione. Uno *sguardo fu sufficiente a chiarire le cose. Nelle settimane seguenti fecero di tutto per evitarsi, e quando lavoravano a un metro di distanza, magari uno di fronte all'altro, si ignoravano.*

Nel grande cantiere c'erano lavoratori che venivano da tutte le parti d'Italia, e quando si riunivano per mangiare, nelle baracche in inverno e all'aperto in primavera, a volte venivano fuori delle battute sui due muratori più taciturni, soprattutto da parte dei toscani, che come al solito erano i più maligni di tutti.

«State un po' zitti, Diobono, da quanto parlate ci rincitrullite.»

«O sardegnoli! Che sapete parlare o siete usciti di sottoterra?»

«Ma non vedi che sono muti? Ah ah ah!»

«A loro la bocca gli serve solo per mangiare, e il pisello per pisciare.»

«Sono stati allevati dalle pecore.»

«Sapete almeno belare? Beeeee... Beeee...» E giù risate. *In una locanda sarebbe sbucato fuori un coltello, ma nessuno dei due voleva rischiare di perdere il lavoro. E così restavano impassibili, non muovevano neanche gli occhi, continuavano a mangiare come se non avessero sentito nulla. Si vendicavano in altri modi, bucando un sacco di cemento, pisciando dentro la calcina, o lasciando andare da cinque metri di altezza un secchio pieno di mattoni vicino a uno di loro, come avvertimento. A poco a poco le battute finirono.*

Un giorno Cosimo, lavorando su un'impalcatura, scivolò e rimase appeso all'asse di legno, spenzolando nel vuoto da un'altezza di dieci metri. Il destino volle che lì accanto ci fosse Salvatore, il quale, senza dire una parola, si gettò in avanti, lo afferrò per i polsi e lo tirò in salvo, poi si voltò e se ne tornò al proprio posto, sempre a bocca cucita. Anche Cosimo rimase muto, e continuò a lavorare senza neppure un grazie. Gli operai che avevano assistito al salvataggio rimasero sba-

lorditi, sia per la prontezza di Salvatore, sia per l'incompren-
sibile silenzio che aveva accompagnato tutta la scena. Co-
minciarono a farsi domande, e provarono a farne anche a lo-
ro, ma in risposta avevano soltanto bocche chiuse.

Quando il lavoro al cantiere si stava avvicinando alla fi-
ne, una dopo l'altra le imprese toglievano le tende per spo-
starsi altrove. Salvatore e Cosimo partirono, ognuno per la
propria destinazione. Gli anni passavano. Ogni tanto si in-
crociavano in qualche cantiere, altre volte la domenica sulla
via principale di Seneghe, magari con le rispettive mogli e
con i figli, ma si comportavano sempre allo stesso modo.
Uno sguardo bastava.

Le cose andarono avanti così per molti anni, senza che
nessuno del paese riuscisse a scoprire cosa fosse successo
quando i due amici erano bambini.

Nel '65 Cosimo cadde ammalato, anche per il duro lavoro
che si era sobbarcato per tutta la vita, a partire dagli undici
anni. Stava male, molto male, era disteso a letto con poche
speranze di sopravvivere. Tutti in paese si aspettavano che
Salvatore andasse a trovarlo, che gli stringesse la mano,
che facessero pace... ma si sbagliavano.

Cosimo morì in agosto, e tutti gli abitanti di Seneghe era-
no convinti che almeno al funerale Salvatore si facesse vede-
re. Durante il trasporto al cimitero (a parte la moglie e i figli
che piangevano) era tutto un guardare di qua e di là e anche
all'indietro, ma Salvatore non arrivò.

Passò qualche giorno. Una domenica al tramonto, dei ra-
gazzi che stavano tornando dal pascolo avvistarono nei cam-
pi Salvatore che camminava aiutandosi con il bastone, e in-
coraggiati dalla curiosità che si era diffusa in tutta Seneghe,
si misero a seguirlo di soppiatto. Lo videro arrivare in fondo
al paese ed entrare nel cimitero, e si nascosero in mezzo alle
tombe per spiarlo. Salvatore arrivò davanti al tumulo fresco
di Cosimo, si tolse il cappello e si asciugò gli occhi con le di-
ta. Poi lo sentirono parlare...

« Non l'ho fatto apposta, brutto stupido asino che non sei altro... Stavamo giocando... Poteva succedere a te, uguale uguale... Non l'ho fatto apposta... Non dovevi dirmi quelle brutte parole... Che c'entrava mia mamma? Non dovevi... Io ti volevo bene... E te ne voglio anche ora... Perché non mi hai mai chiesto scusa? Adesso sei morto, non si può fare più nulla... Addio, Cosimo... Addio. » Raccolse una pietruzza, la mise sul cumulo di terra, e dopo un segno della croce se ne andò. I ragazzi raccontarono in famiglia quello che avevano visto e sentito al cimitero. La notizia si sparse velocemente per il paese, giunse anche alle orecchie della moglie e dei figli di Salvatore, ma con lui nessuno ne fece mai parola. Tutta Seneghe continuava a domandarsi cosa diavolo potesse essere accaduto tra i due bambini, ma nessuno aveva il coraggio di chiedere a Salvatore, che a quanto sembrava era deciso a portarsi quel segreto nella tomba, come aveva fatto Cosimo. Insomma, tutti si erano rassegnati a non conoscere il motivo di quel dissidio insanabile durato più di sessant'anni.

« L'anno scorso, quando sono andato a casa per Natale, mi hanno raccontato la fine di questa storia » disse Piras guardando il proprio calice vuoto, e il Botta gli versò un po' di vin santo.

Quattro anni dopo la morte di Cosimo, fu Salvatore ad ammalarsi. Tossiva, il fazzoletto si tingeva di rosso. Il medico scuoteva il capo, sua moglie piangeva, i figli fissavano il vuoto con gli occhi lucidi. L'estrema unzione si stava avvicinando a grandi passi. In fondo al letto sembrava quasi di sentire il respiro della Morte, che aspettava con pazienza di venirsi a prendere l'anima di quel pover'uomo.

Una sera il moribondo chiese di poter parlare con il curato di Santa Maria della Rosa, e fece uscire tutti dalla stanza.

«Padre... Voglio raccontarvi cosa è successo tra me e Cosimo... Lo dico a voi, e voi raccontatelo a tutti...»

«Parla, ti ascolto...»

«Avevamo cinque anni... Stavamo giocando come ogni giorno facevamo... Non l'ho fatto apposta...»

Proprio giocando con il fucile a elastici era successo il fattaccio. Salvatore aveva sparato a Cosimo, lo aveva colpito in un occhio, e dopo un grido di dolore, Cosimo aveva scagliato con rabbia il suo fucile nel campo.

«Sa bagassa mamma rua!» aveva gridato, ed era fuggito in casa. Salvatore non sapeva cosa volesse dire quella parola, bagassa, anche se intuiva che non doveva essere nulla di gentile. Era tornato a casa, dispiaciuto e offeso, si era seduto sulla panca di pietra dentro il camino, che a quell'ora era tiepido di brace, e si era messo a rimuginare... Non l'aveva mica fatto apposta... No, non l'aveva fatto apposta...

Quando il ragazzo più grande, a scuola, gli aveva detto cosa significava quella parola, se l'era legata al dito. Non l'aveva mica fatto apposta a colpire Cosimo nell'occhio, stavano giocando, poteva capitare a lui, che bisogno c'era di arrabbiarsi in quel modo? Che c'entrava offendere sua madre? Non avrebbe mai più giocato con lui, non ci avrebbe mai più parlato, nemmeno una volta. E così era stato. Magari, se Cosimo gli avesse chiesto scusa... Ma non lo aveva mai fatto. E poi, quella volta al cantiere di Cagliari, quando lo aveva salvato, si aspettava che Cosimo ne approfittasse per fare pace. Ci aveva sperato. Invece nulla. Ma era Cosimo che doveva chiedergli scusa per primo... E lui, dopo, gli avrebbe chiesto scusa, anche se non aveva certo fatto apposta a colpirlo nell'occhio. Invece nulla. E quando Cosimo si era ammalato, si aspettava che lo mandasse a chiamare per chiedergli scusa di aver offeso sua mamma, ma non lo aveva fatto. E poi era morto.

«Doveva chiedermi scusa... Non l'ho mica fatto apposta... Era lui che doveva chiedermi scusa... Un elastico nel-

240

l'occhio... Un elastico nell'occhio... Dio mio...» disse Salva-
tore. Furono le sue ultime parole, poi il curato gli chiuse gli
occhi.

«Ecco qua la mia storia» disse il sardo, e sulle sue labbra apparve un lieve e rispettoso sorriso... che si sarebbe anche potuto definire commemorativo. Calò il silenzio, i commensali si scambiavano occhiate. Fu Ennio a parlare per primo.

«Dio mio, posso dire che è una storia sardissima?»

«Direi di sì» ammise Piras.

«Dunque, ai due silenziosi amici» disse Dante, alzando appena il bicchiere, secondo la tradizione di quelle cene.

«Anche a quel povero elastico, ignaro di quel che ha provocato» aggiunse Rodrigo.

«Al curato che ha chiuso gli occhi a Salvatore» disse Diotivede.

«Ai sardi...» disse Arcieri.

«E alla loro proverbiale loquacità» concluse il commissario, e anche Piras sorrise. Il commissario era sicuro che il sardo fosse contento anche perché il puzzolente sigaro Toscano non era stato acceso, e di certo sperava che non venisse acceso mai. Il momento più rischioso era sicuramente quando Dante avrebbe raccontato la sua storia... meno male che era l'ultimo.

«Adesso tocca a lei» disse per l'appunto Dante al dottor Diotivede, leggendo sul foglietto.

Diotivede aspettò come al solito che anche l'ultima mosca avesse smesso di volare, e per caso, un istante prima che cominciasse a parlare, si sentì in lontananza il canto dell'allocco... Ti-ui-uuuu... tu-u-u-uuu... ti-uuuu...

«Subito dopo la guerra sono stato per un anno medico condotto a Prato. Un giorno andai a visitare una donna, e lei mi raccontò questa storia, un po' sorridendo e un po' piangendo. Nei primi mesi del '44 la signora Maria era sfollata con le sue quattro figlie sulle colline intorno a Prato. Suo marito era stato spedito in Russia nel '41, per via dell'Operazione Barbarossa, una follia che sul Fronte Orientale è costata milioni di morti, ma che purtroppo dobbiamo ringraziare perché ha portato alla rovina il Terzo Reich... Ma andiamo avanti...»

Maria aveva trovato rifugio in una casa di contadini intorno a Vaiano. Si sentiva sola, il marito era disperso in Russia, e soltanto l'amore per le sue figlie riusciva a darle la forza di tirare avanti. La più grande aveva diciannove anni, la più piccola tredici. Tutte e quattro piuttosto carine. Avevano un pollaio, una mucca e qualche pecora. Il quartier generale della Wehrmacht era a qualche chilometro di distanza, più in basso, ma fino a quel momento nessuno era venuto a disturbarle.

Una mattina arrivò alla fattoria Santina, una donna che abitava non lontano, sfollata anche lei, per chiederle se aveva delle uova per la sua bambina. Mentre parlavano, da dietro l'angolo del pollaio videro in fondo alla strada sterrata

un'auto militare tedesca che saliva lentamente verso la casa.
Era la prima volta che succedeva, e le due donne erano spa-
ventate. Cosa venivano a fare? Era una visita tranquilla?
Volevano solo un po' di latte o qualche uovo? Oppure ci
si doveva aspettare qualcosa di brutto? Santina si mordeva
le labbra... Non c'era da fidarsi, e non volevano rischiare.
Maria pensò un attimo a cosa poteva fare... a un tratto affer-
rò una gallina, la sacrificò tagliandole il collo, si riempì le
mani di sangue e trascinandosi dietro l'amica si precipitò
in casa.

« Ragazze, andate nel granaio e chiudetevi dentro » disse
alle figlie, concitata.

« Oddio mamma! Che ti è successo? » gridò la più gran-
de, vedendo il sangue.

« Non è sangue mio, andate nel granaio e chiudete la por-
ta... Sta arrivando una macchina dei tedeschi. »

« Venite » disse la ragazza alle sorelle, e tutte e quattro
uscirono in fretta da una porta sul retro.

« Tu... vieni con me » disse Maria a Santina. Salirono di
corsa al piano di sopra, e Maria disse alla sua amica di met-
tersi subito a letto, sotto le coperte, e di spettinarsi i capelli,
poi le bagnò la bocca di sangue.

« Sei malata » le disse, mentre l'auto tedesca si fermava
davanti alla casa. Scesero tre soldati, ridendo e parlando
tra loro. Entrarono con l'aria da padroni, chiamarono a gran
voce, e sentirono dei lamenti arrivare dal piano di sopra. Sa-
lirono le scale borbottando, e quando entrarono nella stanza
trovarono una donna sdraiata a letto che delirava, febbrici-
tante, con il sangue che le usciva dalla bocca, e Maria si mise
ad agitare le mani.

« Malata... malata... tubercolosi, tubercolosi... » diceva,
con l'aria spaventata. I tedeschi si guardarono, poi uscirono
di corsa e si precipitarono giù per le scale. Quando le due
donne sentirono l'auto che si allontanava sbirciarono dalla
finestra, e videro un gran polverone.

« Dio mio, che paura » disse Maria.

« È passata, è passata » le diceva la sua amica, pulendosi la bocca dal sangue. Andarono a chiamare le ragazze, e dopo aver raccontato cos'era successo cominciarono a cucinare. La gallina venne messa in pentola, ma prima di mangiarla Maria volle ringraziarla per il suo sacrificio.

« Ma gli spaventi non erano finiti, e questa volta Maria se la vide davvero brutta... » disse Diotivede, continuando a seguire le visioni di quel racconto.

Due settimane dopo, una mattina, mentre stava pulendo la stanza delle ragazze, Maria sentì bussare alla porta, ma non si allarmò, perché non aveva sentito nessun rumore, nessuna macchina avvicinarsi, nessuna voce... Non poteva che essere Santina, pensò. Ma quando andò ad aprire la porta le mancò il fiato. Si trovò davanti un soldato tedesco, un pezzo d'uomo alto e grosso, con il fiato che puzzava di grappa e un sorriso che non prometteva nulla di buono.

« Buongiorno » disse Maria, cercando di restare calma. Il soldato entrò in casa come se fosse sua, guardandosi intorno un po' affannato.

« Schöne Mädchen... Mädchen... »

« Cosa? Non capisco... » disse Maria, anche se forse aveva capito.

« Ragazze... Wo sind... schöne Mädchen? »

« No no, qui no ragazze... Sono piccole... Bambine... Clain... »

« Mädchen... Mädchen... » continuava il tedesco, avvicinandosi alle scale, e Maria gli si mise davanti.

« Little girls... Piccole, capisce cosa dico? » Le batteva il cuore così forte che le tremavano le gambe. In quel momento si sentì in cima alle scale la voce della figlia più grande, che stava scendendo.

«Che succede, mamma?» disse, e appena vide il soldato si bloccò. Maria si fece capire con lo sguardo, e la ragazza fuggì di sopra. Il tedesco imboccò le scale, ma Maria lo afferrò per un braccio, sorridendo, e si aprì un po' la camicetta.

«Ehi, io non ti piaccio? Che te ne fai di una bambina? Vengo io con te... Dai, andiamo... Vieni...» disse, e aveva una voce così dolce e convincente che il soldato la prese per la vita e la baciò sulla faccia, dove capitava.

«Bella... Bella...» Afferrò la donna per un polso e se la tirò dietro verso la porta. Uscirono, e mentre se ne andavano giù per la stradicciola, Maria si voltò a guardare le finestre del primo piano. Le sue bambine erano lassù, guardavano la scena con gli occhi terrorizzati, le più piccole piangendo. Maria fece un cenno per dire che andava tutto bene, e continuò a farsi trascinare via dal soldato. Sperava di cavarsela, di trovare il modo di fuggire, ma prima di tutto doveva allontanarsi il più possibile da casa. E se poi non fosse riuscita a evitare il peggio, per lo meno aveva salvato le sue bambine.

Erano già a un centinaio di metri dalla casa, quando in fondo alla strada apparve un'automobile scoperta che si avvicinava a grande velocità. Il soldato si fermò e le lasciò il polso, con aria preoccupata. Maria non sapeva davvero cosa aspettarsi. L'auto frenò davanti a loro, alzando un bel po' di polvere, e scese un ufficiale con un diavolo per capello. Si avvicinò al soldato, che adesso stava sull'attenti, gli gridò qualcosa di molto duro e lo colpì forte sul viso con un frustino da cavallerizzo. Il soldato si piegò sulle gambe dal dolore, con un lamento da animale ferito, sanguinando dal labbro e dalla guancia, poi riuscì a drizzarsi sulla schiena, borbottò qualcosa, fece il saluto militare e si avviò lungo la strada camminando in fretta. L'ufficiale gli lanciò un'occhiata carica di disprezzo, frantumando una bestemmia tra i denti, poi cambiò faccia, si tolse il cappello, e sorridendo salutò Maria con un elegante baciamano.

« Scusi, signora... quello è come bestia... ma non tutti siamo così, ciò è sicuro » disse, in un italiano abbastanza buono.

« Grazie... » disse Maria. Lo scampato pericolo stava quasi per farla svenire, barcollò appena, e l'ufficiale la sostenne con un braccio intorno alla vita.

« Si sente bene? »

« Sì, non si preoccupi... Sto bene... »

« Desidera io accompagno a casa? » le chiese l'ufficiale, ritirando il braccio.

« Non si disturbi, grazie. Adesso va meglio. »

« Come vuole... Permette che mi presento? Oberstleutnant, voi dite tenente colonnello... Jürgen Kugler. »

« Piacere, Maria... Parla bene la nostra lingua. »

« Io stato a Firenze qualche mese, anni prima di guerra, fu bellissimo periodo » disse l'ufficiale, con aria nostalgica.

« Vedo che le piace, Firenze... »

« Ah, Brunelleschi... Michelangelo... Leonardo... Masaccio... Botticelli... Gozzoli... Porto ancora dentro mio cuore... Camminare lungo Arno, quando arriva notte... »

« La capisco, è una città bellissima. »

« Oh, deve scusare, signora... Io annoio con miei ricordi... »

« Ma no, si figuri. »

« Davvero non vuole che io porto a casa? Non deve avere paura » disse il tedesco, premuroso.

« Non ho paura, ma due passi mi faranno bene. » Aveva fretta di tornare a casa, per tranquillizzare le figlie, ma preferiva andare a piedi.

« Gut, se così lei vuole. »

« Grazie di nuovo, arrivederci. »

« Le auguro buono giorno » disse l'ufficiale. Dopo un altro baciamano salì in macchina e se ne andò. Maria tornò a casa quasi di corsa, trovò le figlie disperate, le abbracciò, e con le lacrime agli occhi raccontò cos'era successo.

La mattina dopo Maria montò sulla bicicletta, con lo zaino sulle spalle, pedalò fino al quartier generale tedesco e chiese dell'ufficiale Kugler. La fecero aspettare in una stanza, e quando apparve l'ufficiale, Maria gli andò incontro sorridendo.

« Le ho portato qualche uovo e un po' di latte, se gradisce » disse.

« Oh, come dite voi? Grazie mille... Però devo pagare... »

« Ma no, è un regalo. »

« La prego, voglio pagare... è giusto... è giusto così, la prego... » Non ci fu verso di fargli cambiare idea, e Maria tornò a casa con i soldi nello zaino, pensando a com'era brutta la guerra, a com'era assurda... Magari in un'altra occasione, in un'altra vita, senza quella maledetta guerra, lei e quell'ufficiale avrebbero potuto essere amici, parlare di arte e di poesia... e anche suo marito sarebbe rimasto a casa, invece di andare in Russia per la follia di Hitler e di Mussolini.

« Mentre mi raccontava di quell'ufficiale gentile Maria si commuoveva ancora » disse Diotivede, per concludere.

« E il marito? » chiese il Botta.

« Ah sì, scusate... Suo marito è tornato a casa alla fine del '45. Aveva perso tre dita di un piede per colpa del congelamento, aveva una ferita alla schiena che gli faceva male quando cambiava il tempo, ma per il resto stava piuttosto bene. »

« Maledetta guerra... A Maria e a suo marito » disse Dante.

« Anche se era tedesco, al tenente colonnello... Che dite? » propose Ennio.

« Ma certo... E anche alle quattro ragazze, che adesso saranno donne » disse Diotivede.

« A Barbarossa, che ha attirato Hitler in una trappola » disse il colonnello Arcieri, con un po' di amarezza.

« Al lieto fine di questa storia, che quando c'è di mezzo la guerra è un lusso » disse Rodrigo.

« Al sangue della gallina » disse Bordelli, più serio di quanto volesse. Come sempre mancava solo Piras, e siccome tutti lo stavano guardando, sollevò appena il bicchiere.

« Al coraggio delle donne » disse. Gli altri annuirono e tutti insieme bevvero un sorso. Si poteva passare alla storia successiva. Adesso era il turno del dottor Bottarini, disse Dante...

Ennio finì di mangiare lo strudel che aveva nel piatto, poi attaccò il suo racconto.

« A San Frediano il fratello di mio nonno, Bartolomeo, lo chiamavano Babo, dalle iniziali di nome e cognome... »

« Allora nel tuo quartiere mi chiamerebbero Pedi » disse Diotivede, che di nome si chiamava Peppino.

« E a me... Rofi » disse Rodrigo, che di cognome si chiamava Fioravanti.

« Io sarei Dapestra » disse Dante ridendo, visto che di cognome faceva Pedretti Strassen. Sotto lo sguardo desolato di Ennio, il commissario si occupò di completare il gioco.

« Il colonnello sarebbe Bruar... io Frabo, e Piras... be', si chiama Pietrino, meglio se non va ad abitare a San Frediano. » Alzò il calice in direzione del sardo, e tutti lo seguirono, tranne Piras.

« Brindiamo a Pipi » disse Diotivede, e il sardo si limitò a una sorridente alzata di spalle. A questo punto il Botta allargò le braccia.

« I soprannomi sono una cosa seria, ragazzi... Nessuno mi chiamerebbe Enbo... Tutto chiaro? Posso continuare? Mio nonno non ha mica tempo da perdere, se non lo ascoltate se ne va a dormire... Mi versa un po' di vin santo, per favore? » disse a Bordelli.

« Eccoti servito » disse il commissario, e anche gli altri ne approfittarono per fare rifornimento. Il Botta aspettò che nella cucina calasse un silenzio da prima teatrale, poi ricominciò a raccontare.

« Come vi dicevo, Bartolomeo era il fratello di mio nonno,

ma io chiamavo nonno anche lui... Insomma avevo un nonno in più degli altri. Babo era nato nel 1881, lo stesso anno in cui apparvero le prime puntate di Pinocchio sul *Giornale per i bambini*. Era il primo nato di dodici figli, e sette dei suoi fratelli e sorelle sono morti da bambini...»

«Epoca funesta...» mormorò Diotivede, poi alzò le mani per dire che non avrebbe detto più nulla.

Il fratello del nonno del Botta era sempre stato un uomo di poche parole e di grandi silenzi carichi di significato. Aveva certezze di granito, come molti uomini della sua generazione. A sei anni, invece di mandarlo a scuola, lo avevano spedito a imparare un mestiere, ma da grande conosceva la storia di ogni angolo di Firenze e sapeva a memoria alcuni canti della Commedia... *Anzi, non soltanto li sapeva, ma li recitava a meraviglia, ipnotizzando chi lo stava ad ascoltare. Con i risparmi di una vita aveva comprato due grandissimi appartamenti in piazza Nazario Sauro, all'ultimo piano, a un passo dal ponte alla Carraia, dove vivevano tre generazioni di Bottarini. Quella casa era la dimostrazione del suo passaggio su questo mondo, per questo ne andava fiero.*

«Ci vivono ancora i miei tre cugini con le famiglie, li hanno rimessi a posto, li hanno fatti diventare tre appartamenti e ci stanno larghi» disse Ennio.

«Accipicchia» borbottò Rodrigo, piano piano.

Bartolomeo aveva dovuto sopportare due guerre, una da combattente, l'altra da cittadino. E durante la Seconda Guerra, quando suonava l'allarme aereo, mentre tutti scappavano nel rifugio, lui metteva sul grammofono Firenze sogna, *si sedeva a tavola con davanti un fiasco di vino e un bicchiere e cantava insieme a Carlo Buti...*

Firenze stanotte sei bella in un manto di stelle...

« O babbo, l'è sonato l'allarme, bisogna sbrigassi! »

Che in cielo risplendono tremule come fiammelle...

« Dai, nonno, l'è pericoloso... »
    « Andate, andate... Io ni' rifugio un ci vengo, o come ve lo devo dire? »
    « Nonna, i' nonno un vòle venire! »

Sull'Arno d'argento si specchia il firmamento...

E qui faceva un gesto come per dire: ma chi l'ha mai viste le stelle specchiate nell'acqua torbida dell'Arno? Però la canzone gli piaceva un sacco.
    « E ti pareva che i' nonno un facesse i' contrario di quello che fanno gli altri! » diceva sua moglie.
    « Ovvia, basta! Un voglio fare la fine d'i' topo. »

Dorme Firenze sotto il raggio della luna...

« Babbo, dai... Non t'incaponire, vieni giù con noi... »
    « Se devo morire voglio morire a casa mia... »

Ma dietro ad un balcone veglia una madonna bruna...

« Dai Barto, forza! Smettila di fare i' bischero, vieni giù che stanno arrivando gli aeroplani! » insisteva Velia, sua moglie.
    « Fatemi i' piacere... Portatela di peso ni' rifugio, sennò la mando dove un l'ho mandata in trentatré anni di matrimonio... »
    « E se cade una bomba sulla casa? »

Stanotte schiudetevi ancora che passa l'amore...

« *Pazienza, di qualcosa s'à a morire! Io resto qua, sono in buona compagnia.* » *E alzando il fiasco metteva fine alla discussione.*

Ma una volta, l'unica, fu costretto a lasciare la casa. Era l'estate del '44. Le finestre davano proprio sul ponte alla Carraia, e quando i tedeschi decisero di far saltare i ponti sull'Arno, già dal trenta di luglio, armi in pugno, evacuarono i palazzi a portata di bomba. Tutti i Bottarini si rifugiarono, insieme a tante altre famiglie, nelle cantine della scuola Mazzini, in via de' Cardatori, dove dormivano su dei materassi buttati per terra. La sera del tre agosto, verso le dieci, ci fu un lampo e un boato, il primo di una lunga serie. Nella penombra della cantina le donne si facevano il segno della croce e pregavano. A ogni scoppio, calcolando il rumore, la distanza e il dondolio del pavimento, il nonno Babo immaginava quale ponte era saltato in aria, facendo piangere le donne e dunque anche i bambini.

« *Questo l'è lontano, sarà i' ponte alle Grazie... Questo invece l'è il ponte Sospeso... Questo l'è Santa Trinita, ma unn'è crollato, un s'è sentito cadere nulla... Ci riproveranno, quei diavoli, che Dio li maledica tutti quanti... Ecco, questo l'è vicino, l'è il nostro... Brutti maiali... Figli d'una vacca...* »

I boati continuavano, non finivano mai. Bartolomeo smaniava, non si dava pace. Se il pensiero fosse stato un cannone, avrebbe messo in piedi una guerra tutta sua.

« *Avete sentito? Seguitano ancora, quei mangiapatate! Ma icché voglion fare? Buttar giù tutta Firenze? Puttane le loro mamme maiale!* »

« *Calmati, Barto... Un ci si pòle far nulla...* »

« *Ma icché aspettano gli Alleati ad arrivare, porca d'una zoccola?* »

« *Basta parolacce, ci sono i bambini...* »

« *I bambini le devono sentire, queste cose! Devono im-*

parare a capire chi sono i figli di bona donna!» E così via.
Era sempre più arrabbiato. La vita nella cantina era difficile, il tempo non passava, i bambini si lamentavano, l'aria
puzzava.

Il pomeriggio del giorno dopo, Bartolomeo riunì tutta la
famiglia in un angolo della cantina, per dire quello che stava
per fare.

«Ci ho pensato tutta la notte... Io vo a vedere.»

«Ma icché tu dici, nonno?»

«Babbo, che sei impazzato? A veder'icché?»

«Ma in do' tu vòi andare, Barto?» Sua moglie era spaventata, si teneva una mano sul petto. La gente là intorno
seguiva la scena, scuotendo il capo.

«Seguitano a sparare, un vu lo sentite?» disse un uomo.
In effetti in lontananza si sentivano ogni tanto dei colpi, come dei rami secchi che si spezzavano. Nonno Bartolomeo
annuì.

«Questi sono i cecchini che sparano dai tetti, di là dal-
l'Arno, ve lo dice uno che ha passato due anni in trincea.»

«Appunto, unn'è bene uscire...»

«Il pericolo c'è, ma basta stare accorti agli incroci delle
strade.»

«O che c'è tutta codesta furia?»

«Voglio andare a vedere se la casa l'è ancora in piedi.»

«Unn'è meglio se vu aspettate un altro po'? Magari qualche giorno.»

«Ci voglio andare ora.»

«Tu sei un capoccione!»

«Via, Bartolomeo, ragionate... Sparano...»

«State tranquilli, so come fare senza beccarmi una pallot-
tola... Arrivo in fondo a via de' Cardatori, vado a sinistra in
via del Drago D'oro, scendo giù per Borgo San Frediano, volto verso piazza del Carmine e m'infilo in Borgo Stella, poi vo
a sinistra in via dell'Ardiglione e svolto in via Santa Mona-
ca, scavalco via de' Serragli di corsa, perché quello l'è il pun-

to più scoperto, poi mi butto in via Sant'Agostino, piglio a sinistra per via Maffia, tutto a dritto fino in fondo e sbuco in Borgo Santo Spirito, poi arrivo all'angolo con piazza Sauro e mi affaccio per vedere se la casa l'è ancora 'n piedi. »

« E poi icché tu fai? » disse sua moglie, che aveva cominciato a piangere da quando lui aveva detto... 'Arrivo in fondo a via de' Cardatori...' »

« Dipende da come l'è la situazione. Se la casa l'è venuta giù torno indietro per la stessa strada... Sennò vo a vedere! »

« A vedere cosa, babbo? »

« O Barto, ma icché tu dici? »

« Ovvia, basta... Fo icché mi pare! » disse il nonno.

« Questo l'è pazzo! Gli ha dato di barta! Unn'andare, unn'andare... » piagnucolava sua moglie. Il nonno sbuffò.

« O Velia, un son morto ni' '15-'18, che mi devo leva' da' coglioni proprio ora? »

« L'è quello che dic'anch'io! Perché tu devi fare i' bischero? » diceva la nonna.

« Ti dico di sta' tranquilla, porcaccia troia! Umm'ammazza nessuno! Questa soddisfazione ai crucchi un gliela do, ver'Iddio! » Si era messo in capo quell'idea, e nessuno sarebbe riuscito a trattenerlo. Salutò tutti con un cenno e se ne andò, seguito dai singhiozzi di sua moglie.

Poco prima dell'imbrunire eccolo di ritorno, e ovviamente fu subito circondato dai presenti, che volevano sapere com'era la situazione là fuori. Il nonno scosse il capo, con aria sdegnata.

« Il ponte alla Carraia l'è ridotto a una striscia di macerie in mezzo all'Arno, e la casa d'angolo con il lungarno Soderini la un c'è più! »

« Maria Santa! E la nostra casa? » chiese la nonna.

« Una verga di' tram l'è volata fin su i' tetto e l'ha sfondato... »

« Ommamma, l'è crollata! » gridò la nonna, e tutta la famiglia sbiancò.

«*Ma no, l'è sempre in piedi...*»

«*Sia lodata la Madonna!*»

«*...e sempre 'n piedi l'è anche i' fiasco di vino*» *disse il nonno, per concludere il suo racconto.*

«*Ummi dire che tussei entrato in casa!*» *disse sua moglie, sbalordita.*

«*Sennò come facevo a vedere i' fiasco, Velia!*» *disse il nonno, spazientito.*

«*Insomma, tutto qui?*» *chiese uno dei figli.*

«*Tutto qui. Mi son bevuto un bicchiere e sono uscito*» *disse lui, fiero. Intorno si levarono i commenti dei presenti... Voglio andare a vedere la mi' casa... Vengo con te... Io pure, che vo a vedere la bottega in via Sant'Agostino... Ma il nonno alzò una mano.*

«*Lasciate stare, l'è pericoloso, datemi retta... Tra un po' fa buio, un si sa chi si pòle incrociare per la strada, l'è meglio aspettare domattina... Piuttosto, sapete icché ho pensato quand'ero davanti a quello sfacelo?*»

«*Diccelo...*»

«*Ora camminando sulle macerie dei ponti si può attraversare a piedi l'Arno, perché l'è in secca, ma quando verranno le piene, Firenze la un potrà restare divisa in due, bisognerà fare una passerella di legno, e magari gli darò mano anch'io... Pensa un po' icché m'è venuto in mente a vedere quel tritume... Alle volte l'omo l'è proprio strano...*» *Poi si fece largo tra la gente per andare a fare una carezza a sua moglie.*

«Quando i miei cugini hanno diviso in tre i due appartamenti, la verga del tram che era volata sul tetto della casa l'hanno usata come longarina, così per ricordo. Ogni volta che la vedo penso a nonno Babo... Era un uomo meraviglioso. Quando è morto, cinque anni fa, ho pianto per una settimana. Ogni tanto vado a trovarlo al cimitero, e lui mi guarda con quell'aria selvatica e severa. La foto gliel'ho fatta io quando aveva ottant'anni... Sua moglie Velia se n'è andata un anno dopo di lui, non ce la faceva a stare da sola. »

« Dove sono seppelliti? » chiese Bordelli.

« A Soffiano. »

« Anche i miei genitori sono a Soffiano. »

« Allora facciamoli conoscere, così giocano a briscola » disse Ennio, alzando appena il calice.

« A Babo e Velia » disse Rodrigo.

« Ai nipoti con due nonni » mormorò Dante.

« Alla verga di tram » disse Diotivede.

« Ai poveri ponti dell'Arno » disse Arcieri.

« All'Arno d'argento... » disse il commissario, sorridendo. Poi tutti guardarono il sardo, aspettando il suo commento.

« Ai nonni fiorentini cocciuti come i sardi » mormorò Piras, e finalmente il brindisi venne onorato. Qualche secondo di silenzio, poi...

« Adesso ascoltiamo... il generale Fucilieri » disse Dante.

Arcieri sorrise, ma non solo per il soprannome.

«Qualche giorno fa mi è tornata in mente una storiella divertente su mia madre, ed è quella che vi racconto stasera. Era la primavera del '46. In quel periodo ero a Roma, ma telefonavo spesso a mia mamma che viveva a Milano. La legge che aveva promulgato il voto alle donne era stata approvata in piena guerra, nel gennaio del '45, quando il Nord Italia era ancora occupato dai tedeschi. Le donne stavano votando in massa per le amministrative, e si avvicinavano le importanti votazioni del 2 giugno, dove gli italiani erano chiamati a scegliere tra Monarchia e Repubblica e ad eleggere l'Assemblea Costituente.

«Mia mamma era assai contenta di andare alle urne, e sentiva tutto il peso di quella responsabilità. Avrebbe votato certamente per la Repubblica, questo lo diceva senza alcun problema, ma non essendosi mai occupata di politica, era l'altra elezione a preoccuparla. Non sapeva bene cosa pensare e quale partito votare. La sua serietà le imponeva però di non lasciarsi guidare dal vento, e così cominciò a seguire tutti i comizi dei politici che arrivavano a Milano. Voleva andarci rigorosamente da sola, per non essere influenzata dai commenti di chi l'avesse accompagnata. Non voleva accanto nemmeno la sua più cara amica. Dopo il primo comizio, del Partito Socialista, mi telefonò piuttosto soddisfatta, e mi disse: 'Una gran brava persona, sono molto d'accordo con lui'.

«Poi andò a vedere il comizio della Democrazia Cristiana, e quando la sentii al telefono aveva la voce di chi trattiene a stento il sorriso: 'Quel signore ha detto delle cose molto giuste, una persona molto molto perbene' disse.

«Poi andò a vedere il comizio del Partito Repubblicano: 'Ha fatto un bellissimo discorso, una persona così mi dà molta fiducia'.

«Poi fu la volta del Partito Comunista: 'Una persona eccezionale, con idee molto precise. Mi ha fatto capire cosa sia veramente la Giustizia'.

«Poi andò al comizio del Fronte dell'Uomo Qualunque: 'È stato chiarissimo, finalmente ho capito cose che mi erano oscure. Sono d'accordo con tutto quello che ha detto'.

«E via via andò a sentir parlare tutti gli altri... Unione Democratica Nazionale, Blocco Nazionale della Libertà, Concentrazione Democratica Repubblicana... addirittura il Partito Comunista Internazionalista. E ogni volta tornava contenta e soddisfatta... *È così che deve parlare un politico... Ha tutta la mia fiducia... I suoi argomenti mi hanno conquistata... Che persona! Che persona!*

«Si avvicinava il giorno delle elezioni, e ogni tanto le chiedevo:

'Insomma, hai capito chi voterai?'

'Il voto è segreto' rispondeva lei, seria. Passavano i giorni, e al telefono la sentivo sempre più distratta. Quando le parlavo restava a lungo in silenzio, e se le chiedevo qualcosa a volte si scordava di rispondermi...

'Mamma, hai capito?'

'Cos'è che dicevi?'

«Ogni tanto tornavo alla carica...

'Hai deciso chi voterai?' le chiedevo.

'Il voto è segreto, Bruno...'

«Il primo di giugno le telefonai di nuovo. Oltre a essere assai curioso, avevo voglia di stuzzicarla.

'Perché non vuoi dirmi per chi voterai?'

'Te l'ho detto, il voto è segreto... Oppure noi donne non possiamo avere nessun segreto?' rispose, sorridendo.

«Il giorno dopo votammo, lei a Milano, io a Roma. A fine mattina la chiamai e tornai all'attacco.

'Adesso è fatta... Perché non vuoi dirmi per chi hai votato?'

'E tu?'

'Partito d'Azione...'

'Soltanto?'

'In che senso?'

'Be', ognuno di loro ha detto delle cose convincenti, e così li ho votati tutti.'

'Mamma, non si può!'

'Dici di no?'

'Eh no, facendo così hai annullato la tua scheda.'

'Be', almeno ho fatto quello che volevo' disse lei, e scoppiò a ridere. Evidentemente mentiva, e nessuno seppe mai cosa avesse veramente votato... Ecco qua la storiella su mia madre» concluse Arcieri, sorridendo. Dante fu il primo ad alzare il bicchiere, seguito da tutti gli altri.

«A mamma Arcieri» disse Ennio. Dopo un sorso, il brindisi continuò in onore dell'Assemblea Costituente, della Repubblica e di tutti quelli che avevano liberato l'Italia dai fascisti e dai nazisti... Non solo gli Alleati e i partigiani, ma pure il Regio Esercito (anche se il re se l'era data a gambe) o le cosiddette truppe badogliane (anche se Badoglio era rimasto attaccato alle mutande del re).

«Sapete cosa penso?» disse Bordelli.

«Ascoltiamo...» disse Diotivede.

«Il re ha venduto ai nazisti il nascondiglio di Mussolini in cambio della propria salvezza.»

«Non mi stupirebbe» disse Dante.

«Spetta ai posteri svelare il mistero» disse Rodrigo.

«Non ci sarebbe bisogno di aspettare i posteri...» mormorò il colonnello Arcieri.

«In che senso?» chiese Bordelli.

« Io ero lì, l'8 settembre del '43... » disse Arcieri, con l'aria di chi conosce verità assai scomode.

« Nel posto giusto o nel posto sbagliato? » chiese il commissario, che quel giorno era a La Spezia imbarcato sull'*Eugenio di Savoia*.

« Dipende, ma è comunque una brutta storia » continuò il colonnello.

« Perché non ce la racconta? » disse Diotivede.

« Per stasera la mia storia l'ho già raccontata... »

« Ma noi facciamo volentieri un'eccezione » disse il commissario.

« A dire il vero non è per quello. Non posso dire ancora nulla, magari più avanti. Ci vanno di mezzo troppi alti papaveri, e alcuni sono ancora vivi. »

« Adesso i figli di puttana si chiamano papaveri? » disse Bordelli, sorridendo.

« Davvero una brutta storia, pensando al disastro che ne è seguito » mormorò Arcieri, sospirando. A quel punto il Botta si alzò in piedi.

« Propongo un brindisi in onore di Sua Salvezza il Re Vittorio Emanuele III » disse con profonda solennità, e i sorrisi di scherno che apparvero sulla bocca di tutti – anche di Piras – avrebbero fatto arrossire di vergogna il re nanetto.

Dante annunciò che era arrivato il turno del padrone di casa, e Bordelli si voltò a dare un'occhiata alle fiamme del camino. In quel momento il fuoco gli ricordava lo scorrere del tempo, bruciava gli anni lasciando dietro di sé la cenere dei ricordi. Dalla storia che stava per raccontare lo separavano venticinque anni di cenere e di ricordi...

«Tornai a casa dalla guerra nell'estate del '45, senza sapere cosa avrei trovato. Dopo una lettera del 9 settembre del '43, che non sapevo nemmeno se fosse arrivata, non avevo più dato mie notizie, e non sapevo nulla dei miei genitori. Vedendo di lontano che il palazzo dove abitavo era ancora in piedi mi sentii rincuorato, ma ero comunque in ansia per la mia famiglia. Mia mamma, lo seppi soltanto dopo, pensava che non mi avrebbe mai più rivisto, anche se non aveva mai smesso di sperare, e quando bussai alla finestra disse subito: *Franco!*

«Ero stanco, dimagrito, nervoso, la notte facevo degli incubi... i nazisti mi sorprendevano nel sonno e il mitra mi si inceppava. Ma ero assai contento di essere di nuovo nella casa dove ero nato e cresciuto, in viale Volta.

«Qualche settimana dopo fui richiamato dal reggimento San Marco per comandare un plotone che doveva occuparsi del servizio d'ordine a Brindisi, dove regnavano la confusione e la miseria, una miscela esplosiva.

«Nel periodo che riuscii a passare a casa avevo voglia di riposare il corpo e la mente. Spesso mi aggiravo nei dintorni per capire cos'era cambiato. La cancellata del giardino avevo fatto in tempo a vederla smontare, prima di partire per la guerra nel giugno del '40. Era una stupenda cancellata di ferro massiccio, ben lavorata, altissima, con le punte aguzze. Ma c'era stata la campagna 'Ferro alla Patria', e un giorno erano arrivati degli operai con le fiamme ossidriche, l'avevano tagliata e se l'erano portata via. Al suo posto era stato costruito, non so da chi, un obbrobrio di laterizio che faceva piangere gli occhi. La patria aveva chiesto anche l'oro, ma mia madre aveva fatto in tempo a comprare un anello nuziale che aveva 'donato' al posto del suo, al quale teneva moltissimo. In cambio le avevano dato una fede di ottone. E chissà che delusione avranno provato le donne, anche le più convinte, quando verso la fine della guerra vennero catturati dei 'coraggiosi e leali' gerarchi fascisti che cercavano di fuggire oltrepassando il confine svizzero, con gli zaini pieni di anelli d'oro donati alla patria.

« Di fronte al palazzo dove abitavamo, dall'altra parte del viale, il Mulino Biondi, uno degli ultimi mulini rimasti in città, aveva smesso di funzionare, e dal giardino, attraverso le finestre senza più vetri, si poteva intravedere il viale dei Mille. Il Mulino Biondi era stato centrato in pieno il 25 settembre del '43, durante il primo bombardamento degli Alleati, che avevano intenzione di colpire il Nodo Ferroviario del Campo di Marte. Non doveva essere una bomba troppo potente, perché oltre a rompere tutti i vetri e scardinare le porte e le persiane dell'intero stabile, non aveva fatto altri danni al palazzo.

« Ricordo bene che in quei giorni avevo una gran voglia di allontanarmi quanto potevo dai miei ricordi dei mesi precedenti e di ascoltare quelli degli altri, anche se dolorosi. Stavo ore ad ascoltare mia madre e mio padre, ma poi andava a finire che quando mi raccontavano qualcosa cercavo di capire dove mi trovavo io in quegli stessi momenti. Chiedevo anche notizie di quello e di quell'altro, e spesso non erano piacevoli. Nel gennaio del '44 la famiglia ebrea dei Belgrado, che abitava al secondo piano, era stata portata via di notte dai fascisti e caricata su un camion. Nessuno ne aveva saputo più nulla, mi disse piangendo mia madre. Era molto amica della signora Belgrado.

« Una mattina incontrai un ragazzino che scendeva le scale del palazzo, e lo riconobbi. Era Cesare, il figlio più piccolo dei Marchetti. Quando ero partito aveva sette anni, adesso ne aveva dodici. I suoi due fratelli erano più grandi di lui. Mauro, che nel '45 doveva avere quasi diciotto anni, e Cristiano, che in quel momento ne aveva più o meno venticinque e aveva fatto la guerra nell'Arma del Genio.

« Anche Cesare mi riconobbe. Era contento che fossi tornato, mi disse, poi scappò in giardino a giocare con gli amici. Era molto vivace, e anche simpatico. Mi chiedevo come avesse vissuto gli anni di guerra, i lunghi mesi dell'Occupazione e il momento della liberazione di Firenze. E un giorno, mentre come sempre passava correndo, lo afferrai per un braccio.

'Ti va di raccontarmi qualcosa?' dissi.

'Raccontare cosa?' chiese, un po' stupito. Nessuno chiedeva mai cose del genere a un bambino.

'Non so... Come hai vissuto gli ultimi tempi, prima del passaggio del fronte?'

'Be', davvero ti interessa?'

'Certo...' dissi. E così lui cominciò a raccontare. »

Nei mesi dell'Occupazione, il padre di Cesare era uccel di bosco, cioè era salito sulle colline insieme ai partigiani, ma essendo un esperto ufficiale dell'Esercito Regio, aveva portato la sua esperienza su armi e strategie militari, assai utili tra quei gruppi di ragazzi volenterosi ma spesso sprovveduti.

Sua mamma usciva di casa raramente, insieme ad altre donne, soprattutto quando si veniva a sapere che in qualche negozio c'era stato un rifornimento di qualcosa da mangiare. In quei casi veniva sospeso il coprifuoco, e subito si formava una coda per poter ricevere una certa quantità di prodotti per

ogni famiglia, spesso alla presenza di un funzionario repub-
blichino che doveva «mantenere l'ordine». Generalmente
si trattava di piselli secchi, patate, o a volte un po' di frumen-
to che sua mamma tritava con il macinino da caffè e mesco-
lava alla farina per fare delle gallette da cuocere in forno.

A casa loro, per tutto il periodo dell'emergenza, c'era an-
che nonna Armida, la mamma di suo padre, una signora
molto anziana e simpatica che aveva contribuito a tenere
su il morale a tutti in quei momenti tristi e difficili.

Suo fratello Cristiano era al seguito degli Alleati, e il fra-
tello di mezzo, Mauro, che aveva sedici anni, non poteva far-
si vedere per strada perché i ragazzi di quell'età, o anche più
giovani, rischiavano di cadere in un rastrellamento dei tede-
schi e di finire deportati in Germania.

E poi c'era lui, Cesare, che aveva undici anni, e questo gli
consentiva di uscire per strada anche sotto gli occhi degli oc-
cupanti. Poteva andare al Collegio alla Querce, in cima a via
della Piazzuola, a prendere l'acqua per tutti, anche per i vi-
cini di casa, dove c'erano ragazzi più grandi che non doveva-
no mettere il naso fuori. Suo fratello Mauro, che da grande
avrebbe fatto l'architetto e aveva le mani di un artigiano, era
riuscito a costruire un carretto di legno con due ruote di un
vecchio velocipede e un attacco per agganciarlo al sedile di
una vera bicicletta. E così Cesare poteva pedalare su per
via della Piazzuola in salita, senza carico, e ritornare in di-
scesa, senza nessuna fatica, con almeno nove fiaschi pieni
d'acqua.

«Chiesi al ragazzino se si ricordava del bombardamento del
25 settembre, e lui mi disse che era impossibile scordarsi una
cosa del genere. Il boato, la casa che tremava, le schegge di
vetro che volavano dappertutto. Subito dopo era andato a vedere dov'era caduta la bomba, anche se sua madre glielo aveva proibito. Ma in quei casi nessuno era capace di fermarlo, la

sua curiosità era più forte della paura. Era arrivato in viale dei Mille e si era trovato davanti un piccolo cratere dal quale emergevano delle gambe femminili. Stranamente non vide sangue, ma appunto soltanto gambe. Restò un po' a guardare, probabilmente inorridito ma anche attratto da quell'orrore, e quando tornò a casa si fermò in giardino a vomitare.

«Nei giorni successivi sentì dire che erano morte sei donne, le fornaie che stavano lavorando nel mulino, e passò la giornata a cercare di immaginare i loro volti e a disegnarli. Si ricordava anche dei Belgrado, che avevano tre figlie, tutte molto carine. Era molto dispiaciuto che fossero stati portati via. Aveva pianto come una vite tagliata anche perché la più piccola delle tre sorelle, Miriam, che aveva più o meno la sua età, gli piaceva moltissimo. Aveva fatto dei disegni della bambina, me li fece vedere. Erano assai sorprendenti, per un bambino della sua età. Insomma, era davvero molto interessante stare a sentire i suoi racconti.»

Durante quei venti giorni di «emergenza», riservata al solo rione delle Cure, tutte le famiglie dovevano starsene rintanate in casa. Si spostavano solo all'interno del palazzo, da un appartamento all'altro, e soprattutto lo facevano i bambini. Capitava ad esempio che Giulio De Martino, il suo amico del primo piano, venisse sgridato dalla mamma, e allora lui diceva: «Io vo giù». Che voleva dire: vado dai Marchetti. E quando invece era Cesare a essere sgridato da sua mamma, lui diceva: «Io vo su». Che ovviamente voleva dire che lui se ne andava dai De Martino.

Al primo piano, di fronte a Giulio, abitava la signora Barongi, una vecchia megera zitella che aveva una speciale simpatia per Cesare (purtroppo, diceva lui sorridendo). Quando lo incontrava sulle scale lo arpionava con una mano secca e dura, e con l'altra lo riempiva di terribili carezze. Poi gli dava delle caramelle stantie, e gli diceva di andare a tro-

varla, che aveva dei regali per lui. Ma Cesare non ci andava, perché aveva paura di essere trasformato in sapone.

Nel palazzo, al secondo piano, abitavano due sorelle, anche loro zitelle, brutte come il peccato... Cesare diceva ridendo che facevano a gara a chi fosse la più brutta. Si chiamavano Zolezzi, ma lui e i suoi amici, su imbeccata di un adulto, le chiamavano le sorelle Ezze Ezze. Le due donne erano innamorate pazze di Beniamino Gigli, avevano tutti i suoi dischi, e nel periodo prima dell'emergenza li facevano suonare per ore e ore sul grammofono, inondando della sua voce a tutto volume il condominio, ma anche i palazzi vicini, visto che tenevano le finestre aperte.

Nel palazzo abitavano altre famiglie, e durante i giorni dell'emergenza dovettero convivere buona parte del giorno e tutte le notti in un sottosuolo dello stabile, una cantina pavimentata, un «rifugio» obbligatorio in ogni casamento, puntellato con travi di legno per sorreggere il soffitto da eventuali crolli dovuti ai bombardamenti. Ma si nascondevano nel sottosuolo anche per un altro motivo: tra loro c'erano degli uomini e dei ragazzi, che se fossero stati visti dalle SS sarebbero stati arrestati e deportati. Il palazzo doveva sembrare il più possibile deserto, con porte e finestre aperte... Tanto in giro non c'erano né ladri né galantuomini, diceva la mamma di Cesare. E comunque il coprifuoco era in vigore per quasi ventiquattro ore. Ogni inquilino, nel rifugio, aveva occupato e organizzato un suo minimo spazio vitale, costituito da una branda, un tavolino (più piccolo possibile) e altri mobiletti con varie funzioni di supporto, soprattutto notturno. Ogni famiglia aveva le proprie candele, e tutti si muovevano in silenzio, come se fossero a casa propria, ma senza disturbare gli altri, ovviamente nei limiti del possibile. La sera, dopo quella che avrebbe dovuto chiamarsi cena, si instaurava un momento comune: il rosario, seguito da una lunga litania noiosa in latino, che a Cesare con-

ciliava il sonno... Mater Creatoris, ora pro nobis... Mater Salvatoris, ora pro nobis... Virgo prudentissima, ora pro nobis... Virgo veneranda, ora pro nobis... Virgo predicanda, ora pro nobis... Virgo potens, ora pro nobis... Virgo clemens, ora pro nobis... Virgo fidelis, ora pro nobis... La litania s'interrompeva di colpo solo quando passava la ronda tedesca: quello era il vero attimo di terrore, raccontava Cesare. Tutte le candele si spegnevano all'istante, senza che nessuno dicesse una parola, e il grande sottosuolo diventava improvvisamente silenzioso, muto. Nessuno faceva il più piccolo rumore, non si sentiva nemmeno respirare, mentre nel viale Volta delle grida in tedesco davano ordini ai soldati, e nessuno poteva sapere che genere di ordini fossero. Il rumore degli stivali nella notte era veramente terrificante, da un momento all'altro chissà cosa poteva succedere, e ogni volta la speranza era di non sentire la marcia dei nazisti fermarsi davanti a casa. Si cominciava a respirare di nuovo solo quando do la ronda si allontanava e il rimbombo degli stivali nella strada si andava perdendo nella notte. Allora nonna Armida, grande esperta in litanie (le conosceva tutte a memoria), tornava a guidare la cordata degli ora pro nobis.

In tempi normali, diceva Cesare, la nonna faceva la comunione tutte le domeniche, anche se non aveva un grande rispetto per la Chiesa e per i preti. Quando parlava di uno spilorcio, diceva: « Quello l'è come la Chiesa, piglia quel che può e non rende nulla ». Prendeva in giro i preti che non le stavano simpatici, che poi erano quasi tutti. Una domenica, poco prima della guerra, la mamma di Cesare aveva invitato a pranzo due barnabiti del Collegio alla Querce: padre Gramigni, famoso grecista, piccolo, grasso e piuttosto bruttino, con il quale la nonna scambiò appena un saluto di cortesia, e padre Gonnelli, un bell'uomo, giovane e aitante... A lui nonna Armida fece un bel sorriso, e trattenendo nella sua la mano del barnabita gli disse: « Una curiosità, pa-

dre... Perché lei s'è fatto prete? » *Nell'imbarazzo generale, fu solo l'abilità della mamma di Cesare che riuscì a sviare in fretta il discorso e a salvare la situazione.*

« Cesare si divertiva un sacco a raccontare aneddoti sulla nonna Armida, e starlo a sentire era un vero piacere, perché nonostante fosse un ragazzino, era anche bravo a mettere insieme le parole. »

Diceva che sua nonna era molto simpatica, ma a volte poteva fare cose che davano sui nervi. Nei giorni più difficili dell'emergenza, di giorno, in una corte sul retro del palazzo, alla quale si accedeva dal sottosuolo, venivano bruciate le sedie più brutte per fare da mangiare lontano da sguardi indiscreti. A quei tempi nelle case non c'era né elettricità, né gas, né legna o carbone, e nemmeno acqua corrente. Nonna Armida invece, tutte le mattine, seduta sulla sua brandina, accendeva un fornelletto a spirito (che a quei tempi era pressoché introvabile) e scaldava il ferro per farsi le onde ai capelli, attirando su di sé le occhiate feroci di tutti gli inquilini del palazzo.

'E i giorni della Liberazione?' gli chiesi.
'Be', in fondo è stato divertente' mi disse. »

L'appartamento delle sorelle Ezze Ezze aveva una terrazza, dalla quale si poteva salire sul tetto. Da quel punto di osservazione, Cesare e i suoi amici riuscivano a vedere l'incrocio di via della Piazzuola con il viale Volta e anche il Ponte del Pino, dove ogni tanto una specie di piccola processione di donne, con in testa un prete, attraversava le linee con un fazzoletto bianco legato in cima a un manico di scopa.

Così i primi di agosto, dal tetto, avvistarono le truppe americane che avevano contribuito a spingere via i tedeschi. Comunque non sembravano troppo americani, disse lui ri-

dendo. Dalla sommità del Ponte del Pino, che per un po' di tempo segnò una sorta di linea del fronte, si vedevano soprattutto emergere dei gran turbanti, che scomparivano quando partiva una raffica delle truppe tedesche... Oddio, truppe si fa per dire, precisò Cesare. Erano quattro soldati ubriaconi, ma tenevano prigioniero un intero quartiere. Gli ultimi giorni, addirittura, le «truppe» si ridussero a un solo uomo spaparanzato su una sedia a sdraio, in compagnia di un mitra e di una cassetta di birre. Ogni tanto il soldato, barcollando, si affacciava all'angolo del palazzo verso il Ponte del Pino, sparava alcune raffiche di mitra, poi tornava a sedersi sulla sdraio e si rimetteva a fumare e a bere birra. Ogni giorno arrivava da nord un carro armato per portargli i viveri e le munizioni.

Ma la cosa più emozionante era starsene sdraiati a faccia in su sopra le tegole calde del tetto, e seguire i colpi di partenza dei cannoncini degli Alleati, che sparavano dal Piazzale Michelangelo... Papapam... Papapapam... sentirli passare sopra il capo... Scivrscivrsciuuumm... e subito dopo sentire i colpi sordi di arrivo sulla collina di Fiesole.

Un bel giorno il carro armato venne a prendere «le truppe tedesche», cioè il soldato solitario, e lo portò via. Furono i fiorentini di viale Volta ad accorgersi che i tedeschi non c'erano più, e andarono verso il Ponte del Pino per dire agli Alleati, cioè ai turbanti, che il campo era libero e potevano avanzare tranquillamente. E così, a poco a poco, chi si nascondeva uscì dai sotterranei per andare incontro ai «liberatori». Fu allora che tutti – compreso Cesare il curioso – videro da vicino le cosiddette «truppe di colore» che gli Alleati, almeno alle Cure, mandavano in prima linea: indiani e marocchini. Ma a un tratto qualcuno gridò che un'autocolonna tedesca stava venendo giù da San Domenico e si dirigeva proprio verso le Cure! In pochi minuti le strade si vuotarono di nuovo, e scomparirono anche gli Alleati. Dopo qualche ora l'allarme rientrò, viale Volta e viale dei Mille si riempirono ancora più di prima di gente abbrutita ma festosa. Erano tutti contenti di averla passata liscia.

« E così, anche per merito di un ragazzino, riuscii a farmi un'idea di quello che era accaduto nei dintorni di casa mia mentre risalivo l'Italia per mettere il sale sulla coda ai nazisti» disse Bordelli, per concludere.

« E il ragazzino adesso cosa fa? » chiese il Botta, che era curioso quanto e più di Cesare.

« Il ragazzino adesso ha quasi quarant'anni, è diventato un bravo pittore e disegnatore. Le ultime notizie che ho di lui mi sono arrivate qualche anno fa da zia Camilla, la sorella di mio padre, nonché mamma del qui presente cugino Rodrigo. Se non ci sono cambiamenti, Cesare è a Parigi e insegna alla scuola del Louvre. »

« Oh, povero ragazzo » disse Ennio, ironico. Poi come di consueto doveva partire la sfilza dei brindisi, e per cambiare invitarono Piras a pronunciarsi per primo.

« Alle fornaie morte sotto la bomba » disse il sardo, che sembrava il più lucido di tutti.

« Alla birra del tedesco solitario » disse Diotivede, che quando aveva bevuto si divertiva a fare lo scemo... in realtà come tutti gli altri.

« Ai turbanti liberatori » disse Ennio.

« Al curioso e coraggioso Cesare » disse Rodrigo.

« A Firenze liberata e ai suoi poveri ponti » disse il colonnello Arcieri.

« Alle sorelle Ezze Ezze » disse Dante, sorridendo.

« Al fornelletto di nonna Armida e alle onde dei suoi capelli » concluse Bordelli.

«Tocca a lei, messer Rodrigo» disse Dante.

«Eccomi pronto...»

«Sarà forse arrivato il momento della famosa storia sul diavolo?» disse Diotivede.

«Ebbene sì» disse Rodrigo, e tutti i bicchieri vennero riempiti.

«Ti pareva che non cantasse la civetta?» disse Bordelli, tendendo l'orecchio.

«Sono due, mi pare...» disse Dante. Restarono in ascolto per qualche secondo, senza respirare. Le civette erano due, si rispondevano da lontano. Dopo un po' smisero di cantare, e Rodrigo cominciò...

«Questa storia la sentii raccontare quando ero bambino dal nonno di un mio amico, che si chiamava Gaspare, e mi è sempre rimasta impressa. La Grande Guerra era finita da quattro anni e la falce della Spagnola era già passata sul mondo a mietere vittime. Eravamo in una villa sopra Bagno a Ripoli, in inverno, in una grande sala, davanti a un immenso camino dove il fuoco sembrava ardere da secoli. È stato forse il mio primo incontro con la forza immaginifica della narrazione. Nonno Gaspare era un cantastorie eccezionale, quando parlava lui non volava una mosca. Quella storia mi ha portato lontano, mi ha fatto avere delle visioni... Nei giorni successivi, a letto, per molto tempo, prima di addormentarmi ci ripensavo e me la raccontavo di nuovo con parole mie, bisbigliando, cercando di sentire quello che aveva provato il protagonista della storia, per capire cosa avrei fatto io nella sua situazione, per indossare le sue sofferenze...»

«Immedesimazione, la colonna portante della letteratura» mormorò Dante, aspirando dal sigaro spento e soffiando dal naso il fumo immaginario. Rodrigo annuì, sorridendo, e dopo un sorso di vin santo continuò a parlare. Nel silenzio, la sua voce aveva la cadenza e la solennità di una preghiera. Anche lui era bravo a raccontare...

«Il nonno del mio amico aveva novant'anni, ma camminava ancora dritto come un tronco di quercia. La storia che raccontò quella sera era successa quando lui era un ragazzo, dunque a metà dell'Ottocento, dopo il '48 e prima dell'Unità d'Italia, quando in Toscana regnava ancora Canapone. Ma la famiglia del mio amico veniva dalla Sicilia, erano arrivati a Firenze quando il mio coetaneo aveva appena un anno. Erano partiti da Catania con armi e bagagli e un mezzo ramo dell'albero genealogico, compreso appunto Gaspare, l'unico nonno rimasto. I miei genitori erano amici dei genitori del mio amico, e ogni tanto andavamo a cena da loro in quella grande villa nobiliare appartenuta a certi loro antenati. Nonno Gaspare aveva l'aspetto di un vecchio e saggio contadino, somigliava a Tolstoj da vecchio, con la lunga barba bianca e lo sguardo carico di un lontano passato.

«Quella sera davanti al fuoco c'erano quattro generazioni, e dopo cena qualcuno chiese a nonno Gaspare di raccontare ancora una volta la storia di *Melchiorre che si fece beffe del diavolo*. Lui non disse né sì né no, ma tutti i presenti – una quarantina di persone – spostarono le sedie e si disposero a semicerchio intorno a nonno Gaspare, che si sedeva sempre poco distante dal fuoco, accanto a una bottiglia di acquavite. La storia era accaduta nella Sicilia dei Borboni, e il protagonista era Melchiorre, il rampollo primogenito di un ramo cadetto di una delle grandi famiglie nobili di Catania, i Marchesi Intrigliolo, che avevano sullo stemma il giglio di Francia ed erano imparentati alla lontana con i principi Uzeda di cui racconta De Roberto.

«Melchiorre era cresciuto avvolto in dieci strati della più

delicata bambagia, ed era stato educato alla fierezza, o per meglio dire, all'alterigia, fatemi usare questa parola, la stessa che pronunciò nonno Gaspare davanti al fuoco...»

Melchiorre aveva trascorso la sua infanzia tormentando i servi, che lo odiavano in silenzio, e la sua lunga e scellerata giovinezza tra baldorie e postriboli, commettendo ogni genere di soprusi, ai quali il padre disperatamente rimediava, e seminando debiti, che il padre provvedeva a pagare. A trentacinque anni, per non sentire più i piagnistei di sua madre, aveva accettato un matrimonio che doveva servire a salvare i propri genitori dalla bancarotta. Sposò la bellissima figlia di un ricco barone e la tradì ogni minuto, anche se negli anni le fece sfornare quattro figli.

Melchiorre divenne insomma piuttosto ricco grazie alla dote della moglie, e alla morte prematura dei suoi genitori ereditò i beni che loro erano stati capaci di salvare. Ma riuscì a far prosperare ulteriormente le proprie ricchezze anche spremendo il popolo, come del resto avevano fatto per secoli i Marchesi Intrigliolo senza alcun ritegno.

Melchiorre si riteneva al di sopra della Legge, e chiunque si azzardasse a mettersi tra lui e i suoi desideri doveva fare i conti con la sua tracotanza. Era temuto, anche se non rispettato. I suoi amici, pur approfittando della sua ricchezza, sotto sotto lo disprezzavano, ma nessuno di loro aveva il coraggio di ostacolarlo, e nemmeno di contraddirlo.

Una sera, durante uno dei molti ricevimenti che Melchiorre faceva organizzare nelle proprie dimore, accadde qualcosa che nessuno si sarebbe mai aspettato. Nulla di così eclatante... se fosse successo in altri luoghi e con un altro padrone di casa.

La festa si svolgeva nel palazzo estivo che Melchiorre aveva ereditato dal padre, morto un paio d'anni prima, a distanza di qualche mese dalla scomparsa di sua madre. Ubriaco fradicio, Melchiorre alzò il calice per brindare alla propria potenza, che lo avrebbe accompagnato fino alla tomba, dove sarebbe stato calato non prima di mezzo secolo, disse... e dal fondo della sala affollata arrivò una voce, non si capiva nemmeno se era di maschio o di femmina.

«Finché il diavolo non ci mette la coda...» disse quella voce. Sul momento Melchiorre era scoppiato a ridere.

«Se il diavolo ci mette la coda, gliela taglio e me la faccio cucinare con le cipolle!» disse, e si rovesciò in gola l'ennesimo bicchiere. Ma a poco a poco quella frase cominciò a sembrargli insolente. Sempre più contrariato e infastidito, cercò di individuare chi aveva osato pronunciare quelle parole poco simpatiche. Sbirciò a lungo il fondo della sala, per vedere se qualcuno lo stesse guardando con aria di sfida, ma non scorse nessuno. Durante la continuazione della serata chiese agli amici se avessero capito chi era stato a pronunciare quella frase, ma nessuno seppe dirglielo. Chi in quel momento era a destra, disse che la voce era arrivata da sinistra, e viceversa. Insomma, era come se la voce fosse scaturita dal nulla. Ma non erano faccende da spaventare uno come Melchiorre, che alla fine smise di pensarci.

Qualche mese dopo accadde una cosa che Melchiorre sulle prime considerò un piccolo ma fastidioso inconveniente, un incidente insignificante da risolversi in poco tempo. Il Conte Alagona, proprietario di un terreno contiguo a una delle sue proprietà, gli fece recapitare da un famiglio una lettera in fin dei conti amichevole, dove spiegava che tra i due terreni era stato tracciato un confine in modo non corretto, inglobando nella proprietà di Melchiorre una ventina di ettari di terreno arido e roccioso sul quale non cresceva nulla, dove però si trovava una sorgente, a dire il vero non troppo generosa, ma ugualmente assai utile per gli allevamenti e per le coltivazioni. Certo che fosse soltanto il frutto di uno spiacevole disguido, Alagona chiedeva che il confine venisse corretto al più presto. Melchiorre andò su tutte le furie, stracciò la lettera e cacciò a pedate il servo che gliel'aveva consegnata.

Non poteva tollerare che qualcuno si mettesse contro di lui, contro Melchiorre Intrigliolo... anche se sapeva benissimo di essere in torto, perché era stato proprio lui a dire ai suoi servi di tracciare quel confine e di recintarlo a dovere, solo per dimostrare a se stesso e al mondo intero che il suo volere era più importante delle mappe. Ma Alagona, dopo altre due lettere sempre meno amichevoli, del tutto indifferente all'arroganza di Melchiorre, intentò una causa contro di lui, anche avvalendosi della propria parentela con i Borboni.

«Gli farò vedere io in che guaio si sta cacciando!» gridò Melchiorre, convinto di sconfiggere quel malnato e di ridurlo al silenzio. I suoi avvocati gli consigliavano di lasciar perdere, di non buttare via tempo e denari in una quisquilia come quella, venti ettari di terreno roccioso che non servivano a nulla... Gli dicevano che tra l'altro era una causa persa in partenza, perché i documenti parlavano chiaro: quel lembo di terra era da secoli di proprietà degli Alagona. Ma lui non voleva sentire ragioni.

«I soldi sono miei e li spendo come diavolo mi pare!» urlava. Avrebbe spazzato via il suo nemico, punto e basta. E che loro, gli avvocati, pensassero soltanto a fare quel che dovevano fare, pusillanimi che non erano altro. Alcuni avvocati rinunciarono, altri invece cercarono di accontentarlo, con il miraggio di forti guadagni.

Le cause venivano perse e subito rimesse in piedi, con grande dispendio di denaro. Melchiorre andava avanti come un cavallo da tiro, e quando le vie della legalità furono esaurite, ordinò agli avvocati di imboccare strade diverse, qualunque esse fossero.

«Voglio vincere la causa a costo di corrompere l'intera Catania! Datevi da fare!» urlava, attaccando al muro il più anziano dei suoi avvocati. Era disposto a sborsare ducati su ducati per pagare funzionari e testimoni falsi, per far bruciare carte e falsificare documenti, addirittura per corrompere i giudici, deciso a voltare la sentenza in proprio favore.

Non si rendeva conto del labirinto in cui si stava cacciando, un calvario giudiziario disseminato di trappole, di ricatti, di denaro che se fosse stato gettato in mare sarebbe stato meglio speso. Ma lui voleva vincere, voleva schiacciare il suo avversario, voleva dimostrare che nessuno poteva azzardarsi a contraddirlo, e non si accorgeva di quanto gli costasse, non solo in termini di denaro, ma anche di prestigio.

Si stava comportando in modo assurdo, lo sapevano tutti, ma se qualcuno provava a riportarlo alla ragione succedeva un putiferio. Era come un bambino viziato, che pur sapendo di essere nel torto continuava a fare le bizze, pronto a sbraitare per l'eternità. Uno spettacolo penoso, capace di far scuotere il capo anche all'ultimo degli sguatteri, che in quella situazione aveva più buonsenso del suo padrone. Quando la moglie si azzardò a dirgli che sarebbe stato assai più saggio rinunciare alla causa, Melchiorre le disse di non fiatare e minacciò di chiuderla in convento con i figli.

Diventò sempre più irascibile, faceva sfuriate per nulla, si azzuffava con tutti senza motivo. Sua moglie ormai viveva come una reclusa in un'ala lontana della villa, insieme ai figli, per paura di subire violenze. A volte Melchiorre usciva la sera e tornava la mattina dopo, e non fu difficile sapere che passava la notte nei lupanari.

Intanto, per continuare la sua stupida e infantile guerra, tralasciò i propri affari, smise di controllare gli amministratori, rodendosi il fegato e diventando così insopportabile che ben presto intorno a sé non rimase che terra bruciata. Se invitava qualcuno ai ricevimenti, si ritrovava da solo. Finché sua moglie, una mattina in cui lui era fuori per tribunali, fuggì a casa di sua madre, decisa a non tornare mai più.

Si sparse la voce della sua testardaggine, arrivarono avvocaticchi e leguleii da ogni parte della Sicilia. Ormai era facile sottrargli dei denari, bastava andare a proporgli una sicura vittoria, da ottenere però con una grande spesa, e lui abboccava, pagava, spendeva, e il truffatore di turno scompariva da un giorno all'altro senza che nulla fosse successo.

Melchiorre, diventato ormai insofferente a ogni cosa, cominciò a giocare d'azzardo nei circoli culturali frequentati dalla nobiltà, e quando venne allontanato per la sua natura violenta, se ne andò a giocare a zecchinetta nelle bettole. Divenne ben presto facile preda di alcuni bari bene organizzati, che fingevano di non essere in combutta. Lo fecero vincere per qualche giorno, poi cominciarono lentamente a spolparlo. Chi conosceva quegli imbroglioni se ne stava zitto, affidando a loro una personale vendetta contro quello sbruffone che aveva seminato ingiustizia in tutta Catania. E così, il patrimonio di Melchiorre di giorno in giorno cominciò ad assottigliarsi. Perdeva e beveva, beveva e perdeva. Dovette vendere qualche podere, poi un palazzo, poi un altro, fino a che una dopo l'altra perse tutte le sue proprietà, anche la grande villa dove ormai viveva da solo. Vagava per la città vestito di stracci, faceva a botte con tutti, gridava in mezzo alla strada, puzzava come un bastone da pollaio. I suoi parenti gli chiusero la porta in faccia. Che crepasse, quella vergogna d'uomo che infangava il nome della famiglia, nessuno gli avrebbe dato nemmeno un picciolo.

Finché, indebolito dalla povertà e dal vino, Melchiorre si ritirò in una casupola ai limiti della campagna, l'ultima delle sue proprietà. E ben presto, per mangiare dovette vendere anche quella. Cominciò a dormire nelle stalle delle capre, a bere sempre più forte. Veniva scacciato da tutti, preso a pedate anche dall'ultimo degli straccioni. Ma per tutta Catania la sua caduta fu una liberazione. Adesso non poteva più imporre nulla a nessuno, non faceva paura a una mosca, era debole come un filo d'erba. Quando si lasciava andare seduto contro un muro, lungo una strada, ogni tanto gli capitava di sentir parlare di lui da quelli che passavano, ed erano parole di commiserazione o di disprezzo. Addirittura una volta sentì una mamma che diceva al figlioletto: «Smettila di com-

277

portarti così! Non vorrai mica diventare come il Marchese Melchiorre? » Era insomma diventato una leggenda, un esempio che doveva far inorridire i bambini, un relitto umano che aspettava soltanto di morire.

Una mattina di primavera, Melchiorre se ne stava mezzo sdraiato sulla panca di una bettola, a trasformare le elemosine in vino. Era mezzogiorno, e già a quell'ora non avrebbe riconosciuto nemmeno sua madre... ma ormai da molto tempo sua madre non avrebbe riconosciuto lui.

Ecco che giunse a Catania, in carrozza, un uomo molto elegante, con un lungo mantello nero, un bellissimo cappello, la barbetta da capra e gli occhi scintillanti. Si avviò lungo la strada senza guardare nessuno, tenendo in mano una lucida borsa da medico in pelle nera, che oscillava appena al suo fianco. Entrò a colpo sicuro nella lercia bettola dove Melchiorre stava bevendo, lasciando di stucco i presenti. Nessuno aveva mai visto un uomo così raffinato entrare in un luogo come quello. Di certo anche gli scarafaggi si erano fermati a guardare. A quell'ora i tavolacci liberi erano molti, ma l'uomo elegante si sedette proprio di fronte a Melchiorre. Tutti gli sguardi erano puntati verso i due uomini, che sembravano rappresentare mondi così distanti da apparire come due dipinti messi per caso uno accanto all'altro. L'uomo elegante fece un cenno per ordinare una caraffa di vinaccio, e quando l'oste la appoggiò sul tavolo, volle personalmente riempire il bicchiere di Melchiorre, che lo guardava con aria ebete stentando a capirci qualcosa.

« Be', grazie amico... » biascicò, allungando la mano verso il bicchiere pieno.

« Ho il piacere di parlare con il Marchese Melchiorre Intrigliolo? »

« In persona... e tu chi minchia sei? »

« Poco importa. Mi hanno detto che non troppo tempo addietro qualcuno si è fatto beffe del demonio. »

« Sei il becchino? Guarda che non sono ancora morto. »

« Non manca molto » disse il signore elegante, sorridendo.

« Vai a farti fottere... »

« Ci vediamo tra poco. »

« Ma dove? Cosa? »

« Abbiamo un lungo viaggio da fare, ma poi starai al caldo. »

« Chi diavolo sei, bastardo? »

« Lo hai appena detto. » Il signore si alzò, e sotto gli occhi atterriti dei presenti, senza una parola uscì dalla bettola con l'aria di chi potrebbe rotolarsi in una porcilaia senza sporcarsi. Melchiorre cercò di alzarsi per inseguire quel bastardo, ma dopo un rantolo cadde dalla panca, stecchito. Dalla sera in cui aveva scherzato sulla coda del diavolo al giorno della sua morte, non era passato mezzo secolo, ma solo qualche anno.

Nessuno vide il signore elegante salire su una carrozza per lasciare Catania, e ovviamente si diffuse subito in città che a entrare nella bettola era stato il demonio in persona. Quando alcune donne del quartiere andarono dal prete a chiedere come mai il demonio era arrivato in carrozza, anche se poteva spostarsi nel tempo e nello spazio a proprio piacere, don Liborio allargò le braccia.

« Il diavolo fa come vuole, non cercate spiegazioni » disse, sospirando.

Rodrigo si asciugò una lacrima simbolica, sospirando come aveva fatto don Liborio più di un secolo prima. Dante faceva oscillare con dolcezza il sigaro mai acceso.

« Sic transit... » cominciò.

« ...gloria mundi » continuò Ennio rubandogli la parola e alzando il calice. Poi, visto che tutti si erano voltati a guardarlo con aria meravigliata, abbassò il bicchiere e soffiò a gote gonfie.

« Suvvia, basta con questa cosa che il Botta è un ignorante. Ho letto migliaia di libri, solo che quando vivevo nello scantinato non avevo spazio, e allora li rubavo, li leggevo e poi li regalavo. Adesso finalmente posso tenerli e metterli nella mia bella biblioteca, che magari non diventerà immensa come quella del Vaticano, ma tra non molto avrà la sua dignità... Possiamo andare avanti? » disse, e alzò di nuovo il bicchiere. Bordelli aveva apprezzato la filippica, e sorrideva.

« A cosa brindiamo? » chiese.

« Non certo al proprietario della coda » disse Diotivede.

« E il funerale di Melchiorre? Lo hanno fatto? » chiese Arcieri, che nonostante tutto aveva nello sguardo una luce di compassione.

« Alla Messa funebre non andò nessuno, e la salma di Melchiorre finì nella fossa comune » disse Rodrigo.

« Chissà se almeno il becchino gli ha fatto una carezza, prima di buttarlo di sotto » disse Ennio.

« Magari sì » disse Diotivede.

« Allora innalziamo i calici in onore del pietoso becchino » propose Dante.

« Anche alla povera moglie di Melchiorre e ai suoi figli » aggiunse Arcieri.

« Hanno fatto bene a fuggire, sennò restavano sepolti sotto le macerie » disse Ennio.

« Be', vi offendete se beviamo un sorso anche in memoria dello sciagurato Melchiorre? » disse Bordelli, e dopo uno scambio di occhiate trovò tutti d'accordo.

« Adesso tocca a te » disse Dante a se stesso, fingendo di specchiarsi nel bicchiere, e si mise a ridere. Piras lo guardava preoccupato, chiedendosi se a quel punto avrebbe acceso il maledetto sigaro che teneva in mano da un pezzo, e quando vide che Dante stava cominciando a parlare senza accendere quello zampirone, tirò un sospiro di sollievo.

« Una volta tanto vi racconto una storia deliziosa, però sarà breve, e allora dopo ve ne racconto un'altra, se siete d'accordo. »

« D'accordone » disse il Botta, a nome di tutti. Dante a quel punto mise in bocca il sigaro.

« Nessuna paura, Piras, non lo accendo... È solo per abitudine. »

« Grazie infinite » mormorò il sardo, rincuorato. E insomma Dante, che sembrava il classico sognatore distratto, l'inventore con il capo tra le nuvole, incapace di vedere quel che gli accadeva intorno, si accorgeva di tutto.

« Qualche giorno fa, osservando una fotografia, mi è tornata in mente questa storia tenera, e mi fa piacere raccontarvela... »

Anna e Mario si erano conosciuti da bambini all'inizio degli anni Trenta, in Versilia, dove vivevano. Quando arrivò l'età in cui gli adolescenti scoprono l'altro sesso, si stava combattendo sulla Linea Gotica. I due ragazzini s'innamorarono e diventarono fidanzatini. Ovviamente a quel tempo dovevano fare tutto di nascosto, altrimenti si sarebbe scatenato l'inferno, soprattutto nella famiglia di Anna. Ma non era diffi-

cile appartarsi senza dare nell'occhio, a loro vantaggio c'era appunto la guerra, che teneva impegnata l'attenzione degli adulti. La loro storiellina d'amore durò un paio di anni, poi Mario, abbagliato da un'altra ragazzina, lasciò Anna, e lei se ne andò in silenzio, senza disturbare. Finì la guerra, finalmente. La vita andava avanti. Negli anni successivi Anna e Mario ebbero altri amori, ma ogni volta che vedevano amici comuni, immancabilmente chiedevano l'uno dell'altra. Non si incontrarono per almeno quindici anni. Fino a che un giorno, dopo essersi quasi evitati per tanto tempo, si videro di lontano sullo stesso marciapiedi di una città del Nord, dove tutti e due erano andati da soli per motivi di lavoro. Stavano camminando uno verso l'altra, ma si riconobbero all'istante, anche se erano lontani. Si bloccarono, si sorrisero, poi trovarono il coraggio di avanzare. Si avvicinarono, e appena si trovarono di fronte si abbracciarono senza dire una parola, si baciarono a lungo, poi finirono in un letto d'albergo, come due amanti clandestini. E infatti erano due amanti clandestini, perché nel frattempo si erano sposati. Ma il loro amore era troppo forte, e furono costretti a separarsi dai loro coniugi...

«Sono passati più di dieci anni da quell'incontro sul marciapiedi... Anna e Mario sono ancora insieme, e stanno aspettando che in Italia venga approvata la legge sul divorzio per potersi sposare.»

«Nulla può separare ciò che l'amore ha unito» commentò Rodrigo, sorridendo. Bordelli pensò, senza dirlo, che un amore del genere gli ricordava proprio quello tra suo cugino Rodrigo e Maya, la sua bella moglie. Negli ultimi tempi aveva incontrato altri esempi di amore sconfinato e imperituro, e lo considerava incoraggiante, soprattutto alla sua età... Sperava davvero che Eleonora non cambiasse la direzione dei propri sentimenti, altrimenti per lui sarebbe stato un duro colpo... A sessant'anni non gli restava più molto tempo per trovare qualcosa di bello.

I calici si alzarono, e Dante, dopo aver scosso l'inesistente cenere del sigaro spento, si mise a raccontare un'altra storia. Riguardava sua madre, vedova dal tempo della Seconda Guerra, morta nel gennaio del '63.

«Mia madre, a differenza di me, era uno scricciolo. Sembrava impossibile che avesse partorito due figli alti e robusti. Ma c'era mio padre a spiegare la faccenda, un pezzo d'uomo con la forza di un toro. Andiamo avanti... Mia mamma ha passato le sue ultime settimane all'ospedale di Careggi, tra alti e bassi, senza mai migliorare al punto di poter tornare a casa. Era stata ricoverata a fine novembre, con problemi respiratori, e i medici mi fecero capire che non c'erano speranze di guarigione. Era stata sistemata in una stanza con sei letti, insieme ad altre donne. Era stata lei a volerlo, non le piaceva per niente l'idea di una camera singola. Stare lunghe ore da sola le avrebbe fatto tristezza, diceva. Le piaceva molto poter fare due chiacchiere con le altre signore, si sentiva più serena. Andavo a trovarla tutti i giorni, mattina e sera, e la stessa cosa faceva mia sorella Rebecca...» Scambiò una breve occhiata con Bordelli, Diotivede e Piras, gli unici a sapere che nell'agosto del '63 Rebecca era stata uccisa. Poi continuò.

«Ovviamente non posso dire che sia stato un periodo bellissimo, ma ho ugualmente un ricordo molto dolce di quei giorni. Mia madre era una grande appassionata di romanzi, e quando penso a lei la vedo con un libro in mano, nella sua poltrona, con lo sguardo assorto di chi sta vivendo un'altra esistenza. Anche in ospedale la trovavo sempre con un libro in mano, e appena arrivavo lo posava sul comodino. Era molto contenta di vedermi, ma ogni volta diceva che non dovevo disturbarmi, che non dovevo perdere tempo con una povera vecchierella malandata. Sorridevo, per farle capire che per me era un piacere stare in sua compagnia. Parlavamo, ricordando i tempi felici, ridendo delle antiche burrasche familiari, rievocando aneddoti di quando ero bambino. A volte le leggevo qualche pagina del romanzo che aveva sul comodino, lei chiudeva gli occhi e si lasciava portare altrove dalla storia...»

Passava il tempo, e la salute della signora Matilde era sempre più instabile. Non c'era un giorno uguale a un altro. A volte sembrava rinata, altre volte aveva la pelle grigia e sembrava sul punto di morire. Nei giorni migliori, le capitava di raccontare al figlio Dante qualche segreto su suo padre, faccende intime che nessuno poteva sapere, poi lo guardava preoccupata.

«Faccio male a raccontarti queste cose? Sono troppo private?»

«Ma no mamma, figurati, mi fa piacere» diceva lui, anche se in effetti si sentiva un po' turbato.

Si avvicinavano le feste natalizie, e i medici annunciarono che se nel giorno di Natale la signora non stava troppo male, le avrebbero concesso di pranzare a casa con la famiglia. E così fu. Dante andò a prenderla con un taxi e la portò nella villa di via della Piazzuola, dove abitava sua sorella Rebecca...

Dante lanciò di nuovo un'occhiata ai tre che conoscevano la villa, dove pochi mesi dopo quel Natale, sua sorella Rebecca era stata trovata morta per un fatale attacco d'asma.

Si sedettero a tavola e furono serviti i tortellini in brodo, ma poco dopo la signora Matilde cominciò a respirare male, a vaneggiare, e i figli la riaccompagnarono di corsa in ospedale. La mancanza di ossigeno nel sangue faceva dire alla donna frasi sconclusionate... Annaffia bene le rose che così diventano rosse... La mia mamma negli ultimi tempi non mi vuole bene... Ho paura della maestra, ha gli occhi pieni di mosche...

«*Stai tranquilla mamma...*» *le diceva Dante, preoccupato. I medici sedarono la vecchia signora e le misero una maschera con l'ossigeno. Ci volle un giorno intero prima che la donna si riprendesse. Non ricordava nulla, sembrava tranquilla, e continuò a leggere il suo romanzo. Dopo qualche giorno era il Trentuno, ma nessuno si azzardò a ipotizzare che la malata potesse passare l'ultimo dell'anno con i figli.*

«*Questa volta non puoi venire a casa, mamma, mi dispiace.*»

«*Non vi preoccupate per me, a mezzanotte dormirò già come un ghiro. Fate una bella festa e ci vediamo il prossimo anno.*» *Matilde sembrava serena.*

«*Magari vengo a trovarti.*»

«*Figuriamoci! Lasciate perdere, non m'importa nulla del Capodanno... Godetevi la festa.*»

«*Ma no, mamma, mi fa piacere. Rebecca è stata invitata dai suoi amici, ma vengo io, mi fa piacere.*»

«*Su, dai... Non rovinarti la festa...*»

«*Nemmeno a me importa nulla del Capodanno. Chiedo al dottore, e se è possibile vengo a trovarti a mezzanotte.*»

«*Che stupidata*» *disse Matilde, ma le brillavano gli occhi dalla gioia. Dante andò a parlare con il medico, per chiedere il permesso.*

«*Ma sì, venga pure, magari si metta d'accordo con le infermiere... Però mi raccomando, faccia piano.*»

«*Certo, non si preoccupi.*» *E così, la notte del Trentuno, a mezzanotte meno un quarto Dante si avventurò su per le scale del reparto, con una borsa in mano. Lungo il corridoio salutò l'infermiera di turno, aprì piano la porta e... un'ombra umana s'infilò nell'oscurità della grande stanza a sei letti dove era ospitata la signora Matilde. Nella penombra si sentiva il respiro delle altre donne, alcuni tranquilli, altri agitati, e si vedeva muovere qualche lenzuolo. Dante si avvicinò piano piano al letto di sua mamma, che stava dormendo.*

«*Mamma... mamma... sono io...*» *sussurrò.*

«Eh?... Oh tesoro, sei venuto davvero...» borbottò lei assonnata.

«Ho portato una bottiglia per brindare.»

«Ma che dici? Sei matto?» Sorrideva come una bambina che sta per combinarne una delle sue. Si tirò un po' su, a fatica, e si stropicciò gli occhi. Nella stanza mezza buia si sentivano solo i loro sussurri e gli sbuffi di un paio di donne che non riuscivano a prendere sonno. Dante si era seduto su una sedia, vicino a sua mamma. Una normale bottiglia sarebbe stata troppo grande, e si era dato da fare per trovarne una da 375 centilitri.

«La bottiglia è piccolina, ma lo champagne non dovrebbe essere male» sussurrò, tirandola fuori dalla borsa.

«Champagne?»

«Le cose vanno fatte per bene, non credi?»

«Oh sì... Che matto...»

«Tra poco stappiamo.»

Aveva portato anche due bellissimi calici, e li appoggiò sul comodino. A un tratto sua mamma si strinse nelle braccia, con aria triste.

«Tesoro, mi dispiace che tu debba passare un Capodanno così... in un ospedale.»

«Mamma, smettila! Sto benissimo qua.»

«Sì sì, scusa.» Aveva di nuovo il sorriso. Mancavano pochi minuti a mezzanotte. Dante guardava spesso l'orologio, facendo fatica a distinguere le lancette.

«Farai ubriacare tua mamma» disse lei, eccitata.

«Perché no?»

«Furfante!» Aveva decisamente cambiato umore, adesso era allegra.

«Manca poco... Ecco qua, prendi il tuo bicchiere.»

«Oddio, che follia.»

«Non ci trovo nulla di strano» bisbigliò lui, contento di vedere sua mamma così sorridente. I secondi passavano.

Quando arrivò il momento, Dante tolse la stagnola, poi piano piano aprì la gabbietta.

«Mi raccomando, non fare rumore» sussurrò sua mamma, preoccupata.

«Ci provo...» Teneva la mano sul tappo, per paura che saltasse da solo, e intanto sbirciava il quadrante dell'orologio.

«Quanto manca?»

«Ci siamo quasi... Trenta secondi... venti... sei pronta?»

«Sì... Sì...» Sua mamma reggeva in mano il calice come fosse un oggetto sacro. Dante cominciò a muovere il tappo per saggiarne la resistenza, e sentì che saliva senza problemi.

«Dieci... cinque, quattro, tre, due, uno...» Fece girare il tappo cercando di trattenerlo, ma il colpo si sentì lo stesso e sua mamma sorrise, con aria impaurita.

«Adesso vengono a sgridarci!» bisbigliò, mentre suo figlio le versava lo champagne. Dante riempì anche il proprio bicchiere e mise via la bottiglietta.

«Auguri, mamma.»

«Tanti auguri, tesoro... Sono felice che tu sia qua...» Fecero toccare i calici, e bevvero un sorso.

«Anche io sono felice, mamma.»

«Dio mio, ti ho rovinato il Capodanno... Potevi essere a festeggiare con i tuoi am...»

«Mamma, ti prego. È il Capodanno più bello della mia vita, credimi.»

«Dici sul serio?»

«Come fai a dubitarne?»

«Ma dai, non ci credo.»

«Siamo qui io e te, nell'oscurità e nel silenzio... Pensa a tutti quei poveri disgraziati che stanno urlando e lanciando razzi... Dio mio, sono triste per loro...» disse Dante. Si avvicinò per dare un bacio sulla guancia a sua mamma, e lei si mise a piangere.

«Ti auguro tutto il bene del mondo, tesoro.»

« *Anche a te, mamma.* »

« *Quando me ne andrò da questo mondo...* »

« *Mamma...* »

« *Lasciami finire... Quando me ne andrò non piangere, tesoro... Se penso che sarai triste per me, mi sento cadere nell'angoscia.* »

« *Non piangerò, mamma.* »

« *Promettimelo.* »

« *Te lo prometto.* »

« *Dammi ancora un po' di champagne.* »

« *Finiamo la bottiglia?* »

« *Ma certo...* »

« *Ecco fatto.* »

« *Brindiamo di nuovo?* »

« *Auguri, mamma.* » I bicchieri si toccarono.

« *Quando muoio devi dare una bella festa... Me lo prometti?* »

« *Te lo prometto.* »

« *Oddio, come mi sento leggera...* »

« Dopo due settimane mia madre se ne andò, e insieme a mia sorella mettemmo in piedi una bella festa nella villa di via della Piazzuola. » Dante rimase un attimo pensieroso, poi alzò appena il bicchiere.

« Al Capodanno più bello della mia vita » disse, sorridendo.

« A Matilde... » disse Diotivede.

« A Matilde... » disse Rodrigo.

« A Matilde... »

« A Matilde... »

« A Matilde... »

« A Matilde... e a Rebecca » mormorò Piras. Le ultime lacrime dei bicchieri corsero lungo le lingue e scomparvero nelle gole.

La serata era finita, ma molte altre aspettavano di essere vissute. La confraternita del Chianti si alzò da tavola. Nello sguardo di ognuno si poteva leggere la soddisfazione e il piacere di essere stati insieme, di aver mangiato e bevuto bene, di aver ascoltato storie da non dimenticare...

Uscirono tutti sull'aia. Il cielo era scuro, ma limpido. Lo spicchio luminoso della luna sembrava fatto con un colpo di roncola. Saluti, strette di mano... Per il commissario era un momento leggermente triste, ma anche piacevole, il ritorno alla solitudine, al silenzio, di cui aveva bisogno, così come aveva bisogno della compagnia degli amici.

Una dopo l'altra le automobili si misero in moto, i fari si accesero, e in mezzo a nuvolette di gas di scarico la piccola carovana imboccò la salita sterrata. Il colonnello Arcieri si era seduto nella Giulia, aveva chiuso la portiera ma non era partito. Quando l'ultima auto scomparve in cima alla salita, scese e andò incontro a Bordelli, che non vedendolo partire aveva aspettato.

« Ha dimenticato qualcosa, colonnello? »

« No, volevo solo dirle una cosa... »

« Prego. »

« Se le fa piacere, uno dei prossimi giorni verrei a trovarla per raccontarle nei particolari quella storia dell'8 settembre... »

« Più che volentieri. »

« Fu un momento davvero ingarbugliato, e soprattutto tragico. »

« Sarò contento di ascoltarla... Però sono costretto a chie-

derle di aspettare qualche giorno, devo risolvere una faccenda, poi andrò in pensione e sarò più libero.»
«Non c'è fretta... Mi chiami lei quando sarà libero.»
«Certo.»
«Buonanotte, commissario.»
«Buonanotte.» Si strinsero la mano. Bordelli aspettò che il colonnello fosse arrivato in cima alla salita, e quando si voltò per tornare in casa si trovò davanti Blisk.
«Ehi, finalmente ti sei svegliato.» Per tutta risposta il cane gli si avvicinò e si strusciò alle sue gambe, e dopo essersi preso qualche carezza, si allontanò trotterellando in mezzo all'oliveto e scomparve nel buio.
«Non fare scherzi, eh?» gli gridò dietro Bordelli. Blisk non poteva sparire di nuovo, non proprio adesso che lui stava per andare in pensione, sarebbe stato troppo triste, una beffa del destino. Rimase ad aspettare per qualche minuto, ma non si sentiva nessun rumore, a parte il verso di qualche uccello notturno. Entrò in casa con un sospiro, cercando di essere ottimista. Quando l'altra volta Blisk se n'era andato via, non si era comportato in quel modo, aveva abbaiato in maniera strana, una specie di tristissimo saluto, poi si era messo a correre verso il bosco... Ma sì, certo che sarebbe tornato, stava soltanto facendo un giretto nella notte. Entrò in casa e chiuse la porta. In cucina spense quel che restava delle candele, lanciò un'occhiata al tavolo, dove i bicchieri vuoti erano i testimoni delle storie appena raccontate, storie che andavano ad aggiungersi a molte altre, storie che continuavano a vagare in quella cucina e nella memoria della confraternita. I regali, riuniti su una delle poltrone, aspettavano solo di essere adoperati. Uno sguardo a Geremia, poi salì al piano di sopra, si mise a letto e spense la luce. Nonostante la stanchezza, il sonno tardava a prenderlo tra le sue braccia... E quel silenzio, quella immobilità, il buio che lo circondava, come sempre lo spinsero a pensare alla morte... Quando pensava alla propria morte immaginava... o meglio, sperava che accadesse dolcemente...

Non voleva che succedesse nel sonno, senza che lui avesse la possibilità di rendersene conto. Gli sarebbe piaciuto cogliere l'attimo cruciale... Essere, in quel momento, perfettamente lucido, per vivere l'incredulità o il sollievo di quell'istante, un istante che non avrebbe mai avuto la possibilità di raccontare... Ma sperava anche di avere il tempo di salutare quelli che si trovavano davanti a lui, invitandoli ad accogliere la sua morte con allegria, con un buon bicchiere di vino e qualche aneddoto divertente... Avrebbe chiesto a tutti di ricordarlo con il sorriso sulle labbra... Questo pensiero lo fece sprofondare dolcemente nell'oscurità del sonno.

Il secondo giorno di intercettazioni Bordelli si svegliò piuttosto sereno, poi si ricordò di Blisk e scese subito in cucina. L'orso bianco era tranquillamente disteso a dormire nel suo angolo.

«Un giorno me lo farai sapere, dove diavolo vai» disse, ma Blisk non sembrava interessato a rispondergli. Bordelli si stirò e si mise a preparare il caffè. Passare quella bella serata con gli amici gli aveva fatto bene. Appena andava in pensione doveva organizzare subito un'altra cena. Sistemò la cucina, che dopo quelle occasioni sembrava bombardata.

A metà mattina, sotto un tiepido sole primaverile scese a Firenze. Aveva una gran voglia di vedere Eleonora. Quando entrò in ufficio telefonò a zia Camilla, per chiederle a che ora poteva andare a trovarla. Fissarono per mezzogiorno. La zia non abitava dietro l'angolo, ma visto che era una bella giornata di sole decise di uscire a piedi. Ormai ogni occasione era buona per camminare. Ad arrivare in via San Giovanni Gualberto ci mise poco meno di un'ora.

«Ciao zia, ti ho portato le poesie della mamma.»

«Oh, sei un tesoro... Ti preparo un caffè?»

«Ne ho già presi due, grazie.»

«Ci sediamo in salotto?»

«Solo un minuto, zia... Devo scappare.» Andarono a sedersi sul divano del salotto buono, e Bordelli tirò fuori dalla borsa la cartellina con le poesie battute a macchina.

«Accidenti quante sono» disse zia Camilla.

«Quella di cui ti dicevo la trovi in cima... *Notte di gelo...* Mi hai detto che sai già di cosa parla.»

«Aspetta, ora vediamo» disse lei. Inforcò gli occhiali, che teneva sempre agganciati al collo, e si mise a leggere la poesia muovendo le labbra come se stesse pregando. A un certo punto alzò un sopracciglio, sorridendo, e alla fine si voltò verso suo nipote.

«Eh già» disse tra sé e sé.

«Allora, zia?»

«Non è nulla di così compromettente, ma non so se posso...»

«Che sarà mai, zia? Si capisce che era innamorata di qualcuno... Ma di chi?» chiese Franco. Dopo averlo lasciato friggere ancora un po', alla fine zia Camilla decise di raccontargli la genesi di quella dolorosa poesia.

«Che Paolina mi perdoni... Deve averla scritta quella sera stessa. Aveva diciassette anni, era andata in montagna, a Cortina, ospite di un amico di famiglia. C'era anche il fratello minore di tuo padre, Alfonso, pace all'anima sua. E insomma, prima di mettere gli occhi su tuo padre, la tua bella mamma si era innamorata follemente di lui... Qualche settimana prima, a Firenze, si erano anche baciati, ovviamente di nascosto.»

«Zio Alfonso... Non ci posso credere, non ho mai saputo nulla» disse Franco, stupito e divertito. Sua mamma era morta già da diversi anni, e continuava a sorprenderlo.

«Sono faccende private, che una donna può raccontare solo a un'altra donna.»

«Poi che è successo?»

«Dopo quei baci non avevano più avuto occasione di rimanere da soli, e Alfonso non sembrava fare nulla per riuscirci. E così tua mamma aveva pensato che la vacanza sulla neve fosse l'occasione giusta per far sapere al tuo futuro zio cosa provava veramente, e magari per annunciare a tutti il loro fidanzamento... Ma quella sera si accorse che Alfonso faceva il filo alla figlia degli amici di famiglia, la bellissima Gemma, e capì che doveva rinunciare a lui per sempre.»

«Povera mamma... E insomma, come padre avrei potuto avere mio zio.»

«Il cognome sarebbe rimasto lo stesso» disse zia Camilla, sorridendo.

«Zia, ti ringrazio...»

«Ho fatto bene a raccontarti questa storia?»

«Certo, hai fatto benissimo.» Bordelli le lasciò la cartella con le poesie e si alzò per andarsene. Era ansioso di sapere se Piras aveva preso all'amo un altro dei ragazzi. Sulla porta si scambiarono un bacio sulla guancia, e zia Camilla gli dette anche uno schiaffetto sul naso, come faceva quando era bambino.

Camminando verso la questura, il commissario aveva ancora davanti agli occhi sua mamma ragazzina, da sola nel buio delle montagne, in mezzo alla neve, che con un colpo d'accetta tagliava via un sogno d'amore. Sua mamma aveva sentito il bisogno di scrivere dei versi, di guardare negli occhi il dolore. Quella poesia aveva portato alla luce una storia di settant'anni prima, e se non fosse stato per zia Camilla non l'avrebbe mai conosciuta. E chissà quante altre cose non sapeva, di sua mamma e di suo babbo. Ma decise che non avrebbe mai più chiesto a sua zia di raccontargli cosa si nascondesse dietro quelle poesie. Una volta doveva bastare. Da ora in poi avrebbe lasciato che sua madre conservasse i propri segreti. Poi pensò che magari poteva far stampare da una tipografia un libretto con le poesie, da regalare agli amici.

Tornò in ufficio, ma Piras non aveva chiamato. Andò a mangiare un boccone da Totò e tornò subito in questura. Si era portato dietro una copia delle poesie di sua mamma, e passò molto tempo a rileggerle e a scegliere un ordine di apparizione che avesse un senso, facendosi guidare a volte dalla differenza di ritmo e di atmosfera, altre volte dalla continuità. Si mise anche a riflettere su un possibile titolo, che ovviamente sua mamma non aveva mai pensato di scegliere. Non gli veniva nessuna idea, ma non voleva incaponirsi. Prima o poi un titolo sarebbe arrivato da solo, magari con la collaborazione di Geremia. Pensò anche di portare le poesie a Dante, per chiedergli un parere sul valore di quei versi, senza dirgli che erano di sua mamma. Lui e sua zia erano certamente influenzati da questioni affettive, ed era curioso di capire quale effetto potessero fare agli altri.

Piras entrò nell'ufficio di Bordelli soltanto verso le sette di sera. Raccontò che per tutto il tempo era andato da un telefono all'altro, e una volta aveva dovuto sentire una registrazione perché le due telefonate erano in contemporanea. Ma purtroppo la giornata non aveva dato frutti. Ci voleva pazienza. Però si era divertito a raccontare a Bordelli due conversazioni piuttosto squallide, soprattutto se si mettevano in relazione tra loro. Aveva sentito una telefonata tra la signora Gilda Servanti e un'amica, una certa Malvina, anche lei di Firenze, in cui parlavano male di una loro amica, Giusi...

Una parvenue... Non si sa vestire... Una pescivendola arricchita... Con quelle gonnelline... Oddio, hai visto che scarpe aveva l'altra sera... Crede di essere ancora una ragazzina... Guarda, non so cosa ci trovano gli uomini, in quella... Li attira come mosche... Suo marito poverino non passa dalle porte, con le corna che si ritrova... E come si atteggia, la scema... Il suo vero nome è Giuseppa, altro che Giusi... Chissà dove crede di vivere... Oddio, che volgarità... E che tristezza... Che donna scialba...

Poi aveva ascoltato una conversazione tra la signora Servanti e la suddetta Giusi, anche lei fiorentina, e si erano messe a spettegolare sulla signora di prima, Malvina...

Ora perché ha due cognomi si crede la regina d'Inghilterra... Sembra che stia sempre camminando sulle uova... E quella erre moscia, Dio mio... Secondo me lo fa apposta... Ma sì, ma sì... E quando tira fuori quelle frasi in francese, che pena... E poi invidiosa come nessuna... Se a un ricevimento vede una bella ra-

gazza le escono le fiamme dagli occhi... Non vorrei essere suo marito... Poveretto, lui gliele dà tutte vinte, sennò lei lo mette in croce... Spero per lui che abbia un'amante...

« Sarebbe divertente mandare le registrazioni a tutte e tre » disse Bordelli.

« Probabilmente anche Malvina e Giusi sputano veleno sulla Servanti, chiudendo il triangolo... Ma non abbiamo le prove » disse il sardo, con un sorriso difficile da individuare.

« Be', questa è una cosa che ho sempre detestato di certi fiorentini. Mi ci sono trovato mille volte. Tanto amiconi quando te li trovi di fronte, poi alle spalle sparlano di te come non potresti mai immaginare. »

« Brutto » commentò Piras.

« Eh sì, in questa città siamo abituati alla falsità e al sotterfugio. Secondo me è debolezza, una sorta di complesso di inferiorità. Attaccare tutti per cercare di innalzarsi... lo trovo triste. »

« I sardi in genere sono leali. Se sei un amico, ti difendono a spada tratta. Se sei un nemico ti tengono a distanza... o magari ti ammazzano » disse il sardo, con un accenno di sorriso.

« Be', molto meglio. »

Terzo giorno di intercettazioni. La mattina nulla di fatto.

Dopo pranzo Bordelli tornò subito in ufficio e alzò il telefono, pensando che forse poteva essere il momento giusto per fare una certa chiamata. Prima di decidersi rimase qualche secondo con il dito infilato nel disco, poi fece un sospiro e andò avanti. Quattro squilli e sentì alzare...

«Pronto?»

«Buongiorno, sono Franco Bordelli, l'amico di Rosa.»

«Buongiorno, commissario.»

«Mi scusi, Amalia... o forse Amelia?»

«Scelga lei, a volte si sbagliava anche mio padre.»

«Scelgo Amalia, mi sembra più adatto» disse Bordelli.

«Mi dica...»

«Ecco... Volevo... Ehm... Quando potrei venire a trovarla?»

«Tarocchi?» disse Amalia, con quella sua voce malinconica.

«Sì, però...»

«Un omicidio?»

«No no, volevo farle qualche domanda a proposito di un'altra questione.» Quasi si vergognava.

«Mi scusi, vuole farmi delle domande o consultare i tarocchi?»

«I tarocchi, ma è una faccenda personale.»

«Va bene.»

«Grazie... Quando potrei venire?»

«Sento che ha fretta, per me va bene anche in giornata» disse Amalia.

« A che ora? »

« Oggi sarò a casa dopo le sette. »

« Allora se non le dispiace verrei alle sette e mezzo. »

« Va bene. »

« Mi lascia per favore il suo indirizzo? »

« Abito vicino a Rosa, in via del Corno 11. »

« Grazie, allora a più tardi. »

« Arrivederci » disse Amalia, e riattaccò. Bordelli era in imbarazzo, ma se non fosse andato a trovarla gli sarebbe rimasto un tarlo.

Tornò alle faccende serie. Sperava che a fine pomeriggio Piras gli portasse buone notizie. L'impazienza lo spinse di nuovo fuori dalla questura, e si mise a camminare senza meta. Prese un gelato, poi un caffè, poi un altro gelato... Si sentiva come un ragazzino che aspetta un regalo e non sa come far passare il tempo. A quel punto non poteva nemmeno tornare a casa, perché alle sette e mezzo doveva andare da Amalia. Be', come aveva fatto a non pensarci prima? Andò dritto alla libreria Seeber per fare due chiacchiere con il giovane Franco, che ormai da anni era diventato il suo spacciatore di letteratura. Nei momenti in cui il ragazzo non era occupato si mettevano a parlare di libri, o meglio, il commissario ascoltava i commenti del ragazzo sulla ormai mitica Alba, su Ignazio Silone... Giuseppe Dessì... Domenico Rea... Fenoglio... Bassani... Malaparte... Flaiano... Natalia Ginzburg... De Roberto... Fogazzaro... De Amicis... Il commesso a un certo punto allargò le braccia, dicendo che da secoli in Italia nascevano grandissimi scrittori e poeti, e questo dopoguerra lo confermava appieno, ma purtroppo c'erano dei lettori, non tutti per fortuna, che volevano solo autori stranieri, forse per quell'ammirazione « tutta italiana » per ciò che « non è italiano ». Il pregiudizio di quei lettori sembrava basarsi su un ingannevole assunto generato da una poca stima di se stessi... *Se è italiano come me, non può essere un grande scrittore.* Un po' come pensare che il tuo vicino di casa o tuo cugino, visto che lo conosci, non potrà mai essere un grande artista. Mentre ad esempio in Francia il problema era del tutto opposto, cioè molti lettori volevano leggere solo scrittori francesi...

« E lei, come va con i suoi omicidi? » disse a un tratto il commesso, e una signora che stava passando accanto a loro sgranò gli occhi.

« Be', ne ammazzo altri due o tre poi vado in pensione » disse Bordelli guardando la signora e sorrise nel vederla scappare rossa in viso. Alle sette meno un quarto salutò il giovane Franco e tornò a passo svelto verso la questura. Quando entrò in ufficio, trovò il sardo seduto davanti alla scrivania.

« Ciao Piras, è molto che sei qua? »

« Cinque minuti, ma purtroppo non ho nessuna novità. » Un'altra giornata di ascolti inutili. Solo pettegolezzi e altri discorsi noiosi.

Quarto giorno di intercettazioni. Bordelli aveva ormai sforato di quattro giorni l'entrata in vigore ufficiale della pensione, ma quando andava dal questore per informarlo brevemente sull'andamento delle intercettazioni, nessuno parlava di quel particolare burocratico.

Alle quattro e mezzo del pomeriggio Piras gli telefonò in ufficio. Finalmente una buona notizia: un altro dei ragazzi era finito nella rete.

« Si chiama Lucio Attilio De Tardis, romano, ventiquattro anni. »

« Ne manca solo uno » mormorò Bordelli, mordendosi le labbra. Era la stessa sensazione di quando ti stanno togliendo un dente, e senti che sta per staccarsi ma ancora resiste.

« Suo padre è un generale della base NATO di Aviano » aggiunse il sardo.

« Ti pareva... »

« Eh già. »

« Non ci pensiamo » disse il commissario. Piras nel frattempo cercava anche le informazioni sui ragazzi di cui già conoscevano l'identità, facendosi dare una mano dalle questure di Milano e di Roma, chiedendo un favore alle caserme dei carabinieri, e anche interpellando le agenzie di investigazione che lavoravano per le banche. Da quel momento in poi la complessità dell'operazione saliva di un gradino, perché le intercettazioni si dovevano fare su tre linee telefoniche, ma Piras non se ne preoccupava.

Il commissario rimase in questura fino alle otto, girellando per gli uffici, aiutando Mugnai con le parole crociate, cambiando per l'ennesima volta l'ordine delle poesie di sua mamma. Ormai l'unica cosa che doveva fare, e anche l'unica cosa che gli interessava, era aspettare il nome del quarto ragazzo...

Dopo aver cenato nella cucina di Totò, tornando a casa si fermò a Mezzomonte alla villa di Dante. Non aveva l'umore giusto per rimanere, ma gli lasciò una copia delle poesie di sua mamma senza dirgli di chi erano.

« Mi piacerebbe avere un suo parere. »

« Per quello che conta... » disse Dante, tirando una grande boccata dal sigaro.

« Ne parliamo la prossima volta, grazie. »

Quando Bordelli arrivò a casa, trovare Eleonora ad aspettarlo davanti al caminetto in compagnia di un calice di vino fu bellissimo, ma il cumulo di legna che lei aveva cercato di accendere non aveva senso, e fu compito suo demolirlo e ricostruirlo.

Quinto giorno di intercettazioni. Piras telefonò al commissario alle due di pomeriggio alla trattoria *Da Cesare.*

«Preso» disse. Bordelli strinse un pugno.

«Come si chiama?»

«Saverio Solmani Scannati, anche lui romano, venticinque anni. Suo padre è un deputato del PRI.»

«Due politici, un diplomatico e un generale della NATO... Sarà dura, ma dobbiamo andare avanti» disse Bordelli.

«Se tra mezz'ora lei è libero, ho altre piccole informazioni.»

«Liberissimo.» Il commissario finì di pranzare imponendosi la calma, ma non era facile. Quando tornò in ufficio, il sardo era appena arrivato. Bordelli voleva essere sicuro che i quattro ragazzi della festa fossero proprio quelli, e Piras disse che si poteva stare sicuri, le frasi che li avevano smascherati non lasciavano dubbi... *Dobbiamo aspettare un po' prima di fare altre feste... Dovevamo nasconderla meglio... Non doveva succedere... Le ragazze non parleranno di sicuro... Era meglio non darle un'altra fiala... Perché sui giornali non scrivono più nulla, cazzo... Siamo stati dei coglioni... Comunque è quasi impossibile che ci trovino...* Parole assai chiare per chi sapeva com'erano andate le cose, però non sufficienti a farli incriminare. Dei bravi avvocati avrebbero potuto rivoltare la frittata mille volte, e a quelle famiglie i soldi non mancavano. Ma Carmela era morta, e chi l'aveva abbandonata in un fosso non poteva cavarsela, non era ammissibile. Bisognava neutralizzare ogni capacità di difesa, disinnescare ogni possibile bomba, aggirare il fronte e attaccare alle spalle... come in guerra.

«Molto bene, Piras» disse il commissario, con tristezza. Alla stessa età di quei giovanotti c'era chi aveva combattuto contro i nazisti, lasciandoci la pelle.

«Ecco poi cosa sono riuscito a trovare...» continuò il sardo. Tutti e quattro i ragazzi avevano frequentato la scuola media e il liceo classico in un prestigioso collegio nel centro di Roma, dove probabilmente si erano conosciuti, a meno che non fosse successo ancora prima per l'amicizia che legava le loro famiglie. Attualmente erano studenti universitari fuori corso, due frequentavano Giurisprudenza, uno Scienze Politiche, il quarto Economia. Fedina penale immacolata. Il generale De Tardis aveva un fratello cardinale.

«Ci mancava pure quello» disse Bordelli.

«Il deputato della DC è un sottosegretario del nuovo governo Rumor.»

«Un'altra rottura di coglioni, anche se vedrai che questo governo... dura minga» commentò il commissario; imitando Calindri. Il sardo aveva ancora una notizia, quasi scontata.

«Per finire, sembra che i padri dei ragazzi siano tutti e quattro legati agli ambienti della massoneria.»

«Be', mi stupirebbe il contrario.»

«Già...» disse il sardo.

«Dobbiamo farli confessare.»

«Sì...»

«Bene, intanto vado a fare due chiacchiere con il dottor Di Nunzio» disse Bordelli, alzandosi.

«Io vado a casa a riposarmi, dottore.»

«Certo, grazie Pietrino. Se tutto procede come spero, domattina volo dal giudice *Romeo Montecchi* per i mandati di cattura.» Bordelli cercava di alleggerire la situazione facendo qualche battuta scema, anche se sapeva bene di avere di fronte una pantera da pelare. Doveva prepararsi al peggio. Andò subito a bussare all'ufficio del questore, fece un bel respiro e spinse la porta.

«Ci siamo, capo.»

«Molto bene Bordelli, mi racconti tutto nei dettagli.»

«Sappiamo i nomi dei quattro ragazzi...»

Il commissario rimase almeno due ore a parlare con il dottor Di Nunzio, e uscì da quell'ufficio metà soddisfatto e metà preoccupato, come era normale che fosse.

Andò dritto a casa. Aveva bisogno di riposarsi, di riflettere, di bere un po' di vino davanti al fuoco. La primavera era cominciata da più di due settimane, ma il camino acceso era ancora un piacere.

Alle otto Blisk non era ancora tornato, e non lo aveva visto nemmeno quella mattina prima di uscire. Ogni volta temeva che se ne fosse andato... proprio adesso che avrebbero avuto molto più tempo per fare insieme delle lunghe camminate nel bosco. Uscì fuori e lo chiamò a gran voce. Nulla. Preparò la cena e si mise a mangiare, ma si sentiva un po' in ansia. Tendeva l'orecchio, e un paio di volte gli sembrò di sentire il suo respiro affannato che si avvicinava. A ogni modo, prima di mettersi a letto preparò la zuppa e la mise nella nuova ciotola con il doppio fondo di acqua calda.

Era molto stanco, e riuscì a leggere solo mezza pagina. Aveva appena spento la luce... e nel buio vide una stradina sterrata in mezzo ai campi, sotto un sole che spaccava le pietre... Agosto del '44, a pochi chilometri da Acqualagna, un piccolo paese delle Marche che avrebbero liberato pochi giorni dopo. Dalle colline, con il binocolo avevano avvistato una pattuglia di nazisti, erano in quattro. Avevano calcolato il loro percorso ed erano scesi giù, in silenzio, per preparare un agguato. Si erano piazzati nei fossati al bordo del viottolo. Ancora non vedevano i tedeschi, perché c'era un piccolo dosso, ma li sentivano avvicinarsi parlando e ridendo, ignari di essere stati avvistati. Forse credevano di essere molto più lontani dagli avamposti nemici, a volte era successo anche a loro.

A un tratto, a una cinquantina di metri, dalla linea del terreno videro sbucare quattro elmetti, poi quattro visi, le spalle, le armi a tracolla... Prepararono i mitra, con il dito sul grilletto. In quel momento dai cespugli sbucò un bambino di cinque anni, si avvicinò a un albero di fichi e saltando cercò di prenderne uno bello grosso che pendeva proprio in mezzo al viottolo, ma non ci riusciva perché era troppo in alto. Di lontano si sentiva la mamma che lo chiamava, ma il bambino si ostinava a saltare con la manina aperta, mentre i tedeschi continuavano ad avanzare. Niente, il fico era troppo in alto. Bordelli e gli altri avevano abbassato i mitra e se ne stavano nascosti nei fossati in mezzo all'erba alta, mentre la voce della mamma insisteva a chiamare il bimbo. I tedeschi avevano visto la scena e sorridevano. Arrivarono vicino al bambino, sempre più divertiti. Uno di loro posò il mitra contro il muretto di pietra, prese in collo il bambino e lo sollevò fino al fico per farglielo prendere, mentre gli altri tre ridevano. Il bimbo afferrò il grosso fico, e quando il tedesco lo rimise con i piedi per terra, glielo offrì. Allora il tedesco prese il fico, lo spaccò in due e ne rese metà al bambino. Ognuno mangiò la propria metà, guardandosi con aria d'intesa. E così, un nazista invasore e un bimbo italiano «traditore» di cinque anni si erano divisi un bel fico maturo. Il bambino corse via, rispondendo finalmente al richiamo della mamma, e il tedesco recuperò la sua arma. Bordelli fece un cenno ai suoi per dire di non sparare. I crucchi colsero alcuni fichi e li mangiarono subito, senza nemmeno sbucciarli, mugolando di piacere. Poi se ne andarono tranquilli lungo la stradina sterrata, passando a pochi metri dal San Marco. Non lo avrebbero mai saputo, ma se non fosse stato per quel bambino sarebbero stati ammazzati. Magari erano stati uccisi in un'altra occasione, qualche giorno dopo, e forse proprio il 25 agosto ad Acqualagna. Ma per il momento erano ancora vivi...

La mattina dopo si svegliò molto presto, lo capì dalla luce che filtrava nella stanza, e senza alzarsi chiamò il cane... Silenzio... Lo chiamò ancora... Nulla.

«Blisk, non fare il pigro, vieni su» gridò, poi trattenne il respiro... Ecco... gli sembrò di sentire un rumore... sì... anche un respiro... dei passi sulle scale... la porta si aprì e nella penombra apparve il testone di Blisk, che ciondolò fino al letto per farsi accarezzare.

«Dio mio, Blisk...» Puzzava di fango e di acqua stagnante. Dopo averlo coccolato lo allontanò con la mano, e il cane andò a sdraiarsi in un angolo. Sembrava piuttosto stanco, doveva essere rientrato molto tardi. Bordelli era davvero contento che quel bestione fosse tornato all'ovile. Adesso poteva affrontare con più tranquillità le giornate impegnative che aveva davanti. Rimase a letto, senza accendere la lampada. Dalle stecche delle persiane il sole spingeva nella camera sempre più luce... Non voleva rimanere ingabbiato nel recinto della morte di Carmela, dove entro poco avrebbe dovuto rinchiudersi per chissà quanti giorni, e con chissà quali cani rabbiosi... Doveva fare spazio, fare pulizia... Guardare il cielo, far entrare un po' di luce... A occhi chiusi lasciò che il pensiero fosse libero di rotolare e di espandersi e di perdersi... Nel dormiveglia cominciò a vagare senza una direzione nelle lande paludose della memoria, come gli accadeva spesso, e la moltitudine di ricordi era come una spiaggia ricoperta di pietre levigate dal tempo...

A un certo punto invece si mise a fare mentalmente un conto... dunque... dunque... sì... ecco... dovevano essere passati... sì... Lorenzo De' Medici era morto quattrocentosettantotto anni prima, in quello stesso giorno, lo stesso anno della scoperta dell'America... Aveva sempre pensato che molto spesso il tempo faceva arrivare ai posteri solo il meglio di una persona, mentre il peggio si perdeva per strada, soprattutto quando la parte positiva aveva un certo peso... Accadeva un po' come per la memoria personale, che a volte sceglieva di salvare i ricordi piacevoli e si liberava di quelli meno graditi... Ma perché pensava questo, adesso? Forse per cercare di immaginarsi quale ricordo sarebbe rimasto negli anni a venire del commissario Franco Bordelli? Be', ovviamente dipendeva anche dalla persona che lo avrebbe ricordato... E quanto tempo ci voleva perché la memoria di un uomo comune come lui scomparisse dalla faccia della Terra? Stava di nuovo affondando lentamente nel sonno, e lasciava che succedesse... Pensava a Rosa, la candida Rosa, abbracciata e schiacciata sui letti per anni da maschi vogliosi che lei dimenticava subito dopo, conservando intatta la sua anima pura e infantile... Pensava a Dante, agli ingranaggi della sua mente in eterno in movimento, un uomo capace di grandi visioni, sempre a caccia di nuove libertà dell'immaginazione, ma anche devoto alla logica, nemico del pregiudizio, affascinato dalla potenza del pensiero, grande maestro della più rispettosa ironia... Pensava a Diotivede, che aveva passato la vita in mezzo ai cadaveri, forse chiacchierando con loro, e aveva un grande rispetto per i vivi e per le loro sofferenze, anche se spesso nascondeva il suo animo gentile sotto scaglie di amarezza... Pensava al Botta, alla sua schietta intelligenza, alla sua rapidità mentale, alla sua ironia sanfredianina, al suo apparato morale che non lo aveva fatto mai diventare un banale delinquente... Pensava a suo cugino Rodrigo, uomo dalle doti nascoste, capace di passare dalla pedanteria alla burla così come Persefone passava dall'Oltretomba ai fiori della primavera, prova vivente di quanto sia misterioso e sorprendente l'animo umano... Pensava al colonnello Arcieri, che qualche anno prima, alla tenera età di sessantacinque anni, aveva scoperto il piacere di cavalcare insieme due cavalli assai differenti: il puledro indomito della gioventù e il cavallo da tiro della saggia consapevolezza, e Dio solo sapeva come fosse riuscito a metterli d'accordo... Pensava a Eleonora, a quanto fosse divertente passare il tempo insieme a lei, a quanto fosse simpatica brillante e bella, a come ormai si sarebbe sentito perduto senza di lei... A nessuno di loro avrebbe potuto dire queste cose, non si poteva fare, non si doveva fare, era sgradevole e sbagliato dire cose belle al diretto interessato... no... non si doveva... no... no...

Fu una gazza a svegliarlo, mettendosi a strepitare davanti alla finestra. Quando si alzò dal letto erano le otto e dieci. Si fece la barba, si lavò in fretta nella vasca, poi un caffè, un saluto a Geremia, una carezza a Blisk... Dopo questi gesti, che ormai avevano il sapore di un rituale, montò sul Maggiolino e scese verso Firenze per affrontare la giornata, una delle ultime della sua carriera.

A fine mattina i mandati di cattura iniziarono il loro cammino. Gli arresti sarebbero stati eseguiti il giorno successivo alle otto, per dare modo alle questure di Milano e di Roma di organizzarsi. Un arresto a Firenze, uno a Milano, due a Roma. Alla stessa ora, Villa Olivo Torto sarebbe stata perquisita da una squadra guidata da lui stesso e da Piras, insieme ai ragazzi della Scientifica. E visto che ormai si erano verificate diverse anomalie procedurali, Bordelli aveva chiesto al giudice Ginzillo di concedergli il primo interrogatorio dei quattro ragazzi in una stanza della questura, ovviamente accompagnati dai loro avvocati. Ginzillo non solo aveva accettato, ma gli aveva stretto la mano con vigore, ringraziandolo per la sua tenacia.

I ragazzi sarebbero rimasti una giornata al carcere delle Murate, in celle separate, in isolamento, guardati a vista. Prima di interrogare i quattro figli di papà, Bordelli voleva considerare con la dovuta calma, insieme a Piras, i risultati della perquisizione di Villa Olivo Torto. Ma prima dell'interrogatorio si doveva anche provvedere a informare gli avvocati su ogni dettaglio della situazione. La mattina successiva Bordelli avrebbe condotto l'interrogatorio cercando di ottenere una piena confessione, ma ovviamente dipendeva molto da cosa sarebbe emerso dalla perquisizione della villa.

«Incrociamo le dita, Piras.»

«Sono giorni che le tengo incrociate» disse il sardo.

La mattina dopo sul presto, Piras e il commissario entrarono a Villa Olivo Torto, facendosi aprire il portone da una governante impassibile e forse addirittura contenta che il figlio del padrone fosse finito nei guai.

«Non mi meraviglia...» bofonchiò. Il commissario stava per chiederle come mai ce l'avesse con il ragazzo, ma in quel momento vide passare nel parcheggio una bella ragazza che somigliava molto a lei, e immaginò il resto.

Le stanze da perquisire erano davvero molte. Le porte chiuse, delle quali la donna non aveva la chiave, venivano sfondate. I ragazzi della Scientifica dovevano entrare per primi nelle stanze, per rilevare impronte, recuperare capelli, raccogliere campioni di ogni genere. Poi lasciavano il posto alla perquisizione vera e propria.

Trovare quello che stavano cercando fu piuttosto facile. I nascondigli erano banali, pensati per difendersi da genitori distratti, non certo dalle forze dell'ordine... Diversi barattoli di marijuana e di hashish, quasi un etto di cocaina, decine di fiale di morfina, modernissime siringhe di plastica. Negli armadi trovarono abiti maschili e femminili degli anni Venti, gonne con le paillettes, costumi da cavalieri medievali e da antichi romani, decine di mascherine da Zorro, mutandine da donna, reggiseni... In un altro armadio pendevano delle divise naziste di ottima fattura, sgualcite e macchiate. Nelle cantine avevano trovato anche decine di casse di champagne di diverse marche... Bollinger, Krug, Dom Pérignon, Cristal...

«Le sequestriamo?» disse Bordelli, sorridendo con amarezza. Intanto pensava alla povera Carmela, che aveva inseguito il suo sogno di ricchezza e di riscatto. Era morta con lo stomaco pieno di caviale, di salmone affumicato, di champagne... ma era morta da schiava.

A fine mattina il commissario rimontò sul Maggiolino insieme a Piras per tornare in questura. Gli stupefacenti e ogni altro oggetto che costituisse una prova per i reati da contestare, sarebbero stati caricati dalle guardie in un furgone della Pubblica Sicurezza.

« Ci siamo, Piras. »

« Aspettiamo anche la Scientifica. »

« Troveranno le prove che Carmela è stata in quella casa, ne sono più che sicuro. »

Infatti le analisi della Scientifica, eseguite nel pomeriggio a gran velocità sui capelli rinvenuti e sui campioni di sangue, dimostrarono senza ombra di dubbio che Carmela era stata in quella villa, e anche in una delle camere da letto. In quella stessa stanza, in fondo ai cassetti di un comò, erano stati trovati dei lenzuoli macchiati di liquido seminale, di rossetto e di sangue, oltre a diverse siringhe usate e alle cordicelle con cui era stata legata Carmela, tagliate di netto con le forbici. I rampolli dovevano essere davvero molto sicuri che nessuno potesse collegare a loro la morte della ragazza. Per le indagini era assai meglio così.

Gli arresti erano stati eseguiti senza intoppi, e i quattro ragazzi erano già al carcere delle Murate. Dopo una notte passata a macerare in una cella, in solitudine, la mattina dopo sarebbero stati portati davanti all'ex commissario Bordelli. Per tutta la giornata i telefoni della questura, della procura e delle Murate avevano squillato di continuo. Telefonate dei genitori dei ragazzi, degli avvocati, di alcune persone influenti, di politici di ogni sorta.

Un paio di volte il questore andò a trovare Bordelli in ufficio, e senza dire nulla serrava le labbra stringendosi nelle spalle e socchiudendo gli occhi, come per dire... *Siamo finiti nella tempesta, speriamo di uscirne indenni...* Il commissario annuiva, contento di avere al suo fianco un questore come Di Nunzio.

Quando si trovava di nuovo solo, Bordelli continuava a prendere appunti. Scriveva sopra un foglio tutte le prove di colpevolezza a carico dei ragazzi e le possibili domande da fare. Una sorta di canovaccio sul quale la mattina dopo avrebbe buttato un occhio ogni tanto, o forse, dopo aver scritto quelle cose, non ne avrebbe avuto più bisogno. Alle otto e mezzo, poco prima di andare via, telefonò al sardo e gli chiese di salire da lui.

«Piras, per l'interrogatorio di domattina dovresti aiutarmi a sistemare una cosa.»

«Credo di aver capito, dottore. Ci avevo già pensato.»

«Vediamo se è vero» disse il commissario. Piras gli rivelò cosa aveva supposto.

«Era questo?» chiese. Bordelli allargò le braccia.

«Senti, cominci a starmi antipatico... Lo sai?»

«Per domattina sarà tutto pronto» disse il sardo, concedendosi un'ombra di sorriso.

«Ci vediamo alle otto, salutami Sonia.»

Bordelli andò dritto a casa, preparò per l'orso bianco una zuppa che avrebbe mangiato volentieri anche lui, poi si mise a cucinare per sé. Era soddisfatto, ma ugualmente si sentiva cupo, incapace di sorridere. Pensava al cadavere di Carmela, alla sofferenza della famiglia Tataranni, alla rivoluzione interiore di Orlanda... Era certamente contento di aver arrestato quei «poco simpatici mascalzoni» che avevano trattato una ragazza di vent'anni come gli scarti del pesce, ma se pensava che la mattina dopo se li sarebbe trovati davanti gli veniva l'amaro in bocca. Che ideali dovevano avere quei ragazzi, per poter fare una cosa del genere? Della droga gli importava poco e nulla. Per lui ognuno poteva fare quello che voleva, a patto che non usasse violenza e non mettesse a repentaglio la vita degli altri... Ma drogare una ragazza, legarla, «usarla» in quattro, lasciarla morire e poi gettarla in un fosso... E le divise da nazisti? Doveva cercare di non pensarci, doveva passare una serata tranquilla, guardare una scemenza alla televisione, leggere un libro... Voleva arrivare alla mattina dopo lucido e riposato, per non sbagliare nemmeno una virgola, per essere sicuro, nonostante ogni possibile ostacolo, di inchiodare quei quattro ragazzi alle croci delle loro colpe...

Quando stava per buttare la pasta sentì il rumore inconfondibile di una 500 che parcheggiava nell'aia, e rimase con gli spaghetti in mano. Allora Dio esisteva, pensò. Anche Blisk aveva riconosciuto il rumore e forse anche l'odore, e scodinzolando ciondolò verso l'ingresso. Il commissario aspettò di sentir aprire e richiudere la porta.

«Hai cenato?» disse a voce alta.

«Fame» disse Eleonora, entrando in cucina con un sorriso che sembrava una luce accesa. Ogni volta che Bordelli la vedeva, si stupiva di quanto gli piacesse. Blisk chiedeva attenzioni, e lei si chinò sulle ginocchia per fargli un po' di coccole.

«Ciao bel cagnone... Sono venuta solo per te, lo sai vero?» disse Eleonora.

«Stavo facendo un piatto da re, spaghetti al pomodoro. Ti vanno bene?»

«Preferirei degli spaghetti al pomodoro» disse lei.

«Allora si cambia menu: spaghetti al pomodoro.»

«E se invece facessimo degli spaghetti al pomodoro?» disse lei, prendendo un grembiule dal cassetto. Andò a mettersi ai fornelli, spingendo via Bordelli con la spalla.

«Posso continuare io» protestò lui.

«Lascia stare... *A letto e in cucina, la donna è regina*, diceva mio nonno.»

«Se ti sentissero le femministe...»

«Per sentirmi libera non ho bisogno di essere femminista» disse Eleonora. Buttò gli spaghetti, li girò per qualche secondo e andò ad abbracciare Franco.

«Mi aiuti ad apparecchiare?» disse lui, mentre Eleonora gli infilava una mano nei pantaloni.

«L'acqua l'avevi già salata?» sussurrò lei, esagerando un tono provocante.

«Se fai così facciamo scuocere la pasta...»

«Non deve succedere, sai che mi piace al dente.»

«Allora riprenditi subito la mano... Se mi esce la bestia, nessuno potrà fermarla.»

«Non mi hai detto se hai salato l'acqua.»

«Salata... Salata...» disse lui, senza fiato. A quel punto Eleonora sfilò la mano e tornò ai fornelli.

«Renditi utile, maschio. Apparecchia, stappa il vino, taglia il pane, dai da mangiare al fuoco.»

«Obbedisco.»

«Dopo cena mi piacerebbe fare una camminata nell'oliveto.»

«Tutto ciò che desiderate, Madonna Eleonora.»

«In mezzo agli alberi potrebbe anche venirmi qualche strana idea, tieniti pronto.»

«Ogni vostra volontà è vangelo, Madonna.»

«Finalmente cominci a imparare le buone maniere.»

«Sono qui per servirvi, Madonna.» Il commissario adesso non era più incupito, non pensava più alla mattina dopo, giocava, sorrideva, contento della piega che stava prendendo la serata con Eleonora. Non le avrebbe raccontato nulla dei quattro ragazzi arrestati, non voleva inquinare quei momenti.

Gli spaghetti al pomodoro erano buoni come dei buoni spaghetti al pomodoro cucinati dalle mani esperte di una donna. E mangiati insieme a Eleonora erano ancora più buoni.

Dopo cena andarono a passeggiare nell'oliveto, e Madonna Eleonora fece al suo uomo un bel regalo. Quando entrarono sotto le coperte continuarono a farsi del bene, e dopo si addormentarono come bambini.

Bordelli quella notte fece un sogno. Un sogno nitido, perfetto, così reale che sentiva gli odori... Andava a trovare sua mamma in una casina piena di luce, come quelle delle fiabe. Era la dimora che le avevano assegnato quando era arrivata

dall'altra parte. La mamma era seduta su una sedia a dondo-
lo, e sferruzzava.

« Suvvia Franchino, non ti accanire contro quei ragazzi,
sono dei poveri disgraziati... Hanno avuto tutto dalla vita,
ma non hanno avuto nulla... Che Dio abbia pietà di loro... »

« Mamma, Dio avrà pietà di loro, ma io non ci riesco... Ho
pietà di Carmela, ho pietà per i suoi genitori, ho pietà per chi
vive di stenti, per chi potrebbe mantenere la famiglia per tutta la vita con una sola auto che quei ragazzi hanno sotto il culo... Ecco di chi ho pietà, mamma... Non puoi chiedermi di
avere pietà per quei ragazzi, non potrò mai avere pietà di loro, mamma... »

« Franchino, tu sei cresciuto nuotando in un mare di affetto... Quei ragazzi sono dei disgraziati, non hanno mai avuto
un briciolo di affetto... Sono stati ricoperti di soldi, ma i soldi
non hanno lo stesso valore dell'affetto. »

« Mamma, ti prego, non continuare... È come se tu mi
chiedessi di avere pietà dei nazisti che a Sant'Anna hanno ucciso vecchi donne e bambini... Non posso, mamma... »

« Franchino, anche di loro devi avere pietà... Anche loro
sono dei poveri infelici... Molti dei soldati che in cima a quella collina hanno sparato ai bambini si sono portati dentro l'inferno per il resto della vita... Alcuni si sono suicidati... »

« Mi dispiace, mamma... Dio ha in Sé la forza per avere
pietà, io sono solo un povero uomo, incapace di perdonare
le ingiustizie e i soprusi... »

« Povero Franchino... Povero tesorino mio... » continuava
a dire sua mamma. A un tratto lui si era ritrovato bambino tra
le sue braccia, cullato e baciato, e si era svegliato... Nel buio
della stanza, in quel silenzio notturno, insieme al respiro di
Eleonora che dormiva tranquilla, gli sembrava di sentire ancora la voce di sua mamma.

« Perdonali Franchino, sono degli infelici... »

La mattina dopo, molto presto, mentre scendeva verso Firenze, gli vorticavano in mente diversi pensieri. Il più bello era la notte che aveva passato con lei, con Eleonora, che aveva lasciato a sonnecchiare nel letto. Ma quello non era un vero pensiero, era la linfa vitale che gli avrebbe permesso di affrontare quella disgustosa mattina con meno amarezza. Tradotto in un prodotto farmaceutico sarebbe stato un antiemetico.

Pensava anche al proprio lavoro, che negli anni, a vederlo da fuori, poteva sembrare monotono. Uscire di casa la mattina, andare in ufficio, osservare cadaveri, cercare assassini... Invece non aveva mai passato un giorno uguale all'altro. Era un po' come per i pittori, se li guardavi da fuori erano sempre con il pennello tra le dita a guardare la tela, spesso dipingendo per anni il medesimo soggetto fino all'ossessione, ma dentro se stessi vivevano ogni momento diverso dall'altro, anche se magari lo sapevano soltanto loro. E così doveva essere per tutti gli artisti, che ogni giorno affondavano nella loro passione ripetendo le solite azioni, ma senza mai bagnarsi nello stesso fiume... Quella mattina gli era presa così, gli sembrava quasi di essere un po' sbronzo, di trovarsi insomma in quella condizione, diciamo spirituale, in cui la mente gettava via le catene della convenzione per assaporare i sentieri della libertà, dove poteva imbattersi in qualsiasi sorpresa senza sorprendersi troppo...

A Poggio Imperiale ricominciò a fare i conti con la gatta da pelare che avrebbe trovato in questura. Doveva restare molto concentrato, tenere i nervi saldi, e aspettarsi di tutto. Ma la notte che aveva passato e gli strani pensieri che si era appena divertito a inseguire gli avevano dato una grande carica. Era pronto ad affrontare Godzilla e King Kong nello stesso momento, e ci metteva dentro anche Dracula e il mostro di Frankenstein. Il suo ultimo caso, poi avrebbe appeso la pistola al chiodo e si sarebbe dedicato agli olivi e all'orto.

Arrivò in questura verso le otto. Andò subito a salutare il questore, che lo accolse con un sorriso incoraggiante. Sapevano tutti e due che a volte in Italia la Giustizia era uguale solo per qualcuno, ma proprio per questo volevano andare avanti senza guardare in faccia a nessuno.

«Grazie, capo...»

«Avanti senza paura» disse Di Nunzio.

Appena salì in ufficio cercò Piras, e quando il sardo arrivò si mise d'accordo con lui su alcune faccende importanti. Bordelli sentiva i denti sempre più aguzzi. Ripensava al sogno che aveva fatto quella notte, e continuava mentalmente a parlare con sua mamma... *Non posso avere pietà, mamma, non posso...*

Con un'impazienza paragonabile al primo appuntamento di un adolescente, affacciati alla finestra di un ufficio che dava su via Zara aspettarono insieme l'arrivo degli arrestati.

Alle nove meno un quarto, una guardia venne a informarli che da pochi minuti le quattro Pantere che avevano prelevato gli imputati alle Murate erano arrivate e stavano aspettando nel cortile, secondo le disposizioni.

«Portate i ragazzi nella sala riunioni, staremo più larghi. Quando arrivano gli avvocati fateli aspettare in un'altra stanza.»

«Agli ordini, dottore.»

Poco dopo le nove, davanti alla porta principale della questura ci fu un gran trambusto, per colpa di quattro auto di lusso che si erano fermate in mezzo alla strada.

«Vado giù» disse Bordelli. Il sardo annuì e andò dove doveva andare, cioè a sistemare gli ultimi dettagli di una certa faccenda. Il commissario arrivò a piano terra, uscì da una porta secondaria e si mise a passeggiare lungo il marciapiedi con aria indifferente. Voleva osservare la scena senza essere notato. Le auto lussuose dei genitori dei ragazzi erano tutte e quattro guidate da un autista. Uno di loro doveva essere Silverio, e non fu difficile individuarlo. Soltanto due macchine erano targate Roma. Uno degli autisti era troppo giovane, e soltanto uno dei due guidava una Mercedes nera. I genitori del «signorino» Claudio erano già entrati nell'atrio della questura. Bordelli scese dal marciapiedi e si avvicinò all'auto di Silverio, che stava avanzando a passo d'uomo sperando di trovare parcheggio. Quando gli mostrò il tesserino, l'autista abbassò il vetro.

«Sono il commissario Bordelli... Lei è Silverio?»

«Com'è che sa il mio nome?» Aveva una bella faccia sincera, e il suo aspetto faceva pensare a una persona importante.

«Non posso dirglielo, volevo solo stringerle la mano.»

«Ah, ma per cosa?» Era davvero stupito.

«Lo capirà presto» disse il commissario. Silverio scese dalla macchina e strinse forte la mano del commissario.

«Forse ho già capito» mormorò, ignorando i clacson nervosi che suonavano dietro di lui.

«Piacere di averla conosciuta» disse Bordelli. L'autista ricambiò con un cenno del capo, rimontò in macchina e partì.

Il commissario entrò dalla porta principale, e nell'atrio trovò i genitori dei ragazzi piuttosto agitati, anzi con un diavolo per capello... Volevano salire le scale, chiedevano del questore, gridavano frasi che avevano lo stesso sapore di *Lei non sa chi sono io!* Il commissario fece cenno alla guardia che stava all'ingresso di fare finta di nulla, e si mise in ascolto. Erano due padri e quattro madri, ma dai discorsi si capiva che gli altri due padri sarebbero piombati in questura il prima possibile. Bordelli lasciò che quell'ondata di indignazione perdesse un po' di intensità, poi batté le mani due o tre volte.

«Signori, un attimo di attenzione» disse a voce alta e tranquilla. Tutti i genitori si voltarono verso di lui, e Bordelli fu colpito da quegli sguardi che non avrebbe mai voluto alla sua tavola. Non erano state le loro mani a gettare Carmela in quel fosso e a lasciarla morire, ma in qualche modo erano corresponsabili.

« E lei chi sarebbe? » disse uno dei due padri. A quel punto il commissario tirò fuori il tesserino della Pubblica Sicurezza.

« Sarei, e forse sono, il commissario Bordelli. Sono io che conduco le indagini sulla morte di Carmela Tataranni, e sono sempre io che ho chiesto al giudice di spiccare i mandati di cattura nei confronti dei vostri figli. »

« Allora cercavo proprio lei... »

« ...è inaudito... »

« ...una follia... »

« ...la mia onorata famiglia... »

« ...un affronto... »

« ...trattare così dei ragazzi... »

« ...lei non sa quello che fa... »

« ...il mio bambino... se non ha lo spazzolino da denti non riesce a dormire... »

« Lei sta perseguitando dei ragazzi innocenti... » strillò una mamma, con lo sguardo da pazza. Bordelli la fissò negli occhi.

« Non so cosa voglio fare, signora, ma di sicuro non butterò i loro cadaveri in un fosso » disse.

« ...un'accusa infamante... »

« ...mio figlio mai e poi mai... »

« ...un'educazione coi fiocchi... »

« ...calunnie... »

« ...assurdità... »

« ...in tutta la mia vita... »

Il commissario lasciò passare anche la seconda ondata, poi fece un gesto perentorio con la mano, e tutti di nuovo si zittirono.

« Chi di voi ha un figlio minorenne? »

« Che significa? »

« Che vuol dire? »

« Ma come si permette? »

« È illegale! » Era arrivata la terza ondata. Ignorando le lamentele, Bordelli si rivolse alla guardia.

« Invita i signori a togliersi dai piedi. Se tra un minuto sono ancora qua chiama rinforzi e spingeteli fuori, e se non capiscono arrestateli per resistenza a pubblico ufficiale. »

« Agli ordini, dottore » gridò quasi la guardia, che non ne poteva più di quella caciara. Bordelli imboccò le scale, senza curarsi delle voci sbalordite indignate e offese che lo inseguivano, mentre la guardia, forte dell'ordine che gli era stato assegnato, diceva con durezza:

« Avete sentito, signori? Dovete uscire immediatamente... Per favore... Avete sentito il commissario... Dovete andarvene... Forza... Non costringetemi a chiamare qualcuno... Vi prego, signori... Uscite... »

Bordelli andò senza fretta con il sardo a prendere un caffè in via San Gallo. Voleva farsi aspettare, per logorare ancora un po' i nervi dei ragazzi.

Solo verso le dieci, senza Piras, fece il suo ingresso nella sala delle riunioni, e le guardie che avevano in custodia i ragazzi li costrinsero ad alzarsi in piedi.

«Buongiorno» disse Bordelli, sedendosi. Ci fu un mormorio angosciato e livoroso. Orlanda li aveva descritti bene, pensò il commissario. Erano belli, alti, atletici, uno biondo, uno moro, due castani, e pur essendo diversi si somigliavano. Non riusciva a vederli come individui, sembravano l'emanazione di una stessa idea platonica, malata e sbagliata. Anche da come erano curati e «levigati», si poteva facilmente immaginare il loro abituale atteggiamento spavaldo e strafottente, ma quella mattina avevano piuttosto l'aria dei cani bastonati... Pallidi, nervosi, impauriti. La loro sicurezza doveva essere rimasta nei cessi delle Murate. A un cenno di Bordelli le guardie fecero sedere i ragazzi, distanziati tra di loro per lasciare il posto agli avvocati. Quattro giovanotti eleganti che il commissario avrebbe volentieri preso a schiaffi. Li fissava senza dire nulla. Quando uno di loro incontrava il suo sguardo, subito lo distoglieva. Ogni tanto su quelle bocche passava l'ombra di un sorrisetto, ma era soltanto paura.

Un altro cenno, accompagnato da uno sguardo, e un minuto dopo nella sala entrarono anche i quattro avvocati, che salutarono il commissario fingendo di essere tranquilli, addirittura sorridendo. Ma la tensione si tagliava a fette come un pezzo di lardo. Guardando in faccia uno a uno i simpatici «principi del foro», il commissario capì ancora una volta perché non avrebbe mai potuto fare quel mestiere, che prima della guerra aveva rasentato. Non che tutti gli avvocati fossero uguali, ci mancherebbe, aveva conosciuto anche bravissime persone, con un senso etico inattaccabile... Ma raramente in altre categorie umane si potevano trovare facce, sguardi e atteggiamenti del genere. Continuava a guardarli. Non riusciva a vedere nemmeno quei quattro avvocati come «entità individuali», gli sembravano un unico ammasso di carne non troppo piacevole da avere davanti agli occhi.

«Possiamo cominciare?» disse, aprendo la sua cartella... *Certo certo... Siamo pronti... Prego, commissario...* borbottarono gli avvocati.

«Bene... Chi è che vuole raccontarmi cosa è successo a Villa Olivo Torto la sera di domenica ventidue marzo?» chiese Bordelli ai ragazzi. Gli avvocati si agitarono sulla sedia e uno di loro s'incaricò di parlare.

«Le accuse rivolte a questi ragazzi sono assurde e infondate» disse, come prima mossa. Il commissario sospirò, e continuò a rivolgersi ai ragazzi.

«Vi avverto che so già tutto. Ripeto la domanda: chi è che vuole raccontare per primo quella bella serata in cui avete legato al letto Carmela Tataranni, per poi drogarla con la morfina e violentarla in quattro?»

«Violentata no!» si lasciò sfuggire uno dei ragazzi, e il suo avvocato gli tirò un calcio sotto il tavolo bisbigliando tra i denti... *Ti avevo detto di stare zitto!* Ma anche gli altri tre ragazzi avevano vacillato sulla sedia.

«Come avete capito sappiamo tutto, e abbiamo anche le prove. Se confessate potete sperare in uno sconto di pena, altrimenti il giudice, che per l'appunto è una donna, sarà molto duro con voi, ve lo assicuro. Vi conviene firmare subito una confessione» disse il commissario, calmo. Gli avvocati ondeggiarono sulle sedie.

«Commissario, fino a prova contraria nessuno dei nostri

assistiti conosceva la ragazza. Certamente, la stessa sera hanno dato una festa in una villa a molti chilometri dal luogo in cui è stato rinvenuto il cadavere, ma è soltanto una coincidenza.»

«Le faccio presente che pochi secondi fa uno dei vostri assistiti ha ammesso involontariamente di aver conosciuto Carmela Tataranni, dicendo che non è stata violentata.»

«È una frase che non significa nulla.»

«Ragazzi, date retta a me. I vostri avvocati stanno peggiorando le cose, come spesso accade. La vostra situazione non vi consente di fare giochetti. Abbiamo le prove che Carmela è morta a Villa Olivo Torto, e per colpa vostra... Di conseguenza siete accusati di spaccio di sostanze stupefacenti, sequestro di persona, violenza carnale di gruppo...»

«Assurdo!» disse uno degli avvocati.

«Posso continuare senza essere interrotto?» disse Bordelli, con uno sguardo da battaglione San Marco.

«Prego... Certo... Scusi...»

«Al processo potrete parlare quanto vi pare. Dicevamo... Spaccio di sostanze stupefacenti, sequestro di persona, violenza carnale di gruppo, omicidio colposo, occultamento di cadavere, e c'è anche dell'altro. Fidatevi di me, ragazzi, in questa stanza l'unico vostro amico sono io. Vi conviene confessare, è il solo modo per...»

«Dove sarebbero queste prove?» disse uno degli avvocati.

«Fatemi arrivare in fondo a una frase» sbuffò Bordelli, che aveva fisso in mente il cadavere di Carmela e le facce dei suoi genitori.

«Va bene, mi scusi...»

«Dicevo che vi conviene confessare. Non so se lo sapete, ma rischiate l'ergastolo» disse Bordelli.

«Ma cosa dice?» bofonchiò uno degli avvocati.

«Fino a prova contraria i nostri assistiti sono innocenti» disse un altro avvocato.

«Lei ha elencato le accuse, ma dove sono le prove?» disse un altro ancora.

«Già, le prove...» disse il quarto. Sembravano Qui Quo e... Qua Qua. Eppure a quelle parole inutili i ragazzi ebbero un sussulto di sollievo, come se fosse già stato fatto un passo importante verso la loro liberazione. Il commissario richiuse la sua cartella e ostentò un lungo sospiro annoiato.

«Ascoltatemi bene tutti quanti, non perdiamo tempo in chiacchiere. Le prove sono inconfutabili. A Villa Olivo Torto abbiamo trovato parecchia droga, tra cui la morfina che ha ucciso Carmela, oltre a macchie di sangue della ragazza e a molti suoi capelli, soprattutto in camera da letto, dove l'avete legata e violentata in ogni parte del corpo.»

«Non è vero... Giuro di no... Nessuno l'ha violentata!» I ragazzi erano smarriti, disperati, e finalmente gli avvocati diedero loro il permesso di parlare, visto che ormai si poteva solo cercare di limitare i danni. Uno dei ragazzi prese fiato.

«Non l'abbiamo violentata... Era un gioco, lei era d'accordo...» mormorò, e subito si aggiunsero gli altri.

«Sì, è così... La pagavamo bene... L'avevamo fatto un'altra volta...»

«Era solo un gioco... Per divertirci...»

«Ha voluto lei altra morfina... È stato un incidente...»

«Faccio preparare la confessione?» disse il commissario. A quel punto ci fu uno scambio di sguardi tra i ragazzi e gli avvocati. L'atmosfera era cambiata, anche i respiri erano cambiati. Bordelli faceva molto caso a questi particolari, era abituato a non farsi sfuggire nulla.

Uno degli avvocati si alzò, invitando quel puntiglioso commissario a seguirlo in un angolo della sala. Non volava una mosca. Bordelli era proprio curioso di sapere cosa avesse da dirgli, e decise di ascoltarlo. Dopo lo sfondamento della Linea Gustav, pensava Bordelli, ecco che cercavano di difendere la Linea Senger. Si isolarono, e l'avvocato iniziò il suo bisbiglio...

«Commissario, mi scusi... Questi giovanotti sono cresciuti in famiglie perbene... In fondo sono dei bravi ragazzi, hanno la fedina penale pulita... Hanno commesso un errore? Ma certo, questo è vero... Però... come si dice... *(Bordelli pensò: no, non dirà quella cosa, non può dirla)*... Chi è senza peccato scagli la prima pietra... *(L'aveva detta, cazzo, non ci poteva credere)*... È stata una ragazzata... Certo, la serata è andata male... C'è stato quell'incidente... Ma detto tra noi, commissario... La ragazza era pur sempre... una prostituta... Non crede?»

«Certo avvocato, ha ragione» disse Bordelli, sorridendo.

«Ecco, appunto... Vogliamo rovinare la vita di questi bravi ragazzi, la futura classe dirigente, per una... prostituta?»

«In effetti è scritto anche nella Costituzione» disse Bordelli a voce alta, per farsi sentire da tutti.

«Come dice, commissario?» L'avvocato era sbiancato, sentiva arrivare qualcosa di spiacevole.

«Aspetti, se non ricordo male l'articolo Tre della Costituzione recita così... *Tutti i cittadini sono uguali davanti alla legge, senza distinzione di sesso, di religione, di lingua, di razza, di credo politico... tranne le puttane...* Giusto? Voi ragazzi cosa ne pensate?» Il commissario tornò verso il tavolo, ma invece di sedersi si mise a camminare su e giù alle spalle dei ragazzi e degli avvocati.

«Secondo voi le puttane possono ambire ad avere gli stessi diritti degli altri cittadini?»

«Commissario... Cerchiamo di ragionare...» disse un altro degli avvocati. Bordelli si impose la calma, però doveva dire quello che pensava.

«Ragazzi, davvero non ve ne frega un cazzo di aver ammazzato una ragazza di vent'anni?»

«Non l'abbiamo ammazzata... Giuro su Dio!» disse il biondo, sudando.

«Questo dovrete cercare di dimostrarlo in tribunale. Ma anche se credono alle vostre parole, resta il fatto inoppugnabile che le avete iniettato una forte dose di morfina, l'avete lasciata morire e avete scaricato il cadavere in un fosso come un sacco di spazzatura. È questo che avete imparato dalle vostre famiglie? È questa la magnifica educazione che avete ricevuto?»

«Commissario, non so se lei può...»

«Chiuda il becco, avvocato. Non le permetto di dirmi quello che posso o non posso fare. Questi quattro smidollati non hanno il minimo senso morale... Di fronte alla morte di un essere umano hanno pensato solo a come salvarsi il culo... Sarebbe questa la nuova classe dirigente del nostro paese? Dio ce ne scampi.»

«Ma no, io dicevo che...»

«Silenzio, non ho finito.» I ragazzi erano piombati all'inferno, si mordevano le labbra, ansimavano, e uno di loro aveva il respiro affannato come se stesse per piangere. Bordelli restò in silenzio e continuò a camminare lentamente su e giù, per far salire la tensione alle stelle. Il rumore dei suoi passi doveva essere davvero insopportabile, ma era proprio quello che voleva. A un certo punto si fermò, e parlò con un tono di voce pacato, come se la bufera fosse passata.

«I genitori di Carmela sono distrutti, potete facilmente immaginarlo. Sono venuti dalla Basilicata dopo la guerra, per lavorare in fabbrica, e con tre figlie a carico non hanno certo fatto una vita da signori. Il giudice chiederà un forte risarcimento, come è giusto che sia» disse. La sua calma diede un minimo di sollievo a tutti, ed era proprio quello che voleva. Stava cercando di logorare i loro nervi, e il tira e molla era il migliore dei modi. Gli avvocati continuavano a scambiarsi occhiate d'intesa, poi uno di loro si alzò e chiese nuovamente al commissario di appartarsi con lui in fondo alla sala, ma questa volta Bordelli scosse il capo.

«Parli pure liberamente, avvocato. Non ci sente nessuno» disse. L'avvocato restò in piedi, cercò l'approvazione e la complicità degli altri tre, e la ottenne con sguardi e gesti del capo. I ragazzi osservavano i loro avvocati con apprensione, quasi certamente non erano a conoscenza di quella mossa, a differenza dei loro genitori.

«Ecco... riguardo al risarcimento... ha perfettamente ragione... infatti... ne parlavamo appunto stamattina con i nostri clienti... cioè i genitori dei ragazzi... se lei li conoscesse... credo davvero che lei si sia fatto un'idea del tutto sbagliata... nessuno potrebbe mettere in discussione la moralità di quei signori...»

Mentre l'avvocato parlava, nell'immaginazione del commissario s'insinuò una scena... E volle viverla fino in fondo, per togliersela di torno e anche per sfogarsi.

Ecco che lui si alzava in piedi con aria tranquilla, e mentre si spandeva intorno una bella musica di Morricone... tirava fuori una pistola, che teneva infilata nella cintura dietro la schiena, alla maniera degli sbirri, la puntava contro uno dei figli di papà e tirava il grilletto... Il capo del ragazzo schizzava all'indietro spruzzando sangue, la sedia si rovesciava e le sue scarpe costose si alzavano in aria per un paio di secondi, prima che tutto il suo corpo franasse sul pavimento come gli scarti di un pollo... Sette paia di occhi dilatati, ma nessuna voce... Prima che i sette sopravvissuti avessero il tempo di riaversi, Bordelli puntava la pistola contro un altro dei ragazzi e sparava di nuovo... Gli altri due si alzavano terrorizzati e cercavano di fuggire, ma Bordelli li ammazzava uno dopo l'altro sparando alla schiena, come si fa con i traditori... E già che c'era faceva fuori anche i quattro avvocati, che erano stati capaci di mettersi dalla parte dei sopraffattori... Si affacciava il questore, e rimettendo la pistola nella cintura, lui diceva... *Scusi la confusione, dottore, sto lavorando sul caso della ragazza morta...* Il questore sorrideva... *Le mando la donna delle pulizie...* diceva, e richiudeva la porta...

«Commissario, ha capito cosa le sto dicendo?» disse l'avvocato che stava parlando.

«No... Può ripetere?»

«Dicevamo... Se ha la bontà di ascoltarci... I nostri clienti sono disposti a offrire alla famiglia di quella povera ragazza...»

«Si chiama Carmela Tataranni.»

«Sì, certo... Carmela Tataranni... I nostri clienti sono disposti a offrire alla famiglia di Carmela Tataranni... una forte somma di denaro... in virtù del fatto che...»

«Venendo al dunque?» lo interruppe il commissario. Quella domanda, chissà come mai, fece passare un lampo di speranza nello sguardo dei ragazzi e anche degli avvocati.

«Pensavamo che... ogni famiglia poteva offrire... cinquecentomila lire... e facendo la somma...»

«Lei venderebbe la vita di sua figlia per due milioni?» disse Bordelli, rimettendosi a sedere.

«Tre?» disse un altro. Il commissario taceva, e li guardava. Ecco che adesso gli avvocati cercavano di difendere la Linea Caesar.

«Tre e mezzo?»

«Quattro?» Una scena surreale, un'asta inverosimile e disgustosa, che però il commissario era deciso a portare fino in fondo, fino al vomito.

«Lei a che cifra pensava?» azzardò uno degli avvocati.

«Io non pensavo a nulla, siete voi che state facendo una proposta. E non ho ancora capito bene di cosa si tratti» disse Bordelli.

«Pensavamo appunto a un forte indennizzo per la famiglia per... ehm... aggiustare la faccenda...»

«In che senso?»

«Si sa come vanno certe cose, no?»

«No, come vanno?»

«Senta, se arriviamo a venti milioni? È una cifra immensa, soprattutto per una famiglia di...» Si fermò, imbarazzato.

«...di poveracci?» suggerì il commissario.

«La prego, commissario... Sa bene cosa voglio dire...»

«Mentre per i genitori di questa ammirevole *futura classe dirigente*, cinque milioni sono una miseria... giusto?»

« Al di là della cifra, non ci ha ancora detto se la nostra proposta potrebbe... sbloccare la situazione. »

« Parli chiaro, avvocato. Cosa mi sta chiedendo di fare? » disse il commissario, ma a rispondere fu un altro, e appena si alzò, l'altro avvocato si rimise a sedere. Erano intercambiabili.

« Certo, ha ragione... Ecco... è molto semplice... Glielo dico subito... Parlo anche a nome dei miei colleghi qui presenti... Dunque... la faccenda è molto chiara... Capiamo bene la situazione... Questa incresciosa disgrazia... Il comportamento non impeccabile di questi bravi ragazzi... »

« Avvocato, mi sto annoiando. Venga al sodo. »

« Sì, certo... ecco... detto senza peli sulla lingua... *(Ma con il pelo sullo stomaco, pensò Bordelli)* I genitori di questi sfortunati ragazzi... E mi lasci dire, famiglie oneste, specchiate, di alta moralità da generazioni e generazioni... Addolorate per questo tragico avvenimento, comprendendo altresì lo strazio dei genitori di quella povera rag... di Carmela Taratanni... »

« Tataranni » lo corresse Bordelli.

« Sì, certo... Tataranni... Ecco, i nostri clienti si sono detti disposti, con una generosità dettata da un alto senso di giustizia, nonché dalla più pura carità cristiana *(Ma davvero non capiva di essere ridicolo?)*, a offrire quella forte somma di denaro alla famiglia della scomparsa... E non certo perché una vita umana possa essere compensata dal denaro... Non sia mai! Ma soltanto per dimostrare tangibilmente quanto sia profonda la loro costernazione per ciò che è accaduto, quanto sia sincera la partecipazione a quel dolore difficile da esprimere con le parole... Ma in cambio di questo generoso gesto *(Ci siamo, pensò Bordelli)* auspicano che i ragazzi vengano... » Si bloccò.

« Prego, vada avanti. »

« Vengano... liberati da questo peso, da questa accusa... »

« Tradotto in linguaggio forense? » lo incalzò Bordelli.

« Be'... Scarcerati immediatamente, e assolti in fase istruttoria per non aver commesso il fatto. »

« Ah, interessante. »

« Ovvio che i genitori sono profondamente delusi, mortificati, e oserei dire inorriditi, dal comportamento dei loro figli, ma saranno loro a trovare la giusta punizione... E se conosco bene quei signori, sapendo il valore che essi attribuiscono alla moralità e alla rettitudine, sarà certamente una punizione molto, molto dura, credetemi... Ah, quanto sarà dura! Non voglio nemmeno pensarci! *(Bordelli lo guardava con pena, quasi gli veniva da ridere)* E quanto può essere più educativa, e oserei dire, più capace di generare una profonda e radicale palingenesi, una punizione inflitta dalla propria famiglia, piuttosto che il carcere, da sempre inadatto a raddrizzare i caratteri fragili che hanno imboccato la via sbagliata... La cella e le sbarre... E lo disse fin troppo bene Beccaria nel suo famoso saggio, rimasto purtroppo inascoltato... non sono in grado, ahimè, di recuperare chi ha sbagliato... Ma anzi, ma anzi... E in una società civile, mi sento di affermare, se si prendesse esempio da famiglie come quelle dei nost... »

« Avvocato, non abbiamo tutta la giornata » lo fermò Bordelli.

« Mi scusi... »

« Le arringhe si fanno in tribunale. »

« Certo, certo... Volevo solo farle capire fino in fondo la volontà dei nostri clienti » disse l'avvocato, sedendosi e asciugandosi il sudore con un fazzoletto.

« Ho capito benissimo. »

« Bene, bene... » Gli avvocati sorridevano amichevolmente, con aria già più tranquilla, come se i loro sorrisi avessero il potere di intervenire sugli avvenimenti del mondo. Ci mancava solo che uno di loro girasse dietro il tavolo, desse una pacca sulla spalla a quel simpatico commissario e offrisse anche a lui qualche milione... E chissà se prima della fine della mattinata non avrebbero giocato davvero quella carta, convinti che con il denaro si potesse ottenere qualsiasi cosa... *Eh sì, il commissario era stato un po' burlone, li aveva spaventati per alzare la posta, ma alla fine anche a lui facevano gola i soldi, non c'era nulla che non si potesse comprare, dall'inizio dei tempi il mondo era in mano ai ricchi, non c'era nemmeno bisogno di dirlo...*

« Ho capito più che bene » mormorò Bordelli, tamburellando con le dita sul tavolo. Recitava la parte dell'indeciso. Forse era un po' sadico a suscitare l'illusione che avrebbe potuto accettare, ma guardava le facce dei ragazzi, quelle degli avvocati che li difendevano, le metteva accanto ai visi scavati e sofferenti dei genitori di Carmela Tataranni... Altro che sadico, stava facendo la cosa giusta.

I ragazzi si mordevano le labbra, sembrava che sentissero la salvezza avvicinarsi. Chissà, immaginò Bordelli per affondare nell'amarezza... forse pensavano già alle prossime feste in maschera, alla droga, alle donne, allo champagne.

Si alzò di nuovo e si mise a passeggiare su e giù come prima, a passi lenti e regolari, canticchiando tra i denti una canzone di Don Backy. In un momento del genere quel comportamento era davvero fuori luogo, ma lo faceva apposta per rendersi antipatico. A un tratto si fermò e si voltò verso i ragazzi.

« Chi è Goebbels? » chiese. Il ragazzo biondo gli lanciò un'occhiata e subito abbassò lo sguardo, gli altri tre guardarono il biondo. Tra gli avvocati si diffuse un preoccupato mormorio di stupore. Non sapevano nulla di quella faccenda, e prima di parlare volevano capirci qualcosa.

« Era solo... un gioco... » balbettò il biondo.

« E Heydrich? Chi era Heydrich? » continuò il commissario. Uno dei castani chinò il capo, come se un peso lo stesse schiacciando. E chissà se era consapevolezza, senso di colpa o magari soltanto paura.

« E voi due invece chi eravate? Himmler? Göring? Oppure Mengele... O magari Bormann... Frank... Hess... » Nessuno fiatava. Bordelli fermò con un gesto uno degli avvocati che stava per dire qualcosa, e continuò a camminare su e giù, piano piano, poi cominciò un discorsetto rivolto ai ragazzi.

«Voi avete studiato, siete stati educati nelle migliori scuole... Sapete bene chi erano Heydrich, Himmler, Göring, Goebbels e tutti gli altri... Sono sicuro che non ignorate cosa succedeva a Dachau... a Majdanek... Auschwitz... Mauthausen... Sobibór... Treblinka... Buchenwald... Avete certamente letto Primo Levi... Conoscete la storia del nazismo, del fascismo... la guerra mondiale... E allora mi domando: come vi viene in mente di vestirvi da nazisti? Di chi è stata l'idea?» Guardarono tutti il biondo, Goebbels. Aveva gli occhi verdi, era un bel ragazzo... Nel libretto del catechismo di quando Bordelli era bambino, il ragazzino biondo con gli occhi azzurri era buono e obbediva alla mamma, mentre il ragazzo cattivo aveva i capelli neri e ricci. Adesso invece in quella stanza c'era un bellissimo ragazzo biondo con gli occhi verdi, che giocava ai nazisti come i bambini a Carnevale con il costume da Zorro.

«Era solo un gioco...» disse ancora un altro dei ragazzi.

«Ci sono dei giochi che non si possono fare» disse il commissario.

«Sono ragazzate» disse uno degli avvocati, e tutti gli altri approvarono muovendo il capo su e giù.

«Una ragazzata davvero simpatica...» Di nuovo si mise a passeggiare, in silenzio.

«Sì, però...» cominciò il biondo, ma non trovò altre parole.

«Non so che altro dire» mormorò Bordelli, disgustato. Qualche secondo di silenzio, un silenzio assai agitato.

«Commissario, mi scusi...» azzardò uno degli avvocati.

«Prego» disse il commissario, senza voltarsi a guardarlo.

«Possiamo tornare alla proposta? Può dirci cosa ne pensa?»

«Già... la proposta... certo... molto interessante...»

«Sappiamo bene quanto per lei possa essere... impegnativo... aggiustare la faccenda, dico... ma possiamo anche pensare a questo lato del problema...»

«Cioè?» Ecco, ci stavano davvero arrivando... Dio mio, pensò Bordelli.

«Possiamo prevedere una sorta di... risarcimento, diciamo così... sarebbe più che giusto... non deve pensare a nulla di illegale... sarebbe solo un riconoscimento per la sua comprensione...»

«Risarcimento o riconoscimento?» chiese Bordelli, pacato. Erano ancora arroccati sulla Linea Caesar.

«Possiamo dargli il nome che vogliamo, l'importante è che... ci s'intenda.»

«Può spiegare più chiaramente di cosa si tratta?»

«Ecco, i nostri clienti ci hanno autorizzato a farle, come dire, un regalo... Sempre a fronte di una risoluzione, come dire?... vogliamo chiamarla amichevole?»

«Ora basta girare in tondo, venga al sodo.»

«Sì, certo... Ecco... Se i ragazzi tornano a casa indenni, oltre al risarcimento per la famiglia della rag... Mi scusi, di Carmela Tataranni... possiamo offrire anche a lei... cinque milioni.»

«Finalmente si è fatto capire, avvocato.»

«Cosa ne pensa, dunque?» chiese un altro avvocato. Bordelli era talmente incazzato che non riusciva nemmeno ad arrabbiarsi, come quando non si riesce a dormire perché si è troppo stanchi.

«Volete sapere cosa penso?»

«Siamo qui per questo...»

«Penso che questi quattro miserabili debbano essere processati... Penso che la condanna debba essere esemplare... Penso che meritino di restare in galera almeno fino alla soglia del prossimo millennio...» disse Bordelli, calmo. Gli avvocati si scambiarono sguardi infuocati, e nei loro occhi balenò una luce perfida, come se fosse arrivato il momento di giocare l'ultima carta, quella più pericolosa, ma forse anche la più efficace, il classico *tutto per tutto*. Erano arrivati alla Linea Gustav. Uno di loro scattò in piedi.

«Commissario, abbiamo provato con le buone maniere, ma vediamo che non vuole ascoltarci... Forse lei non ha ben capito con chi ha a che fare... Le famiglie di questi ragazzi, oltre a essere molto perbene, sono assai importanti, cioè molto potenti, se riesce a cogliere il senso di quello che sto dicendo.»

«Me lo spieghi meglio, sono sempre stato un po' duro di comprendonio.»

«Vedo che ha ancora voglia di scherzare, ma non vorrei essere in lei... Se i nostri clienti non arrivano a ottenere con le buone ciò che sarebbe giusto ottenere, dovrà vedersela con la loro indignazione e con tutto ciò che ne consegue.»

«Mi sta dicendo che rischio la carriera?»

«Lo ha detto lei, commissario...» disse un altro. I ragazzi si guardavano con l'aria di chi vorrebbe essere altrove per non doversi vergognare. Forse a questo punto stavano cominciando a capire che la faccenda si stava mettendo male, molto male.

«Non volete frugarvi nelle tasche per vedere se vi è rimasto un po' di coraggio?» disse Bordelli, schifato dalle allusioni degli avvocati... che in quel momento stavano pensando solo a una cosa: se fossero riusciti a far scampare la galera a quei figli di papà, avrebbero guadagnato un mucchio di soldi. Per distruggere il pelo che avevano sullo stomaco non sarebbe bastato il lanciafiamme.

«Se continua su questa strada il coraggio servirà a lei, commissario.»

«Non ce la fate proprio a parlare chiaro, vero?»

«E lei non vuole proprio saperne di essere ragionevole.» Come al solito dicevano una frase per uno, sembravano un Cerbero con quattro capocce.

«Abbiate il coraggio di dirmi cosa significa essere ragionevole, così potrò decidere cosa fare.»

«Commissario, ha capito benissimo... Se non lascia in pace questi ragazzi avrà delle noie grosse come una casa! Adesso sono stato sufficientemente chiaro?» Parlavano a bassa voce, ma il tono era quello di chi stava gridando.

«Finalmente la vostra minaccia è più comprensibile, grazie.»

«Non è una minaccia, è un suggerimento» disse un altro.

«Forse usiamo dizionari diversi... Comunque non preoccupatevi per me, non rischio nulla. Questo caso è l'ultimo della mia carriera, da domani sarò in pensione.»

«Vivaddio, questo è un motivo in più per essere meno rigido... Non le pare?»

«No, non mi pare.»

«Uomo avvertito...» disse l'ultimo che aveva parlato.

«Scusate un momento» disse Bordelli, e uscì dalla sala. Due minuti dopo la porta si riaprì, apparve il commissario insieme al questore.

«Vi presento il dottor Di Nunzio, il questore» disse Bordelli, e tutti si alzarono in piedi.

«Comodi» disse Di Nunzio, sedendosi. Tutti si rimisero a sedere, e il commissario uscì di nuovo. Nessuno parlava, gli avvocati cercavano di capire cosa stesse succedendo, i ragazzi erano sempre più impauriti. Bordelli tornò poco dopo, insieme a Piras. Regnava ancora un silenzio agitato. Il sardo posò sul tavolo il magnetofono Geloso che il Conte Alderigo, da morto, aveva «regalato» al commissario.

«Che significa?» disse uno degli avvocati, ma a scattare in piedi furono tutti e quattro.

«Silenzio...» ordinò il commissario con calma. Piras attaccò la spina della prolunga in una presa di corrente, e premette il tasto verde dell'Audizione...

«Se i ragazzi tornano a casa indenni, oltre al risarcimento per la famiglia della rag... Mi scusi, di Carmela Tatarani... possiamo offrire anche a lei... cinque milioni.»

Gli avvocati e i ragazzi sbiancarono...

«Finalmente si è fatto capire, avvocato.»

Gli avvocati balbettavano che era sleale! Una mostruosità!

«*Cosa ne pensa, dunque?*»
  «*Volete sapere cosa penso?*»
  «*Siamo qui per questo...*»
  «*Penso che questi quattro miserabili debbano essere processati...*»

«Non si può mica fare!»

«*Penso che la condanna debba essere esemplare...*»

«Dovevate avvertirci!»

«*Penso che meritino di restare in galera almeno fino alla soglia del prossimo millennio...*»

«È una vigliaccata!»
  «Denunceremo questo abuso all'autorità competente!»

«*Commissario, abbiamo provato con le buone maniere, ma vediamo che non vuole ascoltarci.,.*»

«Un vero schifo! Un vero schifo!»

«*Forse lei non ha ben capito con chi ha a che fare... Le famiglie di questi ragazzi, oltre a essere molto perbene, sono assai importanti, cioè molto potenti...*»

A un cenno del commissario, Piras premette il tasto STOP.

«Non immagina nemmeno a cosa sta andando incontro, commissario!» dicevano gli avvocati, sudando. A quel punto il questore si alzò e fece un gesto perentorio, e immediatamente calò il silenzio.

«Tentativo di corruzione e minacce nei confronti di un pubblico ufficiale, al fine di evitare una condanna a quattro imputati di reati gravi» disse.

«Eccellenza, le assicuro che con il commissario ci siamo capiti male...»

«Non è questo che intendevamo...»

«Lasciateci spiegare...» Si rendevano conto di essersi cacciati in un bel guaio, e dopo aver fatto istintivamente la voce grossa, mezzo secondo dopo erano diventati dei topolini spaventati.

«Le giuro, eccellenza...»

«Ne parlerete in tribunale» tagliò corto il questore.

«Non vorrà mica...»

«Ragazzi, dovete cercarvi altri avvocati, questi signori non possono più esercitare, verranno processati e saranno radiati dall'albo» disse Di Nunzio.

«Ma no!»

«Possiamo spiegarci!»

«Possiamo dimenticare tutto e ricominciare da capo?»

«Addio, signori» disse Di Nunzio, e se ne andò. Nella sala rimase un clima pesantissimo. Gli avvocati borbottavano, si agitavano, si alzavano, si sedevano... Tanto strepito per nulla, pensava il commissario. I giovanotti avevano capito che per loro si apriva un futuro disastroso, sembrava di vederli cadere a pezzi, respiravano male, erano sudati, le labbra trementi... Chissà se finalmente stavano riflettendo su quello che avevano fatto, o se erano soltanto spaventati, e magari amareggiati di non essere stati capaci di sfangarla. Piras guardava quei ragazzi dai lineamenti altezzosi, poco più giovani di lui, molto più alti e molto più ricchi di lui... e gli facevano pena. Bordelli si sentiva stanco, aveva solo voglia di andare a mangiare un boccone da Totò.

«Signori ex avvocati, vi invito a uscire immediatamente da

questa stanza... Piras, chiama una guardia e falli accompagnare fuori dalla questura.»

«Sì, dottore» disse il sardo, impassibile. Lo sguardo degli avvocati era torvo, sconfitto. Non esisteva più nessuna linea fortificata da difendere, avevano perso tutte le battaglie e anche la guerra. Uscirono mogi mogi dalla stanza, e chissà quante imprecazioni e anatemi sarebbero usciti dalle loro bocche. Ma a Bordelli non importava nulla. Rimasto solo con i ragazzi, li guardò a uno a uno negli occhi.

«Carmela poteva essere salvata» disse.

«Cosa?» disse Goebbels, sbalordito.

«Non ci credo...» aggiunse Heydrich, ansimando.

«Risulta dall'autopsia. Bastava farle bere molto caffè nero e aiutarla a camminare tenendola in piedi per le braccia, invece l'avete lasciata morire e vi siete sbarazzati del cadavere, gettandolo in quel fossato. Avete pensato solo a voi stessi, la morte di Carmela non vi toccava minimamente.»

«Non è così...»

«Eravamo sconvolti...»

«Il vostro comportamento parla per voi» disse il commissario.

«Non pensavamo che andasse a finire in quel modo...»

«Ormai è tardi, indietro non si può tornare. Oggi avete imparato che nella vita esistono le conseguenze, e che non sempre i vostri genitori possono salvarvi. Dovete farvi coraggio, vi aspettano anni difficili. Visto che vi piace giocare ai nazisti, facciamo che questa sia la vostra Norimberga. Ripeto la domanda che vi ho fatto all'inizio: firmate la confessione o preferite rischiare l'ergastolo? E guardate che non esagero. Per l'omicidio a mezzo di sostanze stupefacenti si può arrivare all'ergastolo.» Era bene ripeterlo... ergastolo...

« Molto bene » disse Di Nunzio, dando una scorsa alle confessioni firmate dei quattro ragazzi.

« Adesso viene il difficile » mormorò il commissario.

« Ci sono abituato. »

« Resterà da solo a parare il colpo, da domani il sottoscritto sarà in pensione. »

« Posso farcela. Non sono entrato in Pubblica Sicurezza per fare l'interesse di qualcuno. Se la Legge è davvero uguale per tutti lo si vede proprio in queste occasioni. E se le cose non dovessero andare come devono, presenterò le dimissioni per dedicarmi a scrivere le mie memorie, e magari addomesticherò qualche simpatico ragno. »

« Giocheremo a bocce insieme. »

« Quello è sicuro... Comunque ho anche io le mie conoscenze. Non ne ho mai avuto bisogno, ma all'occorrenza saprei usare le armi giuste... Primo fra tutti quell'Oronzo del ministro Reale, caro amico di famiglia » disse il questore. Bordelli era contento di vederlo così tranquillo, anche se gli dispiaceva non poter essere al suo fianco quando sarebbe scoppiata la bufera. Si alzò per andarsene e tese la mano al questore.

« In bocca al lupo, capo. »

« Viva il lupo... » disse Di Nunzio, stringendogli forte la mano.

« Ci saluteremo meglio domani. »

« Certo, certo... Oddio, con questa indagine di mezzo ho sempre dimenticato di portarle i ringraziamenti di mia sorella. Sembra che mio nipote stia ricominciando a studiare sul serio.»

«Ah, sono contento.»

«Mia sorella le farebbe un monumento.» Un paio di mesi prima Di Nunzio aveva chiesto al commissario un favore: fare due chiacchiere con suo nipote Lorenzo, un ragazzo di ventiquattro anni che aveva imboccato una strada pericolosa. Nulla di irreparabile, per il momento, e la politica non c'entrava niente, si trattava di una vita un po' dissennata, che alla lunga poteva avere conseguenze spiacevoli, come accadeva a molti giovani, soprattutto in quel periodo burrascoso. Bordelli era riuscito a parlare con Lorenzo, che tra l'altro gli aveva fatto una buona impressione. Era venuta fuori una sorta di paternale piuttosto amichevole, per certi versi anche divertente, ma non era pensabile che potesse aver sortito chissà quale effetto.

«Non può essere merito mio» disse, sincero.

«Perché no?»

«Di certo la decisione era già nell'aria.»

«Chi può dirlo?»

«Se fossi stato io a convincerlo, lo farei di mestiere e guadagnerei un sacco di soldi» disse Bordelli, sorridendo.

«Fatto sta che un po' di tempo dopo la sua ramanzina...»

«Forse per puro caso sono riuscito a dirgli la frasetta giusta al momento giusto, ma nessuno può cambiare le persone. Al massimo avrò funzionato da catalizzatore.»

«Dio solo sa come sono andate le cose, ma quel che conta è che forse quel benedetto ragazzo si è rimesso in carreggiata.»

«Sono davvero contento.»

«Ah, dimenticavo un'altra cosa. Per decisione unanime dei vertici della Polizia di Stato lei è stato promosso questore vicario fino al giorno della pensione.»

«Perbacco...» disse stupito il commissario, cioè l'ex commissario, cioè il questore vicario Franco Bordelli.

«Non pensi che sia solo una inutile onorificenza, la pensione di un questore vicario è più alta di quella di un commissario capo.»

«Non ci avevo pensato.»

«Un piccolo riconoscimento tardivo per il suo impegno.»

«Grazie, capo. Festeggerò con una bella bottiglia di champagne.»

«A domani, Bordelli.»

«Adesso che siamo quasi pari grado, dovrà venire a cena a casa mia.»

«Più che volentieri.»

«Ci sono però due antiche leggi consuetudinarie da rispettare.»

«Sempre più interessante...» disse il questore, curioso.

«Gli invitati sono solo uomini, e alla fine della cena ognuno racconta una storia.»

«Mi consideri dei vostri, ma anche io le chiedo di rispettare una mia volontà.»

«Prego...»

«Non deve dire a nessuno chi sono.»

«Glielo chiederanno.»

«Possiamo dire che sono... Mi lasci pensare... Sì, un professore di italiano delle scuole medie.»

«Va bene... Ma avevo anche una mezza idea di invitare Mugnai, la guardia che sta all'ingresso.»

«Lo avvertiremo.»

«Affare fatto» disse il comm... il questore vicario.

«Passi una buona giornata, signor questore» disse Di Nunzio.

«Anche lei, capo.» Uscì sorridendo, e appena tornò in ufficio chiamò la questura di Bologna. Si presentò e chiese del commissario De Luca. Dovette aspettare diversi minuti, poi sentì la sua voce.

«Ciao Bordelli...»

«Ciao, volevo ringraziarti per il pranzo.»

«Figurati... Allora? Come procede il caso della modella?»

«Abbiamo arrestato quattro ragazzi...» Gli raccontò in breve com'erano andate le cose, dicendogli anche in quali famiglie erano nati e cresciuti i ragazzi.

«Aspettatevi di tutto» disse De Luca.

«Siamo preparati, ma io domattina vado in pensione.»

«Il tuo ultimo caso...»

«Eh già... Grazie ancora per tutto. Se passi da Firenze fammi un fischio, ti porto a pranzo.»

«Grazie Bordelli, buona pensione.»

«Ciao...»

«Ciao...»

A questo punto poteva andare a mangiare qualcosa da Totò. Sarebbe stato il suo ultimo pranzo da sbirro in servizio. Eh sì, avrebbe passato tutto il giorno a ripetere questa litania... *Il mio ultimo caffè da sbirro, la mia ultima coda sui viali da sbirro, la mia ultima cena da sbirro, la mia ultima grappa, la mia ultima dormita, la mia ultima fetta di pane...*

Non disse nulla a Totò della pensione, glielo avrebbe detto nei giorni seguenti. Mangiò un bel piatto di lasagne, l'ultimo da sbirro, e dopo pranzo fece come al solito una lunga passeggiata là intorno, l'ultima da sbirro.

Quando tornò in ufficio, si armò di pazienza e mise le sue cianfrusaglie nella scatola di cartone che si era procurato. La sistemò in un angolo della stanza, l'avrebbe presa il giorno dopo. Non sapeva più cosa fare, in ufficio. Scese in cortile, passò una mezz'ora con Mugnai a divertirsi con le parole crociate, poi montò sul Maggiolino e se ne andò. Sentiva ancora in bocca l'amaro dell'interrogatorio di quella mattina. Certo, era contento di aver reso giustizia a Carmela, ma era comunque triste pensare che quattro ragazzi nati con la camicia sarebbero finiti in galera per la loro inaccettabile condotta. Fin dall'inizio della sua carriera, ogni volta che arrestava un assassino provava sentimenti contrastanti: soddisfazione e tristezza.

Stava guidando verso casa intriso di malinconia, ma all'altezza della ex Casa della GIL cambiò idea. Tornò indietro e imboccò viale Mazzini. Costeggiò la ferrovia, scavalcò il Ponte del Pino, voltò in viale dei Mille, parcheggiò vicino al negozio di vestiti dove lavorava Eleonora. Prima di quel giorno non era mai andato a disturbarla al lavoro. Rimase sul marciapiedi a spiarla dalla vetrina, fino a quando una cliente molto esigente ma spendacciona non se ne andò carica di pacchi. Entrò, e appena Eleonora lo vide le sfuggì un sorriso stupito.

« Ehi, che succede? È scoppiata la terza guerra mondiale? » disse, passandogli un dito sulla guancia.

« Nulla... »

« Non posso baciarti, sono in servizio... » disse lei, sorridendo.

« Non mi azzarderei. »

« Dai, dimmi che succede? »

« Passavo di qua... »

« Bugiardo. »

« Be', da domani sarò ufficialmente in pensione » disse Bordelli, con un sospiro.

« Vuoi un rasoio per tagliarti le vene? » disse lei, ridendo.

« Mi ci devo abituare, tutto qua. »

« Intanto, se stasera non hai nulla da fare ti invito a cena. »

« Non ho nulla da fare... Anzi, devo dirti anche una cosa. »

« Bella o brutta? »

« Se ti rispondo, la sorpresa va a farsi benedire. »

« Hai ragione, vecchio saggio della montagna... Otto e mezzo a San Miniato? »

« Agli ordini, capo. »

« Scemo... » sussurrò lei. Era entrata una signora con accanto una copia di se stessa più giovane: mamma e figlia. Bordelli fece un ultimo cenno di saluto e uscì dal negozio. La malinconia non se n'era andata, però era stata affiancata da una certa contentezza.

A casa trovò Blisk che dormiva. Ci mancò poco che dicesse anche a lui e a Geremia che quello era il suo ultimo giorno da sbirro. Preparò la zuppa per l'orso bianco, poi andò a darsi una sistemata per la cena con Eleonora.

Quando stava per uscire squillò il telefono, e come al solito il suo ottimismo gli fece pensare che fosse Eleonora... per dirgli che aveva cambiato idea, anche se non era mai successo.

« Pronto? »

« La disturbo, commissario? » Invece era Dante.

« Si figuri... »

« Ho letto le poesie che mi aveva lasciato lunedì, e le ho trovate bellissime... Adesso può dirmi di chi sono? »

« Le confesserò che sono di mia mamma. »

« Complimenti a sua madre, allora. »

« Pensi che non sapevo nulla, le ho trovate qualche anno fa per caso in una scatola di fotografie. »

« Una bella sorpresa... Cos'è che vorrebbe farne? »

« Non so, pensavo di portarle a stampare in una tipografia e di regalarle agli amici... Lei cosa ne pensa? »

« Ah no, fossi in lei mi darei da fare per cercare un vero editore » disse Dante.

« Davvero? Non ci avevo pensato. »

« Non hanno valore solo per suo figlio, si meriterebbero di entrare in libreria. »

« Sono sbalordito... A me piacciono molto, ma credevo di essere di parte. »

« Le suggerisco di sentire Salvecchi. »

« Addirittura... »

«Perché no.»

«Non le sembra un editore un po' troppo... importante?»

«È una casa editrice prestigiosa, è vero, molto attenta a cosa sceglie, ma per certi versi è ancora artigianale, proprio quello che ci vuole.»

«Ci proverò, ma non so se sperarci.»

«Possiamo scommettere, se vuole.»

«Una bottiglia di vino?»

«Affare fatto...» disse Dante.

«Senta... Avrebbe in mente anche un titolo?»

«Mi ci faccia pensare... Be', forse potrebbe essere... *Respiri e sospiri...* Cosa ne pensa?»

«Molto bello, grazie.»

«Mi saluti sua mamma, quando la sognerà.»

«Non mancherò. A presto.» Riattaccarono. Bordelli era davvero contento dell'apprezzamento di Dante. Fece una carezza a Blisk, montò sul Maggiolino e si avviò con calma verso Firenze, sotto un cielo nero ingentilito da uno spicchio di luna. La malinconia e la contentezza stavano ancora camminando mano nella mano come due amiche, ma alle loro spalle era apparsa la timida e piacevole speranza di riuscire a pubblicare le poesie di sua mamma addirittura con Salvecchi.

Forse per una strana associazione di idee, cominciò a scrivere mentalmente una lettera:

Gentile Alba,
  sono un funzionario di Pubblica Sicurezza in pensione, sto leggendo i suoi libri, che stanno aprendo in me delle inaspettate voragini. È difficile spiegare chiaramente cosa provo leggendo le sue pagine, ma è come se lei riuscisse a toccare dentro di me qualcosa di profondamente mio, come solo i grandi scrittori sanno fare. Sono convinto che riceverà molte lettere come questa, ma voglio illudermi che prenderà ugualmente in considerazione una mia sconsiderata richiesta...

Eh no, *considerazione* e *sconsiderata* non potevano stare così vicine...

...ma voglio illudermi che prenderà ugualmente in considerazione una mia spudorata richiesta: mi piacerebbe conoscerla, stringerle la mano, guardarla negli occhi, scambiare con lei qualche parola, per la umana curiosità di incontrare la donna che riesce a commuovermi così tanto con la sua letteratura. Se è vero, come mi hanno detto, che lei adesso abita a Parigi, e se lei volesse accordarmi questo privilegio, prenderò un treno e verrò a trovarla. Spero comunque di non averla importunata.

Suo devoto
Franco Bordelli

Scosse il capo, e provò a scriverne una più corta e meno formale:

Cara Alba,
    mi consenta di chiamarla così, perché i suoi romanzi e i suoi racconti mi hanno dato l'illusione di conoscerla davvero. Mi presento: sono un funzionario di Pubblica Sicurezza in pensione, e mi piacerebbe incontrarla. Se volesse rendere possibile questa mia sconsiderata richiesta verrò volentieri a trovarla, ovunque lei viva. La sua scrittura ha significato per me la scoperta di nuove profondità umane, un'esplorazione delle zone più oscure e nascoste del mio animo, un viaggio alla conoscenza di me stesso.

Un saluto da Firenze
Franco Bordelli

Così andava meglio. L'avrebbe spedita all'editore Mondadori. Non è che sperava davvero in una risposta, ma voleva comunque provarci. Era la prima volta che faceva una cosa del genere. Era curioso di conoscerla, di guardarla negli occhi, di sentire la sua voce...

Quella sera Eleonora si era vestita sexy, anche se in verità lo era sempre, anche in jeans e maglietta. Ma si vedeva che aveva voglia di giocare, di passare una serata divertente. Una camicetta con disegni psichedelici, una gonna bianca e corta che faceva girare gli uomini per la strada, scarpine nere di vernice, non altissime ma con il tacco a spillo.

Avevano parcheggiato in centro, e mentre camminavano verso il ristorante Bordelli si mise a canticchiare una canzone. Lei lo guardò.

«Cosa canti?»

«Nicola Di Bari, quella di Sanremo.»

«Ah, la dedichi a me?»

«Sì, ma devo cambiare alcune parole.»

«Cioè?»

«Non posso dire... *La prima cosa bella che ho avuto dalla vita... sei tu*. Sarei un bugiardo. *Una delle cose più belle che ho avuto dalla vita sei tu*, così va bene.»

«Non piacerebbe nemmeno a me essere la prima cosa bella, altrimenti sarei in cima a una montagna di delusioni.»

«Giusto.»

«Preferisco essere la principessa fra le principesse, la favorita.»

«Interessante...»

«Non sto parlando di un harem... Dico lungo il corso del tempo.»

«Peccato» disse lui, sorridendo.

«Comunque, adesso che sei in pensione dovremo affrontare un bel problema.»

347

« Quale? »

« *Chi non lavora non fa l'amore...* dice Celentano. »

« Ma non hai sentito la nuova versione? Subito dopo dice... *Chi va in pensioooneeee, inveceeee lo faaaa.* »

« Scemo... Ecco, siamo arrivati. »

« Scherzi? »

« No no... » Eleonora aveva prenotato in un bel ristorante, molto caro. Entrarono. Lei aveva chiesto un tavolino appartato, per non rischiare di avere accanto un fumatore. Prima che Bordelli potesse fiatare ordinò una bottiglia di ottimo champagne. Lui dilatò gli occhi, e aspettò che il cameriere se ne fosse andato.

« Sei pazza? Costa un occhio... »

« Il portafogli è mio e me lo gestisco io, caro il mio taccagno. »

« Non penserai mica di offrire tu, cara la mia femminista. »

« Basta, non ne posso più dei matusa » disse lei sorridendo.

« Macché matusa... »

« E poi te l'ho detto, non sono femminista. »

« Ma da che mondo è mondo, l'uomo... »

« Dai rassegnati, le donne sono cambiate... anche a letto. »

« Shhh, parla piano. »

« Ti vergogni di me? » disse lei. Aveva proprio voglia di stuzzicarlo. Arrivò lo champagne, e Bordelli disse al cameriere che preferiva stapparlo e servirlo da solo.

« Come desidera, signore. » Bordelli fece saltare il tappo e riempì i calici, e prima che li facessero toccare lei gli mostrò la lingua.

« A cosa brindiamo, vecchio saggio? »

« Per questa ultima notte in servizio sono stato promosso questore vicario... So che la notizia ti riempie di incontenibile gioia, ma la vera notizia è che avrò una pensione più alta. »

« Questa sì che è una notizia *da brindare.* » I calici produssero un bellissimo tiiin, e bevvero un sorso.

« Be', vale i soldi che costa » disse l'ex commissario.

« Bene, sono pronta. »

« Per cosa? »

« Per quello che devi dirmi... »

« Ah, è vero. »

« Dunque? »

« Dunque... Sono stato a trovare Amalia... »

« Ricordami chi è. »

« La fattucchiera... Sai, quella della profezia... »

« Ah sì... Ci sei andato davvero? »

« Certo. »

« Dai, sputa il rospo. »

« Dio mio, queste sono frasi da maschi. »

« Oooh, perdonatemi principe De' Bordellis... Penso che abbiate in bocca un nobilissimo rospo, e se lo sputate sono sicura che vi sentirete assai meglio... Così va bene? »

« Te lo sputerò direttamente nel piatto. »

« Da bambina, prima degli ormoni, giocavo con i maschi e picchiavo le femmine » disse lei.

« In effetti ti ci vedo. »

« Dai, dimmi che ti ha detto. »

« Be', ha confermato che la donna della mia vita è una straniera... una bellissima francese... »

« Vedi che ho ragione io? Quando giocavo da bambina mi chiamavo Brigitte... Le hai anche chiesto di che sesso sono i suoi due figli? »

« Ovviamente... »

« Aspetta! Te lo scrivo su un foglietto, così saprai che non ho mentito » disse Eleonora. Tirò fuori dalla borsetta una penna e un vecchio biglietto del cinema, e ci scrisse sopra la risposta.

« Sei pronta? » chiese Bordelli.

« Pronta... La risposta la metto qua. » Alzò la saliera e ci infilò sotto il biglietto del cinema, piegato in due.

« Una femmina e un maschio. »

« Leggi cosa ho scritto » disse lei, soddisfatta. Guardandola si capiva già, ma Bordelli prese il biglietto del cinema, lesse... *Un bambino e una bambina...* Gli venne da sorridere.

« Alla fattucchiera ho anche chiesto se era possibile che i tarocchi scambiassero una ricca straniera divorziata con due figli, con una ragazza che da bambina fingeva di essere una ricca straniera divorziata con due figli. »

« E poi dici di non credere alle carte... » disse lei, ridendo.

« Era solo per scrupolo. »

« E insomma, che ti ha detto? »

« Be', mi ha detto che in effetti, quando mi leggeva i tarocchi su questo argomento, c'era sempre una carta che rappresentava una sorta di confusione, di ambiguità, e ogni volta lei l'aveva interpretata come una strada difficile per arrivare a consolidare quella storia d'amore. Ma adesso che le dicevo così, capiva che quasi certamente i tarocchi avevano percepito una... Com'è che ha detto? Una verità non del tutto vera... Sì, credo che abbia detto così. »

« Bene, come vedi la donna della tua vita sono io » disse Eleonora, allungando la mano verso lo champagne, ma lui la bloccò.

« Questo no, ti prego » disse. Riempì di nuovo i calici, anche se non erano ancora vuoti.

« Cavaliere a tutti i costi... » disse Eleonora.

« Che film hai visto al Gambrinus? » chiese Bordelli, sbirciando il biglietto del cinema.

« Guarda che non puoi più fare lo sbirro, sei in pensione. » Com'era bella, quando sorrideva. Sembrava che un raggio di sole entrasse nella stanza, anche di notte.

« Volevo solo sapere se ti è piaciuto, così vado a vederlo anch'io. »

« *Un uomo chiamato Cavallo*. Bellissimo, finalmente un film dove i pellerossa non sono dei selvaggi cattivi... Però in una scena ho dovuto tapparmi gli occhi. »

« Non mi dire nulla. »

« Non ti dico nemmeno con chi ci sono andata. »

«Io ci vado con un'amica» disse Bordelli.

«Fai quello che vuoi, tanto sei mio.»

«Con chi ci sei andata?» chiese Bordelli, ma solo per giocare.

«Con mio padre, pensa un po'.»

«Farò controllare dai Servizi Segreti.»

«Non divagare, adesso hai avuto la prova che cercavi... Ti ha detto anche quando ci sposiamo?»

«Ah, ci sposiamo?»

«Non te l'hanno ancora detto?» disse lei, alzando il calice di champagne. Bordelli alzò il suo, e i bordi dei due bicchieri si toccarono un'altra volta facendo lo stesso delicato... tiiin!

«Non so se ti conviene sposarmi, lo dico per te.»

«Perché no? Lo sai che lo faccio per l'eredità.»

«Ah, allora fai bene. Diventerai immensamente ricca... Una casa di contadini, cento olivi, tre stanze a San Frediano, un vecchio Maggiolino e qualche spicciolo in banca.»

«Mica male...»

«Potrai vivere di rendita e fare il giro del mondo con un bel ragazzo della tua età.»

«Se volessi un bel ragazzo della mia età potrei averlo anche adesso.»

«E allora che aspetti?»

«Che ci posso fare se preferisco un uomo vecchio e brutto?»

«Forse hai un disturbo mentale» disse lui.

«Be', i tarocchi parlano chiaro... Allora? Quando ci sposiamo?»

«Prima devo chiedere l'approvazione di mia madre» disse Bordelli, avvolgendo con la sua la mano calda di Eleonora.

La mattina dopo alle otto Bordelli era ancora a letto, con le persiane chiuse. Eleonora se n'era andata presto, portandosi via il suo odore di donna e il calore che li aveva accompagnati per tutta la notte. Nel dormiveglia l'aveva sentita scendere dal letto, e si ricordava del bacio sulla bocca che lei gli aveva dato.

« Attenta al rospo... » aveva mormorato.

« Stanotte è stata la tua ultima scopata da sbirro » aveva sussurrato Eleonora, poi era sparita oltre la porta come una fata. Allora anche lei giocava con quella faccenda dell'ultima volta.

Bordelli non aveva voglia di svegliarsi, non voleva che il tempo continuasse a scorrere... Teneva il capo sotto il cuscino e si addentrava nella nebbiosa foresta dei ricordi... Vedeva il sole estivo di quando era bambino, al mare... Sua madre che dormiva sul letto con il libro abbandonato sul cuscino, accanto al viso... Il baccano piacevolmente ipnotico delle cicale nelle pinete... L'effetto per lui magico delle immagini distorte e ribaltate dei passanti abbagliati dal sole, che attraversando le stecche delle persiane si riflettevano sul soffitto della sua cameretta, e addirittura si distinguevano i colori dei vestiti... Vedeva le vecchie zie di suo padre, che passavano intere mattinate sulla spiaggia vestite come per andare a Messa... Suo padre che si affaccendava per cucinare il pesce che aveva appena comprato al mercato... Vedeva le navi all'orizzonte, le biciclette sul lungomare, le grandi pinete dove alti pini ritorti combattevano contro il vento marino e il salmastro, i giardini ombrosi che sembravano separati dal resto del mondo... E dopo un secondo si era ritrovato adulto, prima nello studio di un avvocato, dove sapeva che non sarebbe rimasto a lungo, e dopo in questura, a mettere il sale sulla coda agli assassini, a osservare i cadaveri di morti ammazzati nei modi più diversi... Cosa poteva fare, se non piegare il capo davanti al destino? Doveva svegliarsi, doveva uscire di casa, vedere il cielo, le nuvole... doveva andare a prendere la scatola di cartone nel suo ufficio...

Alle nove e mezzo riuscì finalmente a scendere dal letto, pensando che gli sarebbe piaciuto vedere Eleonora anche quella sera, per passare con lei la prima notte da pensionato.

E insomma il giorno era arrivato. Sarebbe entrato per l'ultima volta nel suo ufficio. E anche se in futuro ci fosse entrato di nuovo, non sarebbe stata la stessa cosa. Scese a preparare il caffè, e non vedere Blisk sdraiato nel suo angolo lo fece sentire solo. Si avvicinò alla credenza e rimase a osservare Geremia, pensando che un tempo dentro a quel cranio aveva dimorato la coscienza umana, il pensiero, la memoria, la speranza... Adesso sotto il teschio c'erano le poesie di quello strano ragazzo che si faceva chiamare Malasorte. Nei giorni seguenti le avrebbe rilette, ma non in quel momento. E una sera sarebbe andato di nuovo a cena in quella accogliente locanda di Panzano, sperando di incontrare il giovane poeta...

Il gorgoglio della Moka lo riportò ai fornelli. Bevve il caffè con calma, si vestì, poi decise di sistemare i regali di compleanno dei suoi amici. Il bellissimo coltello di Piras lo mise sopra una mensola accanto alla porta, lo avrebbe preso ogni volta che andava a camminare nel bosco. La penna rossa di Rodrigo la mise nel cassetto della credenza. La ciotola per Blisk l'aveva già collaudata. Il dipinto a olio del Botta era davvero notevole, e lo attaccò a sinistra del camino, così poteva guardarlo quando leggeva davanti al fuoco. Provò la calcolatrice elettronica, e per un quarto d'ora si divertì come un ragazzino, moltiplicando e dividendo cifre immense, poi la mise insieme alla penna rossa, per tenerla a portata di mano. Restava l'adesivo di Diotivede, lo sfilò dalla busta... *Le Macabre Bobò*... chissà cosa diavolo voleva dire. Sollevò l'adesivo in direzione del suo compare Geremia e si mise a canticchiare.

«Non esseree gelooosoo, se con gli altri ballo il twist...»

«Sei troppo allegro, ex commissario» disse il teschio.

«Faccio finta.»

«Povero cocco.»

«Sto solo cercando di non pensare che oggi sarà l'ultima volta che entrerò nel mio ufficio.»

«Non è più il tuo ufficio.»

«Ti ringrazio di averlo puntualizzato.»

«Suvvia, non fare il bambino.»

«Lasciamo stare... Parliamo di cose serie, che cavolo vuol dire *Le Macabre Bobò*? Ehi, mi senti? Geremia, sei sordo?» Niente, faceva finta di nulla. Bordelli lo salutò con un cenno e uscì nell'aia, sotto un bellissimo sole di primavera. Attaccò l'adesivo di Diotivede al Maggiolino, sopra il cupolino della luce della targa. Ci stava proprio bene, quel teschio... *Le Macabre Bobò*, prima o poi qualcuno gli avrebbe spiegato cosa volevano dire quelle parole.

Salì in macchina e partì verso Firenze. Dopo una notte con Eleonora, affrontare la fine del suo lavoro sarebbe stato meno doloroso. Anche se aveva l'impressione di essere imbarcato su una nave con il mare forza otto. E poi gli succedeva una cosa strana. Se ripensava all'interrogatorio dei quattro figli di papà, avvenuto soltanto ventiquattro ore prima, aveva la sensazione che fossero passati molti anni, come se ormai fosse un vecchio ricordo di «quando era ancora in servizio». Continuava a dimenarsi in quei pensieri sulla pensione come un pesce finito nella rete, ma un po' si conosceva, e sapeva che se non avesse assecondato quella piccola ossessione sarebbe stato peggio...

Prima di andare in questura passò da San Frediano, e parcheggiò in piazza Tasso. Aveva in tasca la busta con i soldi che aveva trovato in casa di Carmela. I Tataranni avrebbero avuto di certo un bel risarcimento, non valeva la pena di ferirli con quei soldi.

Andò a piedi in via del Drago D'oro e s'infilò nel portone della Casa Famiglia di don Cuba. Lo trovò che stava uscendo di corsa per andare al carcere delle Murate, dai «suoi» detenuti.

«Caro Franco, te li arresti e li metti in carcere, io cerco di farli diventare un po' migliori di quando sono entrati.»

«Ognuno fa quel che può» disse Bordelli, tirando fuori la busta.

«Non dirmi che mi hai portato altro sterco del diavolo...» disse don Cuba.

«Hai indovinato.» Gli passò il denaro. Il prete contò le banconote e fece un fischio di soddisfazione.

«In nome di chi hai fatto la rapina, questa volta?»

«In nome tuo...» disse Bordelli.

«Aspetta un attimo, fammi sentire se abbiamo l'approvazione del Tribunale Celeste» disse don Cuba. Chiuse gli occhi, alzò le mani al Cielo e borbottò qualcosa.

«Cos'è che dici?»

«Approvato, approvato, tutto a posto.»

«Vedi che faccio le cose come si deve?»

«Senti un po', vecchio sbirro... Ma non dovevi essere già in pensione?»

«Ho avuto una proroga, ma da oggi sono un vero ex.»

«Ricordati la sfida in bicicletta. Ciao Franco, ti voglio bene... Scappo dai miei detenuti.»

«Ma non è un po' troppo da comunisti chiamarsi don Cuba?»

«Lo so, lo so, ho già scritto a Fidel per dirgli che deve cambiare il nome della sua isoletta.»

«Oppure potresti cambiare te il nome... Che ne dici di don Beccaria?»

«Ci penserò, vecchio sbirro» disse don Cuba, correndo via con il malloppo.

Quando Bordelli arrivò in questura passò dall'ufficio a prendere la pistola da restituire. Andò a bussare alla porta del dottor Di Nunzio per un saluto, come avrebbe fatto alla fine di una festa con il padrone di casa. Il questore lo accolse come un caro amico, si scusò e fece una breve telefonata. Quando Bordelli depositò sul tavolo la tessera e la pistola, Di Nunzio alzò una mano aperta.

«Può portarsele via, nessuno verrà a cercarle... Le tenga per ricordo.»

«Davvero si può fare?»

«Ovviamente no, ma va bene lo stesso. Sono in buone mani.»

«Senta, a questo punto potrei prendere anche... una paletta della Stradale?»

«Faccia come vuole, ma io non ho visto nulla» disse Di Nunzio sorridendo, mettendosi le mani sugli occhi.

«Be', grazie...» disse Bordelli. Dopo qualche minuto di chiacchiere tranquille, il questore si alzò e gli chiese di seguirlo. Corridoi, scale... Bordelli si stupì di vedere Di Nunzio aprire la porta della sala riunioni, dove la mattina precedente erano stati interrogati i quattro ragazzi... Ma adesso la sala era piena di gente, c'era più o meno tutta la questura, riunita per salutarlo. Sul tavolo erano allineate diverse bottiglie di spumante e una bella quantità di calici, non bicchieri di plastica. Al momento dell'applauso, ci mancò poco che Bordelli si mettesse a piangere. Erano davvero in tanti, compresi Piras, Mugnai, Rinaldi, Tapinassi... e c'era anche Porcinai, l'archivista, che non vedeva da un pezzo e che trovò finalmente dimagrito.

«Come hai fatto a perdere peso, Porcinai?»

«Volontà, commissario.»

«Il tuo lavoro è invisibile ma fondamentale, Porcinai. È come quello dei macchinisti del teatro... Non si vedono, ma senza di loro non ci sarebbe lo spettacolo.»

«Grazie, commissario.»

«Rinaldi e Tapinassi, siete stati due importanti pilastri di molte indagini, insieme abbiamo condiviso momenti difficili e soddisfazioni.»

«È stato bello, commissario.»

«Mugnai, se un bel giorno troverai un cinque verticale che dice, otto lettere... *Il commissario più bello della storia della Pubblica Sicurezza...* Saprai cosa scrivere?»

«Chi lo sa, commissario» disse Mugnai, commosso.

«Piras, quando avrai il doppio degli anni che hai adesso sarai già questore, e sono sicuro che seguirai le orme del dottor Di Nunzio... Che ringrazio, perché mi ha fatto capire che non tutti i questori sono uguali.»

«Alcuni sono addirittura peggiori» disse il questore, e tutti risero. Venne stappato lo spumante, e a stomaco vuoto già il primo bicchiere fece inebriare l'intera questura. Era stata una bella e piacevole sorpresa. Bordelli volle stringere la mano a tutti i presenti, uno dopo l'altro.

«Torni a trovarci, commissario.»

«Ma lo faccia davvero, commissario.»

«Sarà sempre il benvenuto, commissario.»

«Ancora per cinque minuti sono questore vicario... Chiamatemi eccellenza» disse Bordelli. A poco a poco ognuno tornò al proprio posto di lavoro, e l'ultima stretta di mano fu con Di Nunzio.

«A presto, Bordelli.»

«A presto, capo.»

«Non si scordi la paletta...»

«Ah, grazie.» L'ex commissario, e quasi ex questore vicario, passò dal suo ex ufficio, salutò l'Annunciazione, che in quei mesi aveva esplorato in lungo e in largo con lo sguardo, prese la scatola di cartone, si fermò un attimo sulla soglia per un'ultima occhiata, poi chiuse la porta e si avviò lungo il corridoio. S'infilò in un ufficio vuoto, frugò nei cassetti fino a che non trovò una paletta della Stradale, e la mise nella scatola. Scese nel cortile con un labbro fra i denti. Stava per salire sul Maggiolino quando vide sbucare Piras, e lo aspettò accanto alla portiera aperta. Il sardo si avvicinò, senza dire nulla gli strinse forte la mano, guardandolo con aria significativa, poi se ne andò e sparì dentro il portone.

Passando davanti alla guardiola Bordelli alzò una mano per un ultimo saluto a Mugnai, che ricambiò agitando tutte e due le mani. Appena uscì nella strada, si sentì come se alle sue spalle avessero alzato il ponte levatoio di un castello. Arrivò in piazza San Gallo, voltò a destra e imboccò viale Matteotti. Quel giorno non se la sentiva di andare a pranzo nella cucina di Totò. Avrebbe mangiato a casa da solo, immerso nel silenzio della campagna, e forse nel pomeriggio avrebbe finalmente cominciato a leggere l'ultimo libro di Alba che gli restava... *Dalla parte di lei...* Un titolo semplice, che però gli sembrava bellissimo, non sapeva nemmeno lui come mai.

L'ex commissario Franco Bordelli avanzava sul viale che percorreva ogni giorno, seduto sul Maggiolino che guidava da anni, era diretto all'Impruneta, nella casa dove viveva dal '67, ed era uscito da poco dal palazzo della questura dove aveva lavorato per ventitré anni... Ma l'idea di non essere più un commissario capo in servizio, bensì un questore vicario in pensione, cambiava ogni cosa. Il viale gli sembrava una strada che conduceva verso l'ignoto, il Maggiolino somigliava al Nautilus di Verne, la casa dove era diretto era un castello sconosciuto, e il suo ufficio con l'affresco dell'Annunciazione un ricordo lontanissimo.

Imboccò l'Imprunetana di Pozzolatico, pensando che sul sedile posteriore aveva una scatola di cartone con dentro un quarto di secolo del suo passato di sbirro... e adesso?

In ordine sparso ringrazio...

Enneli Haukilahti, per la caccia ai refusi (che si nascondono) e non solo
Maria Cavaciocchi Beconi, per una delle storie della cena
Armando Nanei, che mi ha presentato... Achille Di Nunzio
Carlo Lucarelli, per avermi prestato il commissario Achille De Luca
Marcello Vichi, per una delle storie della cena
Franco Antamoro de Céspedes, per la gentile concessione all'utilizzo di un brano di sua madre Alba
Mario Ruffini, per avermi chiarito una volta per tutte cosa diavolo sia, in musica, la Fuga
Antonio Frazzi, per la storia di suo nonno
Matteo Bortolotti, per informazioni preziose su Bologna
Sergio Tinti, per la consueta consulenza poliziottesca
Piergiorgio Di Cara, per la consulenza sulle intercettazioni
Carlo Pizzoni, per la consulenza medica e farmaceutica
Francesco Asso, per le parole crociate
Mattia e Manfredi Burgio, per la consulenza legale
Leonardo Romanelli, per utili informazioni sullo champagne
Stefano Cilio, per le canzoni dell'epoca

Il colonnello Bruno Arcieri, che ormai da molto tempo compare nei romanzi del commissario Bordelli, è un personaggio creato da Leonardo Gori, protagonista di una serie di romanzi – cominciata con *Nero di maggio* (2000) – attualmente in corso di pubblicazione presso la casa editrice TEA

La citazione a pagina 83 è l'incipit di *È stato così*, romanzo di Natalia Ginzburg edito da Einaudi

MARCO VICHI
UN CASO MALEDETTO

Gennaio 1970. Il commissario Bordelli in aprile andrà in pensione, dopo quasi un quarto di secolo in Pubblica Sicurezza, e ancora non sa cosa aspettarsi, non riesce a immaginare come accoglierà questo totale cambiamento. Ma per adesso è in servizio, e il tempo per riflettere e farsi troppe domande non c'è: in una via del centro di Firenze avviene un omicidio brutale. Sarà proprio quel crimine odioso il suo ultimo caso? Ma soprattutto, riuscirà a risolverlo? Lui e il giovane Piras, che nel frattempo è diventato vice commissario, lavorano a stretto contatto, spinti come ogni volta dal senso di giustizia, ma in questa occasione anche dalla intollerabile inutilità di quell'omicidio. Passano i mesi, arriva la primavera, la data del pensionamento si avvicina. La relazione del commissario con la bella Eleonora sembra essere sempre più solida. Non mancherà la cena a casa di Franco Bordelli, dove come d'abitudine ognuno racconterà una storia. Ma una mattina il commissario riceve una telefonata dalla questura... un altro omicidio?

GUANDA

MARCO VICHI
NERO DI LUNA

Emilio Bettazzi, giovane scrittore di Firenze, va ad abitare in una grande casa in campagna che un suo caro amico, prima di morire, aveva preso in affitto. È convinto che sulle bellissime colline del Chianti riuscirà a scrivere un romanzo. Ma fin dai primi giorni succedono strane cose... Emilio cerca di venire a capo di quei misteri, facendo domande, raccogliendo storie, scrutando volti e gesti, fino a spingersi di notte dentro la villa e nei boschi. Quello che scoprirà lo lascerà sbalordito, ma lo legherà per sempre a quei luoghi.

GUANDA

MARCO VICHI
RACCONTI NERI

Questa raccolta riunisce i racconti più «neri» di Marco Vichi. Vi si ritrovano le sue atmosfere e i suoi personaggi, e quella sua capacità di narrare vicende quotidiane e terribili dove all'improvviso un meccanismo si inceppa, e a poco a poco tutto diventa follia, assurdità, mistero, fino al colpo di scena finale. Come in *Amen*, in cui un giovane ricco e nullafacente viene aggredito da un ometto bizzarro, che lo accusa di avergli ucciso l'amico più caro. O in *Mio figlio no*, dove un padre, ossessionato dal sospetto che il figlio sia omosessuale, arriva a una decisione crudele...

GUANDA

Questo libro è stampato col sole

Azienda carbon-free

Fotocomposizione Editype S.r.l.
Agrate Brianza (MB)

Finito di stampare
nel mese di agosto 2021
per conto della Ugo Guanda S.r.l.
da Grafica Veneta S.p.A. di Trebaseleghe (PD)
Printed in Italy